#기출지문
#반복훈련

처음 만나는 수능 어법

이 책을 쓰신 분들

홍정환 박주경 이승현
최영미 김민지 Enoch Chung

교재 검토에 도움을 주신 분들

강성옥 권기용 권예나 김대수 김도훈
김미영 김봉수 김순주 김재희 김정옥
김현미 남미지 손명진 송주영 신인숙
오택경 이명언 이민정 이서진 이용훈
이혜인 임해림 전미정 조운호 한지원

Chunjae Makes Chunjae

기획총괄 김성희
편집개발 김보영, 최윤정, 조원재, 이시현
디자인총괄 김희정
표지디자인 윤순미, 안채리
내지디자인 디자인뮤제오, 박희춘, 임용준
제작 황성진, 조규영

발행일 2020년 12월 1일 초판 2023년 8월 15일 3쇄
발행인 (주)천재교육
주소 서울시 금천구 가산로9길 54
신고번호 제2001-000018호
고객센터 1577-0902

※ 정답 분실 시에는 천재교육 홈페이지에서 내려받으세요.
※ 이 책은 아모레퍼시픽의 아리따글꼴을 사용하여 디자인되었습니다.

기출지문으로 공략하는

처음 만나는 수능 어법

Starter

입문

Preview

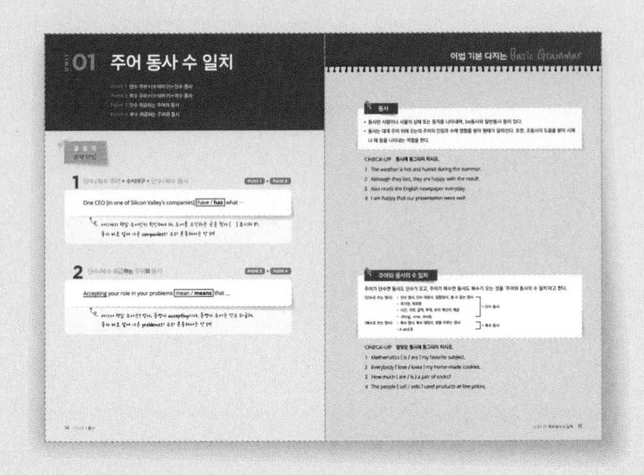

1

- 결정적 출제 어법

시험에 나오는 어법 출제 유형 간단 제시

- 어법 기본 다지는 Basic Grammar

주요 어법 학습에 앞선 기본 문법 확인

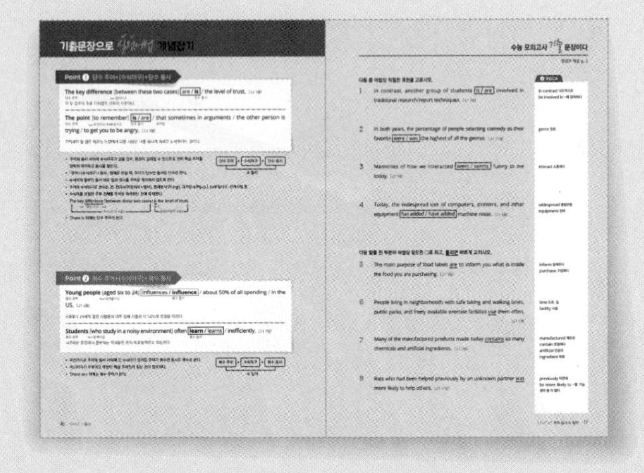

2

- 기출문장으로 실전어법 개념잡기

고1 모의고사 빈출 어법 Point

기출문장 예문으로 개념 확인 문제 풀기

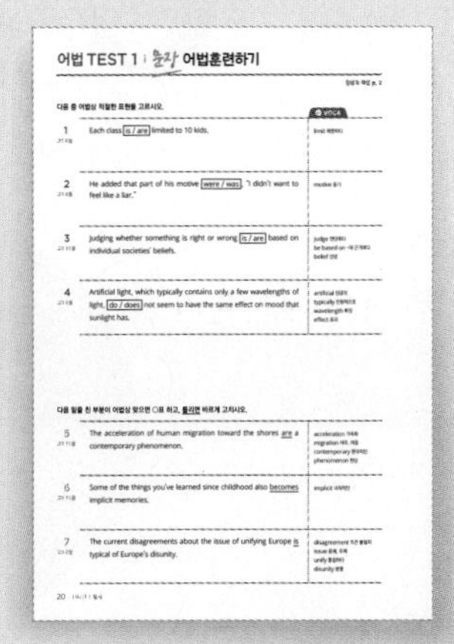

3

- 어법 TEST1 문장 어법훈련하기

문장 단위로 주요 어법 Point 문제 풀기

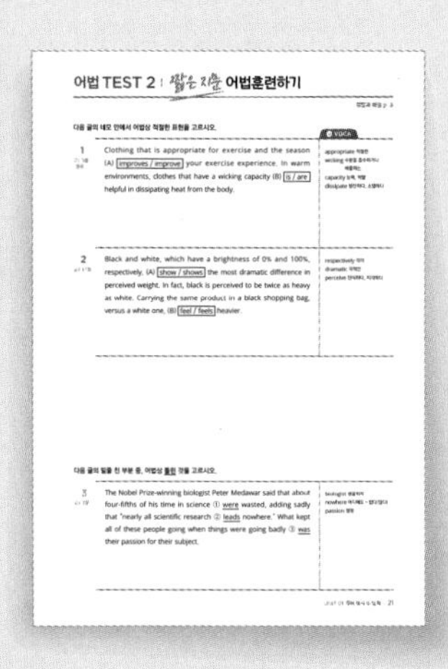

4

- **어법 TEST2 짧은 지문 어법훈련하기**
  단문 단위로 주요 어법 Point 문제 풀기

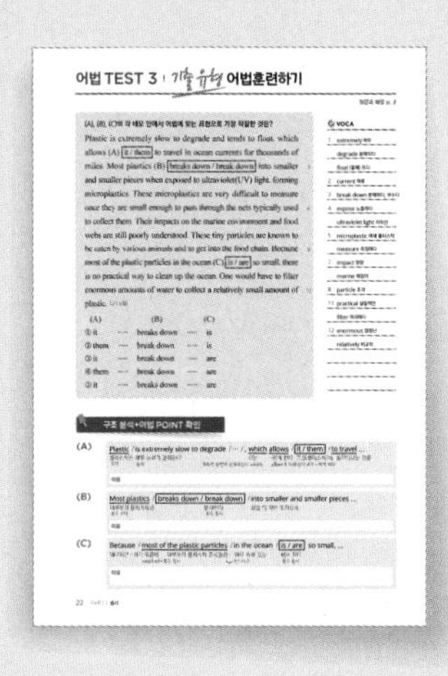

5

- **어법 TEST3 기출 유형 어법훈련하기**
  기출 지문으로 주요 어법 Point 문제 풀기
- **구조 분석+어법 POINT 확인하기**
  기출 어법 문장의 구조 분석 및 어법 Point 확인

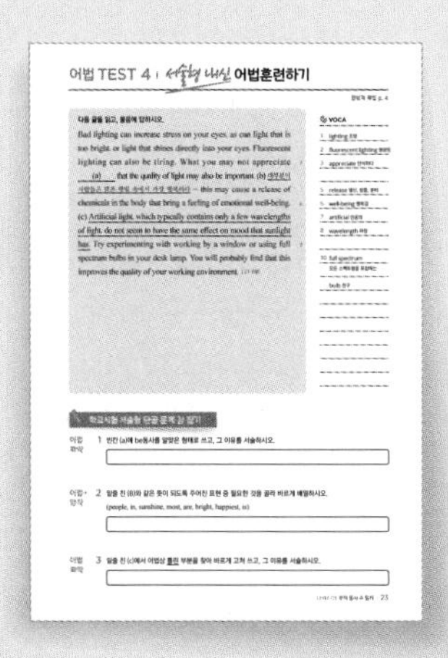

6

- **어법 TEST4 서술형 내신 어법훈련하기**
  기출 지문으로 내신 어법 확인
- **학교시험 서술형 단골 문제 감 잡기**
  학교 내신 시험 문제 유형의 지문 서술형 문제 풀기

Contents

PART 3 연결사

PART 4 품사

PART 5 기타구문

수능 vs. 모의고사 QnA

Q1 수능과 모의고사는 어떻게 다른가요?

A1 수능(**대학수학능력시험**)은 대학 교육에 필요한 학습 능력을 측정하는 시험으로 각 대학의 선발 지표가 되며, 고등학교 교육과정의 내용과 수준에 맞게 출제됩니다. 영어영역은 국어, 수학에 이어 3교시에 70분간 치러지며 총 45문항이 출제됩니다.

수능 영어영역	듣기	독해	총 문항수 / 시간
	17문항	28문항	45문항 / 70분

절대평가로 100점 만점에 점수별 등급이 정해집니다.

등급	1	2	3	4	5	6	7	8	9
점수	90	80	70	60	50	40	30	20	20 미만

교육청 모의고사(**전국연합학력평가**)는 고등학생의 수능 시험 적응을 위해 각 학년별로 실시하는 시험으로 각 시 · 도 교육청이 주관하며, 연 4회(1, 2학년 – 3월, 6월, 9월, 11월 / 3학년 – 3월, 4월, 7월, 10월) 시행됩니다. 시험 형식은 수능과 유사하며, 각 학년별 수준에 맞는 내용으로 출제됩니다.

평가원 모의고사(**수능모의평가**)는 한국교육과정평가원이 주관하며 고등학교 3학년 학생들이 11월 수능 실전에 대비하기 위해 치르는 시험으로, 연 2회(6월, 9월) 치르게 됩니다. 시험 유형과 난이도가 실제 수능 시험과 가장 유사하게 출제되기 때문에 중요하게 생각하고 대비해야 합니다.

	3월	4월	6월
1, 2학년	교육청 전국연합학력평가		교육청 전국연합학력평가
3학년	교육청 전국연합학력평가	교육청 전국연합학력평가	평가원 수능모의평가

	7월	9월	10월	11월
1, 2학년		교육청 전국연합학력평가		교육청 전국연합학력평가
3학년	교육청 전국연합학력평가	평가원 수능모의평가	교육청 전국연합학력평가	평가원 대학수학능력시험

Q2 영어 45문항의 문제 유형을 알려 주세요.

A2 보통 여러 유형이 골고루 출제되며, 문항 난이도에 따라 2점과 3점으로 출제됩니다.

영어 듣기 유형 (17문항)

짧은 대화 응답	그림 (불)일치	이유	목적	의견	심정	부탁	관계
주제	언급, 불언급	수치 계산	도표, 실용문	상황에 적합한 말	할 일	내용 (불)일치	긴 대화 응답

영어 독해 유형 (28문항)

목적	심경	주장	요지	주제	제목	도표	내용 (불)일치	안내문, 실용문	어법
어휘	지칭 추론	빈칸 추론	연결사	글의 순서	문장 삽입	무관 문장	요약문	단일 장문	복합 문단

Q1 어법이란 무엇인가요? 문법과 다른 것인가요?

중학교 때까지만 해도 영문법(English Grammar)만 배우면 문법 공부는 다 끝났다고 생각했었는데, 고등학교에서는 '어법성 판단문제'가 나온다고 해서 당황스러워요. 두 가지가 어떻게 다른지 모르겠어요.

A1

문법(Grammar, 文法)은 '말의 구성 및 운용상의 규칙'이에요. 우리가 영문법을 배운다고 할 때, 명사, 대명사, 동사 등 각 품사가 문장에서 어떤 역할을 하고, 어떤 형식으로 변화하는지 등 구성의 규칙을 아는 것이지요.

> I want **to go**① **to Paris**② **to meet**③ my uncle.

이 문장을 보면 ①의 to는 want의 목적어로 쓰인 'to부정사'의 명사적 용법
②의 to는 '전치사'로 '(이동 방향) ~로'의 의미,
③의 to는 '~하기 위하여'의 목적을 나타내는 'to부정사'의 부사적 용법

이렇게 각 단어가 문장 속에서 어떤 구실을 하는지 알려주는 기본 법칙이 문법이에요.

어법(Usage, 語法)은 좀 더 넓은 의미로 이런 문법 사항들이 실제 말 속에서 어떻게 사용되고 있는지 '쓰임 규칙'을 나타내는 언어학의 전문 용어라고 할 수 있어요.
'어법성 판단'이라는 말을 많이 쓰는데, 이건 문법적으로 맞는지 틀리는지를 하나씩 따진다기 보다는 전체 문장에서 언어의 법칙, 즉 그 개별 단어의 문법이 '종합적으로' 잘 쓰이고 있는지를 확인하는 거예요.
사실 어법이 바르게 쓰였는지 아닌지 확인하려면 먼저 문법을 알아야 해요.
그런데 문법만 잘 안다고 해서 어법 문제를 잘 풀 수 있을까요?

실제 고2 3월 모의고사에 나온 어법을 묻는 기출 문제를 한번 풀어 보세요.

> But more recent research has shown that the leaves are simply so low in nutrients that koalas have almost no energy. [고2 3월 모의고사]

위 문제의 밑줄 친 that이 맞게 들어가 있는지, 아니면 틀렸는지 알아야 해요.
한번 맞춰보세요. 어떤가요? 쉽게 찾았나요?

> 목적절을 이끄는 접속사 that
>
> **But more recent research** (그러나 더 최근의 연구는 / 전체 문장의 주어1) **has shown** (보여준다 / 전체 문장의 동사1) [that **the leaves** (그 잎들이 / 목적절 안의 주어2) **are** (동사2)
>
> simply (단순히) **so** low in nutrients (영양분이 너무나도 적기 때문에 / so ~ that _ : 너무 ~해서 …하다) / **that** **koalas** (주어3) **have** (동사3) almost no energy] (코알라가 거의 에너지가 없는 것임을).
>
> [ ] 전체 문장의 목적어

자, 이렇게 풀어보니까 알겠지요? 밑줄 친 that은 so ~ that ... 용법에 쓰인 that이었어요. 「so+형용사/부사+that+주어+동사」('너무 ~해서 …하다') 구문은 이미 중학교 때 다 배운 내용이지요. 그런데 왜 이 쉬운 so ~ that이 왜 안보였을까요? -.-
일단 문장이 좀 길지요. 어디서부터가 주어인지 목적어인지도 모르겠고, 어디에 문법에 해당하는 내용이 있었는지 찾지 못했을 수도 있어요. 어려운 단어는 없는데 그렇다고 매끄럽게 해석도 잘 되지 않네요...ㅠㅠ

Q2 그렇다면 어법 문제를 어떻게 풀어야 하나요?

A2 어법 = '문법' + '문장 구조 분석' + '문맥'

어법 문제를 풀기 위해서는 기본적으로 '문법'을 익힌 다음, '문장 구조'와 '문맥'을 알아야 해요.
'문장 구조'를 안다는 것은 문장을 '주어/동사/목적어' 등 '문장 성분'으로 끊어 읽을 수 있다는 것을 의미해요.
긴 문장에서는 보통 주어 덩어리, 술어 덩어리... 로 되어 있어서 먼저 이것을 끊으며 읽어 보는 연습, 즉 '문장 구조 분석' 연습이 필요합니다.
'문맥'을 안다는 것은 문장의 맥, 다시 말해 문장의 흐름을 잘 파악하는 거예요. 전체적으로 문장 구조를 알면, 그 문장에서 문맥상 적절한 문법 사항이 잘 적용되어 있는지 파악할 수 있어요.
위에 예처럼 주어와 동사가 3개씩 있지만, 전체 문맥은 가장 기본적인 「주어+동사+(목적어/보어)」를 파악하는 데서 시작해요. 그러고 나면 기본 문장의 목적어로 쓰인 절 안에서 so ~ that ...을 발견할 수 있어요.
또 어법 문제를 풀기 위해서뿐만 아니라, 긴 문장의 독해를 위해서도 어법 공부는 필요해요. 수능모의고사 지문은 한 문장이 3~4줄이 될 정도로 길고 복잡해서, 이 긴 지문을 빠르게 읽어나가며 내용을 파악하려면 문장 구조를 분석하며 직독직해하는 연습을 많이 해야 합니다.

Q3 실제 기출 시험의 어법성 판단 문제 유형을 알려 주세요.

A3 시험에 나오는 어법성 판단 문제는 다음과 같이 두 가지 유형이 있습니다.

(1) 둘 중 맞는 것 조합 고르기

28. (A), (B), (C)의 각 네모 안에서 어법에 맞는 표현으로 가장 적절한 것은?

Clothing doesn't have to be expensive to provide comfort during exercise. Select clothing appropriate for the temperature and environmental conditions (A) [which / in which] you will be doing exercise. Clothing that is appropriate for exercise and the season can improve your exercise experience. In warm environments, clothes that have a wicking capacity (B) [is / are] helpful in dissipating heat from the body. In contrast, it is best to face cold environments with layers so you can adjust your body temperature to avoid sweating and remain (C) [comfortable / comfortably].

	(A)		(B)		(C)
①	which	······	is	······	comfortable
②	which	······	are	······	comfortable
③	in which	······	are	······	comfortable
④	in which	······	is	······	comfortably
⑤	in which	······	are	······	comfortably

(2) 다섯 개 중 틀린 하나 고르기

29. 다음 글의 밑줄 친 부분 중, 어법상 틀린 것은?

Bad lighting can increase stress on your eyes, as can light that is too bright, or light that shines ① directly into your eyes. Fluorescent lighting can also be ② tiring. What you may not appreciate is that the quality of light may also be important. Most people are happiest in bright sunshine—this may cause a release of chemicals in the body ③ that bring a feeling of emotional wellbeing. Artificial light, which typically contains only a few wavelengths of light, ④ do not seem to have the same effect on mood that sunlight has. Try experimenting with working by a window or ⑤ using full spectrum bulbs in your desk lamp. You will probably find that this improves the quality of your working environment.

(1)번 유형은 (A), (B), (C) 선택지 중 맞는 것을 골라 답끼리 묶인 것을 찾으면 되고, (2)번 유형은 밑줄 친 다섯 개의 선택지 중 틀린 것을 고르는 것이에요. (1)번 유형은 세 개만 확인하면 되지만, (2)번 유형은 다섯 개를 다 확인해야 하죠? 최근에는 (2)번 유형이 더 많이 출제되는 경향이랍니다. 또, 문법만 알아서는 풀기 힘들고, 문장 구조와 문맥을 통해 전체 내용을 파악해야만 풀 수 있는 유형의 문제가 많이 출제되고 있어요.

Q4 실제 시험에서는 어떤 어법들이 많이 나오나요?

A4 최근 5년 동안 고1,2,3 모의고사와 고3 수능에서 나왔던 출제 횟수를 분석해 본 데이터입니다.
준동사 파트와 연결사 파트에서 문제가 가장 많이 나와요. 그렇지만 출제율이 낮다고 해서 공부가 필요 없는 건 아니에요. 긴 지문 해석을 위해서 어법은 기본입니다.

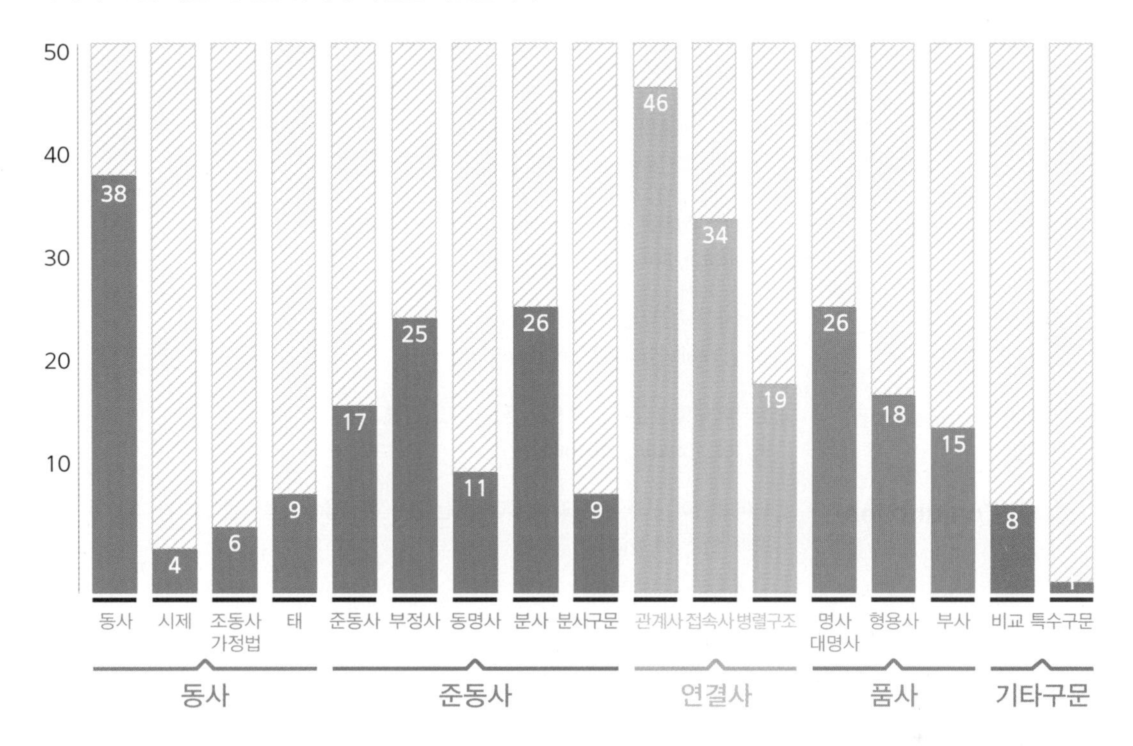

어법에서 자주 다루는 용어

품사(Parts of Speech)

명사(Noun)
사람, 사물, 장소 등 무언가의 이름을 나타내는 말
Book, Information, Seoul, Einstein ...

대명사(Pronoun)
명사를 대신해서 쓰는 말 → 재귀대명사, 부정대명사 등
I, my, myself, one, other ...

동사(Verb)
사람이나 사물의 상태 또는 움직임을 나타내는 말 → 자동사, 타동사, 수여동사 등
study, rise, appear, increase ...

형용사(Adjective)
명사나 대명사를 꾸며 모양, 성질, 수량 등을 나타내는 말
beautiful, attractive, modern ...

부사(Adverb)
형용사, 동사, 다른 부사, 문장 전체 등을 꾸며 주는 말
very, really, hardly, generally ...

전치사(Preposition)
명사나 대명사 앞에 놓여 시간, 장소, 수단, 방향 등을 나타내는 말
in, for, forward, despite ...

접속사(Conjunction)
단어와 단어, 구와 구, 절과 절을 이어주는 말 → 등위접속사, 종속접속사
and, but, so, though, as ...

문장 성분과 문장의 5형식

주어(Subject)
동사가 나타내는 동작이나 상태의 주체를 나타내는 말
Da Vinci is a famous painter.

동사(Verb) – 서술어
주어가 하는 동작이나 주어의 상태를 나타내는 말
I study harder than any other students do.

목적어(Object)
동사가 나타내는 행위의 대상을 나타내는 말 → 간접목적어 / 직접목적어
She bought his grandma some flowers.

보어(Complement)
어떤 말을 보충 설명해 주는 말 → 주격보어 / 목적격보어
You look happy. She makes me happy.

수식어(Modifier)
단어나 문장을 꾸며서 그 의미를 더 자세하고 풍부하게 해 주는 말
I eat slowly. The cute dog sleeps on the sofa.

1형식	주어+동사	A bus arrives at the bus stop. S V
2형식	주어+동사+주격보어	This soup smells good. S V C
3형식	주어+동사+목적어	He is learning Chinese. S V O
4형식	주어+동사+간접목적어+직접목적어	My dad bought me a dress. S V IO DO
5형식	주어+동사+목적어+목적격보어	Robbie found the exam difficult. S V O OC

구와 절

구(Phrase)

두 개 이상의 단어가 모여서 이루어진 것으로, 「주어+동사」를 포함하지 않는다.

명사구

문장에서 명사 역할(주어, 보어, 목적어)을 하는 구 → 부정사구, 동명사구, 분사구, 「의문사+to부정사」구 등

He promised to call me every day. (promised의 목적어로 쓰인 to부정사구)

형용사구

문장에서 형용사 역할(명사, 대명사 수식)을 하거나 보어로 쓰이는 구 → 전치사구, 부정사구, 분사구 등

I want someone to talk with. (someone을 수식하는 to부정사구)

부사구

문장에서 부사 역할(동사, 형용사, 부사, 문장 수식, 장소, 시간, 방법, 정도 등을 표시)을 하는 구 → 전치사구, 부정사구, 분사구 등

I get up early in the morning. (때를 나타내는 전치사구)

전치사구

전치사를 포함하고 있는 구

She saw Jane dancing on the stage. (장소를 나타내는 전치사구)

부정사구

to부정사, 원형부정사를 포함하고 있는 구

They called 911 to ask for an ambulance.

분사구

분사를 포함하고 있는 구

Sandra likes the boy shooting a soccer ball.

동명사구

동명사를 포함하고 있는 구

There are many methods for finding answers to the mysteries.

절 (Clause)

두 개 이상의 단어가 모여서 문장의 일부를 구성하면서, 그 자체에 「주어+동사」를 포함한다.

등위절

등위접속사(and, but, or 등)로 이어진 절로 문법상 대등한 관계로 연결된다.

The child got boring and turned on the TV.

종속절

종속접속사로 이어진 절로 한 개의 절이 다른 절의 명사, 형용사, 부사의 역할을 한다.

명사절

문장에서 명사 역할(주어, 보어, 목적어)을 하는 절

→ 접속사 that절, if(whether)절, 의문사절, 관계사절 등

I want to know whether she is alive. (목적어로 쓰인 whether절)

형용사절

문장에서 형용사 역할(명사, 대명사 수식)을 하는 절 → 관계사절

This is the house which has a beautiful garden.

부사절

문장에서 부사 역할(시간, 이유, 결과, 조건, 양보 등)을 하는 절

I'll call you when I get home. (시간을 나타내는 종속접속사 when절)

준동사(Verbal)

동사로부터 파생된 것이지만, 동사 역할을 하지 않고 명사, 형용사, 부사의 역할을 하는 것

부정사(Infinitive)
동사 앞에 to가 붙거나(to부정사), 동사원형(원형부정사)의 형태
I want to study hard.

동명사(Gerund)
동사원형 뒤에 -ing가 붙은 형태
Walking fast is good for your health.

분사(Participle)
동사원형 뒤에 -ing가 붙거나 p.p.의 형태

- **현재분사**
  능동, 진행의 의미로 동사원형 뒤에 -ing가 붙은 형태
  Do you know that crying child?

- **과거분사**
  수동, 완료의 의미로 동사원형 뒤에 -ed가 붙거나 불규칙하게 p.p.가 된 형태
  I like the play written by Shakespeare.

문장 구조 분석 관련 용어

끊어 읽기/직독직해
문장 성분에 맞게 끊어 읽고 바로 해석하기
I saw a cat / sitting outside the window / yesterday.
나는 고양이를 보았다 / 창밖에 앉아 있는 / 어제

완전/불완전한 구조
문장에 필수적인 문장 성분이 다 있는 경우 – 완전한 구조
문장에 필수적인 문장 성분이 하나라도 빠진 경우 – 불완전한 구조
Apples contain vitamin C. (S V O (완전한 구조)) Apples contain [ ]. (S V 목적어 X (불완전한 구조))

어순
문장 구성 성분의 순서
Do you know when he got up this morning?
의문사+주어+동사 (간접의문문의 어순)

병렬구조
등위접속사(and, but, or)나 상관접속사(not A but B 등) 앞뒤의 문법 형태가 같은 구조
The recycling was both difficult and costly.
(difficult: 형용사, costly: 형용사)

수 일치
주어와 동사, 주어와 대명사 등 단수, 복수가 일치하는 것
Some people in the room are wearing glasses.
(Some people: 복수 주어, are: 복수 동사)

구문
구조화된 문장 성분 → 분사구문, 비교구문, 도치구문 등
Seeing the police officer, he began to run away.
(Seeing the police officer: 분사구문)

PART 1 | 동사

수능 모의고사
기출어법
항목별 빈도수

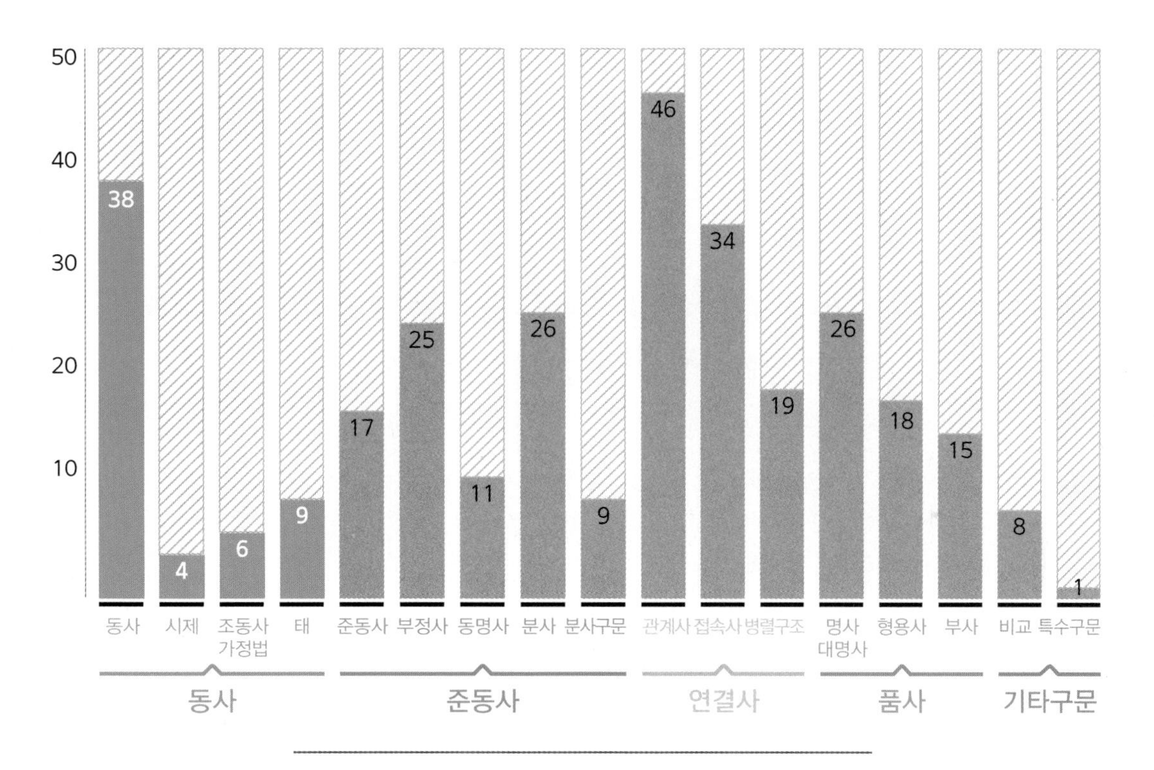

UNIT 01

주어 동사 수 일치

Point 1 단수 주어+(수식어구)+단수 동사
Point 2 복수 주어+(수식어구)+복수 동사
Point 3 단수 취급하는 주어와 동사
Point 4 복수 취급하는 주어와 동사

결정적 출제 어법

1 단수/복수 주어 + 수식어구 + 단수/복수 동사

Point 1 + Point 2

One CEO [in one of Silicon Valley's companies] have / **has** what ···

어디까지 핵심 주어인지 확인해야 해. 주어를 수식하는 곳을 찾아 [ ] 표시해 봐.
동사 바로 앞에 나온 companies의 수와 혼동해서는 안 돼!

2 단수/복수 취급하는 주어와 동사

Point 3 + Point 4

Accepting your role in your problems mean / **means** that ...

여기서 핵심 주어는? 맞아, 동명사 accepting이야. 동명사 주어는 단수 취급해.
동사 바로 앞에 나온 problems의 수와 혼동해서는 안 돼!

동사

- 동사란 사람이나 사물의 상태 또는 동작을 나타내며, be동사와 일반동사 등이 있다.
- 동사는 대개 주어 뒤에 오는데 주어의 인칭과 수에 영향을 받아 형태가 달라진다. 또한, 조동사의 도움을 받아 시제나 태 등을 나타내는 역할을 한다.

CHECK-UP **동사에 동그라미 하시오.**

1 The weather is hot and humid during the summer.

2 Although they lost, they are happy with the result.

3 Alex reads the English newspaper everyday.

4 I am happy that our presentation went well.

주어와 동사의 수 일치

주어가 단수면 동사도 단수가 오고, 주어가 복수면 동사도 복수가 오는 것을 '주어와 동사의 수 일치'라고 한다.

〈단수로 쓰는 명사〉	• 단수 명사, 단수 대명사, 집합명사, 셀 수 없는 명사 • 국가명, 학과명 • 시간, 거리, 금액, 무게, 숫자 계산의 개념 • -thing, -one, -body	+ 단수 동사
〈복수로 쓰는 명사〉	• 복수 명사, 복수 대명사, 쌍을 이루는 명사 • A and B	+ 복수 동사

CHECK-UP **알맞은 동사에 동그라미 하시오.**

1 Mathematics (is / are) my favorite subject.

2 Everybody (love / loves) my home-made cookies.

3 How much (are / is) a pair of socks?

4 People (sell / sells) used products at low prices.

기출문장으로 실전어법 개념잡기

Point 1 단수 주어+(수식어구)+단수 동사

The key difference [between these two cases] are / **is** / the level of trust. [고1 3월]
단수 주어 / 전치사구 / 단수 동사
이 두 경우의 주요 차이점은 신뢰의 수준이다.

The point [to remember] **is** / are / that sometimes in arguments / the other person is trying / to get you to be angry. [고1 3월]
단수 주어 / 수식어구: to부정사구 / 단수 동사 / 보어절

기억해야 할 점은 때로는 논쟁에서 다른 사람은 너를 화나게 하려고 노력한다는 것이다.

단수 주어 + 수식어구 + 단수 동사
수 일치

- 주어와 동사 사이에 수식어구가 있을 경우, 문장이 길어질 수 있으므로 먼저 핵심 주어를 정확히 파악하고 동사를 찾는다.
- 「주어+(수식어구)+동사」 형태로 쓰일 때, 주어가 단수면 동사도 단수로 쓴다.
- 수식어의 일부인 동사 바로 앞의 명사를 주어로 착각하지 않도록 한다.
- 주어의 수식어구로 쓰이는 것: 전치사구(전치사+명사), 현재분사구(-ing), 과거분사구(p.p.), to부정사구, 관계사절 등
- 수식어를 포함한 주부 전체를 주어로 해석하는 것에 유의한다.

  The key difference [between these two cases] is the level of trust.
  핵심 주어 / 주부(주어 부분) / 동사 / 술부(서술어 부분)
- There is 뒤에는 단수 주어가 온다.

Point 2 복수 주어+(수식어구)+복수 동사

Young people [aged six to 24] influences / **influence** / about 50% of all spending / in the US. [고1 3월]
복수 주어 / 과거분사구 / 복수 동사

6세에서 24세의 젊은 사람들이 미국 전체 지출의 약 50%에 영향을 미친다.

Students [who study in a noisy environment] often **learn** / learns / inefficiently. [고1 3월]
복수 주어 / 관계사절 / 복수 동사
시끄러운 환경에서 공부하는 학생들은 흔히 비효율적으로 학습한다.

- 마찬가지로 주어와 동사 사이에 긴 수식어가 있어도 주어가 복수면 동사도 복수로 쓴다.
- 어디까지가 주부이고 무엇이 핵심 주어인지 찾는 것이 중요하다.
- There are 뒤에는 복수 주어가 온다.

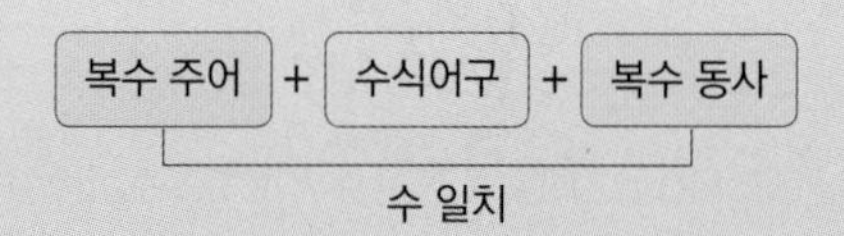

정답과 해설 p. 2

다음 중 어법상 적절한 표현을 고르시오.

1 In contrast, another group of students [is / are] involved in traditional research/report techniques. [고1 3월]

2 In both years, the percentage of people selecting comedy as their favorite [were / was] the highest of all the genres. [고1 11월]

3 Memories of how we interacted [seem / seems] funny to me today. [고1 9월]

4 Today, the widespread use of computers, printers, and other equipment [has added / have added] machine noise. [고1 6월]

다음 밑줄 친 부분이 어법상 맞으면 ○표 하고, 틀리면 바르게 고치시오.

5 The main purpose of food labels are to inform you what is inside the food you are purchasing. [고1 3월]

6 People living in neighborhoods with safe biking and walking lanes, public parks, and freely available exercise facilities use them often. [고1 3월]

7 Many of the manufactured products made today contains so many chemicals and artificial ingredients. [고1 3월]

8 Rats who had been helped previously by an unknown partner was more likely to help others. [고1 11월]

VOCA

in contrast 대조적으로
be involved in ~에 참여하다

genre 장르

interact 소통하다

widespread 광범위한
equipment 장비

inform 알려주다
purchase 구입하다

lane 도로, 길
facility 시설

manufactured 제조된
contain 포함하다
artificial 인공의
ingredient 재료

previously 이전에
be more likely to ~할 가능성이 좀 더 많다

기출문장으로 실전어법 개념잡기

Point 3 단수 취급하는 주어와 동사

Achieving focus [in a movie] **is** / are / easy. [고1 11월]
동명사 주어 / 전치사구 / 단수 동사
영화에서 집중을 얻기는 쉽다.

Each of the top 5 countries have won / **has won** / more than 40 medals / in total. [고1 6월 응용]
each of+복수 명사 / 단수 동사
상위 5개 국가는 총 40개 이상의 메달을 각각 획득해 왔다.

- 주어가 to부정사구, 동명사구와 같은 명사구일 때, whether절, 의문사절, 접속사 that절과 같은 명사절일 때, 단수 취급하여 단수 동사를 쓴다.
- 다음과 같은 경우 단수 취급한다.

to부정사구, 동명사구, whether절, 의문사절, that절 + 단수 동사

each, every	+	단수 명사	+	단수 동사
each of, one of, the number of		복수 명사		
부분 표현+of		단수 명사		

- 부분 표현: all, most, some, part, both, half, the rest, 분수 등

Point 4 복수 취급하는 주어와 동사

The young is / **are** / very likely to be influenced / by the Internet. [고1 3월 응용]
the+형용사 / 복수 동사
젊은 사람들은 인터넷에 의해 영향을 받을 가능성이 크다.

As a matter of fact, / **most of us** **prefer** / prefers / the path of least resistance. [고1 9월]
most of+복수 명사 / 복수 동사
사실, 우리들 대부분은 최소한의 저항의 길을 선호한다.

- 「the+형용사」는 '~한 사람들'의 의미로, 복수 취급하여 복수 동사를 쓴다.
- 다음과 같은 경우 복수 취급한다.

the + 형용사 + 복수 동사

both	+	복수 명사	+	복수 동사
a number of				
부분 표현+of				

정답과 해설 p. 2

다음 중 어법상 적절한 표현을 고르시오.

1 To play the waiting game [is / are] the penguin's solution. [고1 11월 응용]

2 Everyone [need / needs] to know they are valued and appreciated. [고1 6월 응용]

3 Both engines [backfires / backfire] and [comes / come] to full power. [고1 9월]

4 According to cultural relativism, all of these systems [is / are] equally valid. [고1 11월]

다음 밑줄 친 부분이 어법상 맞으면 ○표 하고, 틀리면 바르게 고치시오.

5 The rich was very unkind and cruel to the servants. [고1 3월 응용]

6 Each of encounters with majority individuals trigger such responses. [고1 11월 응용]

7 The number of bronze medals won by the United States were less than twice the number of bronze medals won by Germany. [고1 6월]

8 Thus, seeking closeness and meaningful relationships has long been vital for human survival. [고1 6월]

VOCA

solution 해결책

appreciate 진가를 알아보다

backfire (갑자기) 폭발음을 내다

relativism 상대주의
valid 타당한

cruel 잔인한

encounter 마주침, 만남
trigger 촉발하다

less than twice 두 배보다 적은

vital 필수적인

어법 TEST 1 | 문장 어법훈련하기

정답과 해설 p. 2

다음 중 어법상 적절한 표현을 고르시오.

		VOCA
1 고1 6월	Each class [is / are] limited to 10 kids.	limit 제한하다
2 고1 6월	He added that part of his motive [were / was], "I didn't want to feel like a liar."	motive 동기
3 고1 11월	Judging whether something is right or wrong [is / are] based on individual societies' beliefs.	judge 판단하다 be based on ~에 근거하다 belief 신념
4 고1 6월	Artificial light, which typically contains only a few wavelengths of light, [do / does] not seem to have the same effect on mood that sunlight has.	artificial 인공의 typically 전형적으로 wavelength 파장 effect 효과

다음 밑줄 친 부분이 어법상 맞으면 ○표 하고, 틀리면 바르게 고치시오.

5 고1 11월	The acceleration of human migration toward the shores <u>are</u> a contemporary phenomenon.	acceleration 가속화 migration 이주, 이동 contemporary 현대적인 phenomenon 현상
6 고1 11월	Some of the things you've learned since childhood also <u>becomes</u> implicit memories.	implicit 내재적인
7 고1 6월	The current disagreements about the issue of unifying Europe <u>is</u> typical of Europe's disunity.	disagreement 의견 불일치 issue 문제, 주제 unify 통합하다 disunity 분열

어법 TEST 2 | 짧은 지문 어법훈련하기

정답과 해설 p. 3

다음 글의 네모 안에서 어법상 적절한 표현을 고르시오.

1 고1 3월 응용

Clothing that is appropriate for exercise and the season (A) [improves / improve] your exercise experience. In warm environments, clothes that have a wicking capacity (B) [is / are] helpful in dissipating heat from the body.

VOCA
appropriate 적절한
wicking 수분을 흡수하거나 배출하는
capacity 능력, 역할
dissipate 발산하다, 소멸하다

2 고1 11월

Black and white, which have a brightness of 0% and 100%, respectively, (A) [show / shows] the most dramatic difference in perceived weight. In fact, black is perceived to be twice as heavy as white. Carrying the same product in a black shopping bag, versus a white one, (B) [feel / feels] heavier.

respectively 각각
dramatic 극적인
perceive 인식하다, 지각하다

다음 글의 밑줄 친 부분 중, 어법상 틀린 것을 고르시오.

3 고1 3월

The Nobel Prize-winning biologist Peter Medawar said that about four-fifths of his time in science ① were wasted, adding sadly that "nearly all scientific research ② leads nowhere." What kept all of these people going when things were going badly ③ was their passion for their subject.

biologist 생물학자
nowhere 어디에도 ~ 없다(않다)
passion 열정

어법 TEST 3 | 기출 유형 어법훈련하기

정답과 해설 p. 3

(A), (B), (C)의 각 네모 안에서 어법에 맞는 표현으로 가장 적절한 것은?

Plastic is extremely slow to degrade and tends to float, which allows (A) [it / them] to travel in ocean currents for thousands of miles. Most plastics (B) [breaks down / break down] into smaller and smaller pieces when exposed to ultraviolet(UV) light, forming microplastics. These microplastics are very difficult to measure once they are small enough to pass through the nets typically used to collect them. Their impacts on the marine environment and food webs are still poorly understood. These tiny particles are known to be eaten by various animals and to get into the food chain. Because most of the plastic particles in the ocean (C) [is / are] so small, there is no practical way to clean up the ocean. One would have to filter enormous amounts of water to collect a relatively small amount of plastic. [고1 6월]

	(A)		(B)		(C)
①	it	......	breaks down	......	is
②	them	......	break down	......	is
③	it	......	break down	......	are
④	them	......	break down	......	are
⑤	it	......	breaks down	......	are

VOCA

1 extremely 매우
degrade 분해되다
float (물에) 뜨다
2 current 해류
3 break down 분해하다, 부수다
4 expose 노출하다
ultraviolet light 자외선
5 microplastic 미세 플라스틱
measure 측정하다
7 impact 영향
marine 해양의
8 particle 조각
11 practical 실질적인
filter 여과하다
12 enormous 엄청난
relatively 비교적

구조 분석+어법 POINT 확인

(A)

Plastic / is extremely slow to degrade / ··· / , which allows / [it / them] / to travel ...
플라스틱은(주어) 매우 느리게 분해된다(동사) / 이는(계속적 용법의 관계대명사 which) ~하게 한다 / 그것(플라스틱)이 돌아다니는 것을 (allow A to부정사: A가 ~하게 하다)

이유

(B)

Most plastics / [breaks down / break down] / into smaller and smaller pieces ...
대부분의 플라스틱은(복수 주어) / 분해된다(복수 동사) / 점점 더 작은 조각으로

이유

(C)

Because / most of the plastic particles / in the ocean / [is / are] so small, ...
왜냐하면 ~이기 때문에 / 대부분의 플라스틱 조각들은(most of+복수 명사) / 바다 속에 있는(전치사구) / 매우 작다(복수 동사)

이유

어법 TEST 4 | 서술형 내신 어법훈련하기

정답과 해설 p. 4

다음 글을 읽고, 물음에 답하시오.

Bad lighting can increase stress on your eyes, as can light that is too bright, or light that shines directly into your eyes. Fluorescent lighting can also be tiring. What you may not appreciate ___(a)___ that the quality of light may also be important. (b) 대부분의 사람들은 밝은 햇빛 속에서 가장 행복하다 — this may cause a release of chemicals in the body that bring a feeling of emotional well-being. (c) Artificial light, which typically contains only a few wavelengths of light, do not seem to have the same effect on mood that sunlight has. Try experimenting with working by a window or using full spectrum bulbs in your desk lamp. You will probably find that this improves the quality of your working environment. [고1 6월]

VOCA

1 lighting 조명
2 fluorescent lighting 형광등
3 appreciate 인식하다
5 release 발산, 방출, 분비
6 well-being 행복감
7 artificial 인공의
8 wavelength 파장
10 full spectrum 모든 스펙트럼을 포함하는
bulb 전구

학교시험 서술형 단골 문제 감 잡기

어법 파악 **1** 빈칸 (a)에 be동사를 알맞은 형태로 쓰고, 그 이유를 서술하시오.

어법+ 영작 **2** 밑줄 친 (B)와 같은 뜻이 되도록 주어진 표현 중 필요한 것을 골라 바르게 배열하시오.

(people, in, sunshine, most, are, bright, happiest, is)

어법 파악 **3** 밑줄 친 (c)에서 어법상 틀린 부분을 찾아 바르게 고쳐 쓰고, 그 이유를 서술하시오.

UNIT

02 동사의 시제

Point 1 단순시제 – 현재 / 과거 / 미래
Point 2 진행시제 – 현재진행 / 과거진행 / 미래진행
Point 3 완료시제 – 현재완료 / 과거완료
Point 4 과거 vs. 현재완료

결정적 출제 어법

1 시간, 조건의 부사절에서 미래시제를 대신하는 현재시제

Point 1

If the pioneer **survives** / will survive, everyone else will follow suit.

시간이나 조건의 부사절에서는 현재시제가 미래시제를 대신해.

2 과거시제와 현재완료 시제를 구분하려면 부사(구)를 확인

Point 4

He **died** / has died in 1933.

과거시제는 yesterday, ago, last, when, 「in+연도」 등과 함께 쓰이고,
완료시제는 just, already, 「since+과거 시점」, 「for+기간」 등과 함께 쓰여.

동사의 시제

동사의 시제는 일반적으로 단순시제(현재, 과거, 미래), 완료시제(현재완료, 과거완료, 미래완료), 진행시제(현재진행, 과거진행, 미래진행) 등으로 분류할 수 있다.

단순시제	**현재**	am/are/is, 일반동사 현재	~한다
	과거	was/were, 일반동사 과거	~하였다
	미래	will+동사원형	~할 것이다
완료시제	**현재완료**	have/has+p.p.	(지금까지) 계속 ~해 오다 〈계속〉 (지금까지) ~한 적이 있다 〈경험〉 (지금) 막 ~했다 〈완료〉 (과거에) ~해서 (지금) …하다, …해 버렸다 〈결과〉
	과거완료	had+p.p.	(과거 한 시점까지) 계속 ~해 왔다 〈계속〉 (과거 한 시점까지) ~한 적이 있었다 〈경험〉 (과거의 한 시점에) 막 ~했다 〈완료〉 (과거 기준보다 이전에) ~해서 (과거의 한 시점에) …했다, …해 버렸었다 〈결과〉
	미래완료	will have+p.p.	(미래 한 시점까지) 계속해서 ~해 왔을 것이다 〈계속〉, 〈경험〉 (미래의 한 시점에) 막 ~하게 될 것이다, ~되어 있을 것이다 〈완료〉, 〈결과〉
진행시제	**현재진행**	am/are/is+-ing	(지금) ~하는 중이다
	과거진행	was/were+-ing	(과거에) ~하는 중이었다
	미래진행	will be+-ing	(미래에) ~하는 중일 것이다

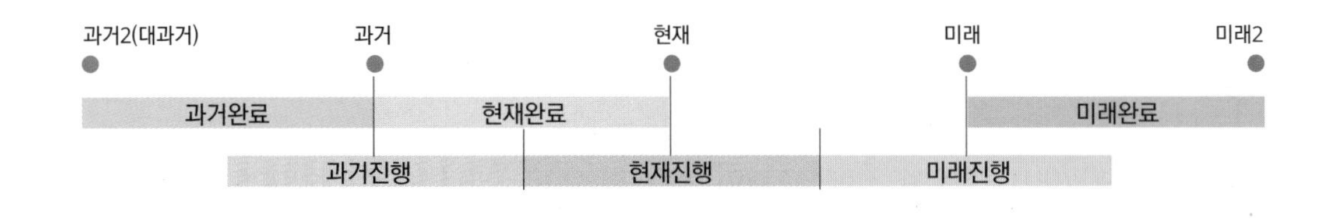

CHECK-UP 주어진 동사를 시제에 맞게 빈칸에 쓰시오.

1 Mina usually ________ tea in the morning. (drink)

2 There ________ ________ heavy rain tomorrow. (be)

3 I have just ________ writing my report. (finish)

4 What ________ you ________ in the garden now? (do) – I'm watering the flowers.

기출문장으로 실전어법 개념잡기

Point 1 단순시제 - 현재 / 과거 / 미래

In 1907, / he [**moved** / moves] to Phoetus, Virginia, / where he worked / in the dining room of the Hotel Chamberlin. [고1 6월]

(in+연도 / 과거시제)

1907년에 그는 Virginia주 Phoetus로 이사했고, 거기서 Chamberlin 호텔의 식당에서 일했다.

If you [will be / **are**] not careful, / you will waste valuable mental space / trying to figure out their real feelings. [고1 11월]

(조건의 부사절 / 현재시제 / 미래시제)

만약 여러분이 조심하지 않는다면, 여러분은 그들의 실제 감정을 알아내려고 애쓰는 데 소중한 정신적 공간을 허비할 것이다.

- 현재시제: 현재의 동작이나 상태, 일반적인 사실, 습관, 반복적 행동, 불변의 진리, 격언, 속담
- 과거시제: 과거의 동작이나 상태, 역사적 사실
- 미래시제: 미래의 동작이나 상태, 주어의 의지 표현, 계획 또는 예정
- 시간이나 조건의 부사절(when, before, after, until, if, unless, as soon as 등)에서는 현재시제가 미래시제를 대신한다.
  cf. 명사절과 형용사절에서는 미래를 나타낼 때 미래시제를 쓰는 것에 유의한다.
  〈명사절〉 I don't know when he will come.
  〈형용사절〉 I wait for the day when we will meet again.
- 왕래발착동사(go, come, depart, arrive, leave, begin, start 등)는 현재형으로 미래시제를 나타낼 수 있다.

과거 — 현재 — 미래

Point 2 진행시제 - 현재진행 / 과거진행 / 미래진행

Rain hits the windscreen / and I [got / **am getting**] into heavier weather. [고1 9월]

(현재 진행 중인 동작)

비가 조종석 창에 부딪히고 나는 더 악화되는 기상 속으로 들어가고 있다.

From next week, / you [were working / **will be working**] / in the Marketing Department. [고1 3월]

(미래의 특정 시점에 진행 중일 동작)

다음 주부터 귀하는 마케팅부에서 일하게 될 것입니다.

- 현재진행 시제 (am/are/is + -ing): 현재 진행 중인 동작이나 가까운 미래의 예정
- 과거진행 시제 (was/were + -ing): 과거의 특정 시점에 진행 중이던 동작
- 미래진행 시제 (will be + -ing): 미래의 특정 시점에 진행 중일 동작
- 일반적으로 진행형으로 쓰지 않는 동사

> • 소유: have, belong, own ...
> • 상태: seem, resemble ...
> • 감정: like, love, hate, want, prefer ...
> • 인지: think, know, believe, remember, understand, suppose, realize ...
> • 지각: feel, taste, smell, sound, look ...

정답과 해설 p. 5

다음 중 어법상 적절한 표현을 고르시오.

1 If the sun sets in the west, it always [rises / will rise] again the next morning in the east. [고1 6월]

2 A long time ago, a farmer in a small town [has / had] a neighbor who was a hunter. [고1 11월]

3 We [are / will be] excited to announce the opening of the newest Sunshine Stationery Store. The opening celebration [is / will be] from 9 a.m. to 9 p.m. tomorrow. [고1 3월 응용]

4 Jemison [is born / was born] in Decatur, Alabama, and [moved / has moved] to Chicago with her family when she was three years old. [고1 3월]

5 If the pioneer [survives / will survive], everyone else will follow suit. [고1 11월]

6 Rangan's thoughts were disturbed by an old man walking with his bicycle towards his shop. The old man [is wearing / was wearing] an old turban on his head. [고1 11월]

7 Your actions [seem / are seeming] robotic; your body language signals are disconnected from one another. [고1 6월]

8 Some repetition gives us a sense of security, in that we know what [comes / is coming] next. [고1 11월]

VOCA

set (태양, 달 등이) 지다
rise (태양, 달 등이) 뜨다

neighbor 이웃
hunter 사냥꾼

announce 알리다, 발표하다
stationery store 문구점
celebration 축하

pioneer 개척자, 선구자
survive 생존하다, 살아남다
follow suit 남이 한 대로 따라 하다

disturb 방해하다

robotic (동작 · 표정 등)이 로봇 같은
disconnect 분리하다, 끊다

repetition 반복
security 안전, 안도
in that ~라는 점에서

Point 3 완료시제 - 현재완료 / 과거완료

Since the new millennium, / businesses [experienced / **have experienced**] / more global competition. [고1 6월]

since + 과거의 특정 시점 / 현재완료 시제(have+p.p.)

뉴 밀레니엄 시대 이후, 기업들은 더 많은 국제적 경쟁을 경험하고 있다.

When the boy learned [that he [misspells / **had misspelled**] the word], he went to the judges and told them. [고1 6월]

알게 된 시점: 과거 / 철자를 잘못 말한 시점: 대과거(had+p.p.)

그 소년은 자신이 그 단어의 철자를 잘못 말했다는 것을 알았을 때, 심판에게 가서 말했다.

- 현재완료 시제(have/has+p.p.): 과거에 일어난 일이 현재까지 영향을 미친다.
  현재까지의 동작, 상태의 완료, 경험, 계속, 결과 등을 나타낸다.
- 과거완료 시제(had+p.p.): 과거보다 먼저 있었던 일이 과거의 어느 시점까지 영향을 미친다.
  과거 한 시점까지의 동작, 상태의 완료, 경험, 계속, 결과 등을 나타낸다. 특히, 과거의 어느 시점보다 더 이전의 동작을 나타낼 때 대과거를 쓴다.
- 완료시제와 자주 쓰이는 표현
  - 완료: just, already, yet ...
  - 경험: ever, never, before, once ...
  - 계속: since, for, so far, how long ...
  - 결과: go, come, leave, lose ...

Point 4 과거 vs. 현재완료

They [**existed** / have existed] / around 200 million years ago, / and we know about them / because their bones [was preserved / **have been preserved**] as fossils. [고1 6월]

과거시제 / 특정한 과거의 때(~ ago) / 현재완료 시제 (과거의 일이 현재까지 영향을 미침)

그들은 2억 년쯤 전에 존재했고 그 뼈가 화석으로 보존되어 왔기 때문에 우리는 그들에 대해 알고 있다.

Since the nineteenth century, / shopkeepers [took / **have taken**] advantage of this trick / by choosing prices ending in a 9. [고1 11월]

since + 과거의 특정 시점 / 현재완료 시제(과거의 일이 현재까지 영향을 미치며 이어지고 있음)

19세기 이래, 소매상인들은 9로 끝나는 가격을 선택함으로써 이 착각을 이용해 왔다.

- 과거시제: 과거의 특정 시점에 일어나 이미 끝난 일을 나타낼 때 쓴다.
- 현재완료: 과거의 일이 현재까지 영향을 미쳐 현재와 관련이 있을 때 쓴다.

명백한 과거를 나타내는 표현	yesterday, ago, last, just now, when, 「in+연도」 등
현재완료와 자주 사용되는 표현	so far, just, already, yet, ever, never, before, 「since+과거 시점」, 「for+기간」 등

정답과 해설 p. 5

다음 중 어법상 적절한 표현을 고르시오.

1 My wife and I have lived in Smalltown for more than 60 years and [enjoyed / have enjoyed] Freer Park for all that time. [고1 9월]

2 Serene's mother said that she herself [tried / had tried] many times before succeeding at Serene's age. [고1 3월]

3 A 10-year-old boy decided to learn judo despite the fact that he [had lost / has lost] his left arm in a devastating car accident. [고1 9월]

4 By 1906, he [has moved / had moved] to New York, married, and was taking jobs to support his growing family. [고1 6월]

다음 밑줄 친 부분이 어법상 맞으면 ○표 하고, 틀리면 바르게 고치시오.

5 Years ago, before electronic resources were such a vital part of the library environment, we <u>had</u> only to deal with noise produced by people. [고1 6월]

6 There's nothing you could possibly tell me that I <u>didn't already think</u> about before. [고1 3월]

7 Interestingly, in 2016, the number of tourists <u>have dropped</u> to less than one hundred thousand for both cities. [고1 9월]

8 As you <u>have completed</u> your three months in the Sales Department, it's time to move on to your next department. [고1 3월]

VOCA

succeed 성공하다

despite ~에도 불구하고
devastating 엄청난 손상을 가한

married 결혼한 상태로

electronic 전자의
vital 필수적인
deal with ~을 처리하다

possibly 아마도

drop 떨어지다

Sales Department 영업부

어법 TEST 1 | 문장 어법훈련하기

정답과 해설 p. 5

다음 중 어법상 적절한 표현을 고르시오.

VOCA

1 고1 6월

When I was very young, I [had / had had] a difficulty telling the difference between dinosaurs and dragons.

have a difficulty (in) -ing ~하는 데 고생하다, 어려움이 있다
dinosaur 공룡
dragon 용

2 고1 6월

For example, if you [are / will be] motivated to buy a good car, you will research vehicles online, look at ads, visit dealerships, and so on.

motivated 동기가 부여된
dealership 대리점

3 고1 6월

This is her first job as a coach, and she [has started / is going to start] working from next week.

4 고1 11월

Today, experts [understand / are understanding] the importance of strength training and have made it part of the game.

strength training 근력 운동

다음 밑줄 친 부분이 어법상 맞으면 ○표 하고, 틀리면 바르게 고치시오.

5 고1 9월

If a person will begin their day in a good mood, they will likely continue to be happy at work.

6 고1 3월

Chuckwallas were fat lizards, usually 20-25cm long, though they may grow up to 45cm.

7 고1 6월

Marketers have known for decades that you buy what you see first.

decade 10년

어법 TEST 2 | 짧은 지문 어법훈련하기

정답과 해설 p. 6

다음 글의 네모 안에서 어법상 적절한 표현을 고르시오.

1
고1 6월

Kevin was in front of the mall wiping off his car. He (A) [has just come / had just come] from the car wash and was waiting for his wife. An old man whom society would consider a beggar (B) [is coming / was coming] toward him from across the parking lot.

VOCA
wipe off 닦아내다
car wash 세차장
beggar 거지, 걸인
parking lot 주차장

2
고1 9월

My wife and I have lived in Smalltown for more than 60 years and (A) [have enjoyed / had enjoyed] Freer Park for all that time. When we were young and didn't have the money to go anywhere else, we (B) [would walk / will walk] there almost every day. Now we (C) [are / were] seniors, and my wife must use a wheelchair for extended walks.

senior 고령자, 노인
extended 길어진, 늘어난

다음 글의 밑줄 친 부분 중, 어법상 틀린 것을 고르시오.

3
고1 11월

In an effort to save the planet, we ① have adopted a new policy and we need your help. If you ② will hang the Eco-card at the door, we will not change your sheets, pillow cases, and pajamas. In addition, we ③ will leave the cups untouched unless they ④ need to be cleaned.

adopt 채택하다
pillow case 베갯잇
untouched 손대지 않은

어법 TEST 3 | 기출 유형 어법훈련하기

정답과 해설 p. 6

(A), (B), (C)의 각 네모 안에서 어법에 맞는 표현으로 가장 적절한 것은?

We like to make a show of how much our decisions are based on rational considerations, but the truth is that we are largely governed by our emotions, which continually influence our perceptions. What this means is that the people around you, constantly under the pull of their emotions, change their ideas by the day or by the hour, depending on their mood. You must never assume that what people say or do in a particular moment is a statement of their permanent desires. Yesterday they (A) [were / has been] in love with your idea; today they (B) [seem / are seeming] cold. This will confuse you and if you (C) [are / will be] not careful, you will waste valuable mental space trying to figure out their real feelings, their mood of the moment, and their fleeting motivations. It is best to cultivate both distance and a degree of detachment from their shifting emotions so that you are not caught up in the process. [고1 11월]

	(A)		(B)		(C)
①	were	······	seem	······	are
②	were	······	seem	······	will be
③	has been	······	seem	······	are
④	has been	······	are seeming	······	are
⑤	has been	······	are seeming	······	will be

VOCA

2 rational 합리적인, 이성적인
consideration 사려, 고려
3 perception 인지
6 assume 추정하다, 가정하다
7 statement 진술
permanent 영구적인
11 figure out 알아내다
12 fleeting 순식간의, 잠깐의
motivation 자극, 동기부여
cultivate 경작하다, 일구다
13 detachment 무심함, 거리 둠
shifting 이동하는, 바뀌는

구조 분석+어법 POINT 확인

(A) Yesterday / they [were / has been] in love with your idea; …

어제 (과거의 명확한 때) / 그들은 / ~였다 (과거시제) / 여러분의 생각과 사랑에 빠진 (~와 사랑에 빠진)

이유

(B) ... today / they [seem / are seeming] cold.

오늘 (현재의 명확한 시점) / 그들은 / 차가워 보인다 (상태를 나타내는 동사)

이유

(C) This will confuse you / and if you [are / will be] not careful, / you will waste ...

이것이 여러분을 혼란스럽게 할 것이다 (혼란스럽게 하다) / 그리고 만약 여러분이 조심하지 않는다면 (조건의 부사절: 미래시제 대신에 현재시제 사용) / 여러분은 허비할 것이다

이유

어법 TEST 4 | 서술형 내신 어법훈련하기

정답과 해설 p. 7

다음 글을 읽고, 물음에 답하시오.

Dear Mrs. Coling,

My name is Susan Harris and (a) Lookwood 고등학교 학생들을 대신하여 글을 씁니다. Many students at the school (b) work on a project about the youth unemployment problem in Lockwood. (c) You are invited to attend a special presentation that will be held at our school auditorium on April 16th. At the presentation, students will propose a variety of ideas for developing employment opportunities for the youth within the community. As one of the famous figures in the community, we would be honored by your attendance. We look forward to seeing you there,

Sincerely,

Susan Harris [고1 3월]

VOCA

4 youth unemployment problem 청년 실업 문제
5 attend 참석하다
presentation 발표
6 auditorium 강당
7 variety 다양성
opportunity 기회
8 community 지역 사회

학교시험 서술형 단골 문제 감 잡기

어법+영작 **1** 밑줄 친 (a)와 같은 뜻이 되도록 주어진 단어들을 모두 사용하여 문장을 완성하시오.
(the students / writing / I / of / am / on / behalf / Lockwood High School / at)

어법 파악 **2** 밑줄 친 (b)를 현재완료진행 시제로 고쳐 쓰시오.

어법+해석 **3** 밑줄 친 (c)를 우리말로 바르게 해석하시오.

UNIT 03 조동사

Point 1 능력, 허가, 의무 등의 조동사
Point 2 과거 습관의 조동사
Point 3 조동사+have p.p.
Point 4 주장, 요구, 명령, 제안의 should

결정적 출제 어법

1 조동사는 동사의 의미에 의미를 더한다

Point 1 + Point 2

You can / **can't** buy happiness ...

내용 파악을 위해 조동사가 무엇을 뜻하는지 파악해야 해.

2 추측의 조동사 뒤에 have+p.p.는 과거 사실에 대한 추측, 후회, 유감

Point 3

The loss of self-esteem must discourage / **have discouraged** him ...

must have p.p.는 '~했음에 틀림없다'라는 의미야.

3 주장, 요구, 명령, 제안의 should + 동사원형

Point 4

He requested that she **join** / joined him.

요구를 나타내는 동사 request가 보이면, 뒤의 내용을 확인해 봐.
당위성을 나타내면 should가 생략되어 동사원형만 오는 경우가 많아.

어법 기본 다지는 Basic Grammar

조동사

• 조동사(助動詞)란 동사를 도와주는 동사를 말한다. 문법적 기능을 도와주거나 의미를 더하는 역할을 한다.

문법적 기능을 도와주는 be, have, do

• 문법적 기능을 도와주는 조동사 be, have, do는 모두 주어의 인칭, 수, 시제에 따라 변화한다.

조동사	기능	형태	조동사	기능	형태
be	진행시제를 만든다.	be+-ing	do	부정문을 만든다.	do+not+동사원형
	수동태를 만든다.	be+p.p.		의문문을 만든다.	Do+S+동사원형 ~?
have	완료시제를 만든다.	have+p.p.		동사의 반복을 피한다.	본동사 대신 do
				부가의문문에 쓰인다.	문장 뒤에 덧붙임
				동사를 강조한다.	do+동사원형

본동사에 의미를 더하는 조동사

• 주어의 인칭과 수에 관계없이 항상 형태가 같다. She musts go there. (X) She must go there. (O)

• 조동사 뒤에는 동사원형이 온다. He can speaks English. (X) He can speak English. (O)

• 조동사 두 개가 연속해서 올 수 없다. He will can go fishing. (X) He will be able to go fishing. (O)

조동사	의미	조동사	의미
can[be able to*] / could	능력, 허가	will[be going to*] / would	미래, 의지, 부탁 / 과거의 습관
may / might	허가, 추측, 기원	must[have to*]	의무
shall / should[ought to]	제안, 의무, 당위, 충고		

* 주어의 인칭, 수, 시제에 따라 변화

CHECK-UP 조동사에 밑줄을 치고 문장을 해석하시오.

1 Many new jobs will appear as our lives change.

2 Registration should be made at least 2 days before the program begins.

3 Sometimes, friends might tell you that they are feeling happy or sad.

4 You would be able to make a good guess about what kind of mood they are in.

기출문장으로 실전어법 개념잡기

Point 1 능력, 허가, 의무 등의 조동사

You **can** / must buy / conditions for happiness, / but you **can't** / must not buy / happiness.
가능 can + 동사원형 / 불가능 cannot +동사원형 [고1 6월]
당신은 행복을 위한 조건은 살 수 있으나, 행복을 살 수는 없다.

Now / we are seniors, / and my wife can / **must** use / a wheelchair / for extended walks.
의무 must + 동사원형 [고1 9월]
이제 우리는 노인이고, 아내가 멀리 산책하기 위해서는 휠체어를 사용해야 한다.

- 능력, 가능을 나타낼 때는 can/could, be able to를 사용한다. be able to는 다른 조동사와 함께 쓸 수 있다.
- 의무나 당위는 must, have to, 충고는 should, 조언은 had better, would rather, 허가는 may/might, can/could를 쓴다.

강 ←→ 약

must	have to	ought to	should	had better	would rather	may/might	can/could
의무		당위	충고	조언		허가	
~해야 한다				~하는 게 좋겠다(낫겠다)		~해도 좋다	

- 가능성이나 추측을 나타낼 때는 must, will/would, should, can/could, may/might를 쓴다.

확실 ←→ 불확실

must	will/would	should	can/could	may/might
~임에 틀림없다	~일 것이다		~일 수 있다	~일지도 모른다

Point 2 과거 습관의 조동사

When we were young / and didn't have the money / to go anywhere else, / we **would** / could walk there / almost every day. [고1 9월]
과거의 습관을 나타내는 would / +동사원형
우리가 젊고 다른 어느 곳으로 갈 돈이 없었을 때, 우리는 거의 매일 그곳을 걷곤 했다.

As a result, / people used to **eat** / eating more / when food was available / since the availability of the next meal / was questionable. [고1 9월]
과거의 습관, 상태를 나타내는 used to+동사원형
그 결과, 사람들은 다음 식사의 가능성이 확실하지 않았으므로 음식이 있을 때 더 많이 먹곤 했다.

- would는 과거의 습관을 나타내어 '~하곤 했다'라는 뜻이다.
- 「used to+동사원형」은 과거의 습관이나 상태를 나타내어 '~하곤 했다, ~이곤 했다'라는 뜻이다.
  cf. be[get] used to+동명사: ~하는 데 익숙하다
  be used to+동사원형: ~하기 위해 사용되다

정답과 해설 p. 8

다음 중 어법상 적절한 표현을 고르시오.

1 It seems that you [must not / had better] walk to the shop to improve your health. [고1 6월]

2 Online, however, smiley faces [could / should] be doing some serious damage to your career. [고1 9월]

3 So calligraphy requires practice, and you [have to / must have to] train yourself. [고1 6월]

4 Centuries before telescopes were invented, they proposed that the earth [must / might] rotate on an axis or revolve around the sun. [고1 11월]

5 To avoid this problem, you [should / able to] develop a problem-solving design plan before you start collecting information. [고1 3월]

6 When you hit puberty, however, sometimes these forever-friendships go through growing pains. You find that you have less in common than you [used to / had better]. [고1 3월]

7 So doctors [will / would] listen for a heartbeat, or occasionally conduct the famous mirror test to see if there were any signs of moisture from the potential deceased's breath. [고1 9월]

8 I [am used to / used to] have a shelf lined with salty crackers and chips at eye level. When these were the first things I noticed, they were my primary snack foods. [고1 6월]

VOCA

1. improve 향상시키다
2. serious 심각한 / damage 손상, 손해
3. calligraphy 캘리그라피, 서예 / require 요구하다
4. telescope 망원경 / propose 제안하다 / rotate on ~을 중심으로 돌다 / axis 축 / revolve 회전하다, 돌다
5. avoid 피하다 / develop 발전시키다
6. puberty 사춘기 / go through 겪다 / growing pains 성장통 / in common 공통적으로
7. occasionally 때때로 / conduct 행하다, 실시하다 / potential 잠재적인 / deceased 사망한; 고인
8. be lined with ~이 줄지어 있다 / primary 주된, 주요한

Point ③ 조동사+have p.p.

In Rome, / he met Palestrina, / a famous Italian composer, / and **may** even [be / **have been**] his pupil. [고1 6월]

may + have p.p.: ~였을지도 모른다

로마에서 그는 유명한 이탈리아 작곡가인 Palestrina를 만났는데, 심지어 그의 제자였을지도 모른다.

Imagine / the loss of self-esteem / that manager **must** [feel / **have felt**]. / It **must have discouraged** him / and negatively **affected** his performance. [고1 3월]

must+have p.p.: ~했음에 틀림없다 / must+have / p.p.(1) / p.p.(2)

그 관리자가 틀림없이 느꼈을 자존감의 상실을 상상해 보라. 그 일은 그를 낙담시켜서 그의 업무 수행에 부정적인 영향을 미쳤음에 틀림없다.

- 현재 사실에 대한 가능성이나 추측을 나타내는 조동사가 「조동사+have p.p.」 형태로 쓰일 때 과거 사실에 대한 추측, 후회, 유감을 나타낸다.

must have p.p.	~했음에 틀림없다(강한 추측)	should have p.p.	~했어야 한다(유감, 후회)
cannot have p.p.	~했을 리가 없다(부정 추측)	shouldn't have p.p.	~하지 말았어야 한다 (부정 유감, 후회)
may[might] have p.p.	~했을지도 모른다(약한 추측)	could have p.p.	~했을 수도 있다(가능성)

Point ④ 주장, 요구, 명령, 제안의 should

He **requested** / that they [**join** / joined] him / at a specific location / in three days. [고1 9월]

request(요청하다) that + 주어 + (should) 동사원형

그는 그들에게 사흘 후 특정 장소에서 그와 합류하라고 요청했다.

Benjamin Franklin once **suggested** / that a newcomer / to a neighborhood / [**ask** / asks] a new neighbor / to do him or her a favor. [고1 9월]

suggest(제안하다) that + 주어 + (should) 동사원형

Benjamin Franklin은 동네에 새로 온 사람은 새 이웃에게 도움을 요청해야 한다고 제안했다.

- 주장, 요구, 명령, 제안을 나타내는 동사의 목적어로 쓰인 that절이 '~해야 한다'라는 당위성을 나타낼 때, that절의 동사 앞에 조동사 should를 넣어 「should+동사원형」 형태로 쓴다.

advise(조언하다)	command(명령하다)	demand(요구하다)	insist(주장하다)
propose(제안하다)	recommend(추천하다)	require(필요로 하다)	suggest(제안하다)
order(명령하다)	request(요구하다)	*형용사 essential, necessary(필수적인)	

- 이때, should는 일반적으로 생략되어 주어의 인칭과 수에 관계없이 동사원형 형태가 오는 것에 유의한다.
  cf. 단 that절의 내용이 당위성이 아닌 실제 일어난 단순한 사실을 나타낼 때는 주어의 인칭과 수, 시제에 일치시켜야 한다.

정답과 해설 p. 8

다음 중 어법상 적절한 표현을 고르시오.

1 I [must / should] have asked for help from the beginning. I'll try to find classmates who can help me. [교과서]

2 Such skilled workers [should / may] have used simple tools, but their specialization did result in more efficient and productive work. [고1 3월]

3 You all [must / cannot] have played this game at least once because it is *juldarigi* that often highlights a school sports day. [교과서]

4 Maybe our view is blocked. Often other drivers are wearing sunglasses, or their car [should / may] have tinted windows. [고1 3월]

5 Hike the Valley is a hiking program. Participants should [be / have been] ten years of age or older. [고1 9월]

다음 밑줄 친 부분이 어법상 맞으면 ○표 하고, 틀리면 바르게 고치시오.

6 Mr. Nielsen insisted that we got settled early, saying the Northern Lights might appear any time after dark. [교과서]

7 She suggested to Boeing Air Transports that nurses took care of passengers during flights because most people were frightened of flying. [고1 3월]

8 We the Parliament of Australia respectfully request that this apology be received in the spirit in which it is offered — as part of the healing of the nation. [교과서]

VOCA

beginning 처음, 초기

specialization 전문화
efficient 효율적인
productive 생산적인

at least 최소한, 적어도

blocked 차단된
tint 색깔을 넣다, 입히다

participant 참가자

settle 자리 잡게 하다
Northern Light 북극광 오로라

frightened 무서워하는

respectfully 정중하게
healing 치유

어법 TEST 1 | 문장 어법훈련하기

정답과 해설 p. 9

다음 중 어법상 적절한 표현을 고르시오.

1 고1 6월

In contrast, people who say "I [cannot be / would rather] clean than make dishes." don't share this wide-ranging enthusiasm for food.

VOCA
wide-ranging 광범위한, 폭넓은
enthusiasm 열정, 열의

2 고1 3월

Our children would be horrified if they were told they [have to / had to] go back to the culture of their grandparents.

horrified 공포를 느끼는, 겁이 나는

3 고1 3월 응용

Experts suggest that every student [stop / stops] wasting his or her money on unnecessary things and [start / starts] saving it.

expert 전문가
unnecessary 불필요한

4 고1 9월

Everything that you've done until now [cannot / should] have prepared you for this moment.

prepare 준비하다, 준비시키다

다음 밑줄 친 부분이 어법상 맞으면 ○표 하고, 틀리면 바르게 고치시오.

5 고1 9월

Realistic optimists believe they will succeeded, but also believe they have to make success happen.

optimist 낙천주의자, 낙관론자
success 성공

6 고1 9월

No food will be sold because it might spoil in the hot weather.

spoil 망치다, 상하다

7 교과서

These singers again showed how technology could be used to bring people together.

technology 기술

어법 TEST 2 | 짧은 지문 어법훈련하기

정답과 해설 p. 9

다음 글의 네모 안에서 어법상 적절한 표현을 고르시오.

1
고1 3월

An advertisement (A) [must / will] create an image that's appealing and a map must present an image that's clear, but neither (B) [can / cannot] meet its goal by telling or showing everything.

VOCA
advertisement 광고
appealing 호소하는, 매력적인
neither 어느 것도 ~ 아니다

2
고1 6월

Let's say a product, even if it has been out there for a while, is not advertised. Then what (A) [might / must] happen? Not knowing that the product exists, customers would probably not buy it even if the product (B) [shouldn't have worked / may have worked] for them. Advertising also helps people find the best for themselves.

even if 비록 ~일지라도
advertise 광고하다, 알리다
exist 존재하다
work 작용하다, 효과가 있다

다음 글의 밑줄 친 부분 중, 어법상 틀린 것을 고르시오.

3
고1 6월

He argued that being virtuous means finding a balance. For example, people ① <u>should have been brave</u>, but if someone ② <u>is</u> too brave they become reckless. People ③ <u>should be trusting</u>, but if someone is too trusting they ④ <u>are considered</u> gullible.

virtuous 고결한, 미덕이 있는
balance 균형
reckless 무모한
trusting 사람을 믿는
gullible 잘 속아 넘어가는

어법 TEST 3 | 기출 유형 어법훈련하기

정답과 해설 p. 9

(A), (B), (C)의 각 네모 안에서 어법에 맞는 표현으로 가장 적절한 것은?

On the walk back to their farm, Mary wondered why white people had all kinds of nice things and why, above all, they could (A) [read / reading] while black people couldn't. She decided to learn to read. At home the little girl asked her father to let her go to school, but he told her calmly, "There isn't any school." One day, however, a black woman in city clothes changed that. Emma Wilson came to the McLeod cabin, explaining that she (B) [will / would] open a new school in Mayesville for black children. "The school will begin after the cotton-picking season," she said. Mary's parents nodded in agreement. Mrs. McLeod also nodded toward her daughter. Young Mary was very excited. "I (C) [am going to / ought to] read? Miss Wilson?" She smiled at Mary. [고1 3월 응용]

	(A)		(B)		(C)
①	read	......	will	......	am going to
②	read	......	would	......	ought to
③	read	......	would	......	am going to
④	reading	......	will	......	am going to
⑤	reading	......	would	......	ought to

VOCA

1 wonder 궁금해하다
2 above all 무엇보다도
5 calmly 조용히
6 in city clothes 도시 사람들의 옷차림을 한
9 cotton-picking 목화 따기
nod 고개를 끄덕이다
10 agreement 동의

구조 분석+어법 POINT 확인

(A)

... they could [read / reading] / while black people couldn't.
그들은 읽을 수 있었다 / 반면에 흑인들은 읽을 수 없었다. ^
가능의 can의 과거형+동사원형 (read 생략)

이유

(B)

Emma Wilson came / to the McLeod cabin, / explaining / that she [will / would] open a new school / in Mayesville / for black children.
Emma Wilson은 왔다 / McLeod 가족의 오두막으로 / 설명하면서 / 그녀가 새 학교를 열 것이라고 / Mayesville에 / 흑인 아이들을 위한
분사구문(동시상황) 접속사 that(목적절) 시제일치: 과거

이유

(C)

I [am going to / ought to] read?
제가 글을 읽게 될 거라고요?
be going to+동사원형: ~ 할 것이다 (미래)

이유

어법 TEST 4 | 서술형 내신 어법훈련하기

정답과 해설 p. 10

다음 글을 읽고, 물음에 답하시오.

People have higher expectations as their lives get better. However, the higher the expectations, the more difficult it is to be satisfied. (a) 우리들은 기대감을 통제함으로써 삶에서 느끼는 만족감을 향상시킬 수 있다. Adequate expectations leave room for many experiences to be pleasant surprises. The challenge is to find a way to have proper expectations. One way to do this is by keeping wonderful experiences rare. No matter what you can afford, save great wine for special occasions. Make an elegantly styled silk blouse a special treat. (b) This may seems like an act of denying your desires, but I don't think it is. On the contrary, it's a way to make sure that (c) you can continue to experience pleasure. What's the point of great wines and great blouses if they don't make you feel great? [고1 6월]

VOCA

1 expectation 기대
2 satisfied 만족하는
4 adequate 충분한, 적절한
6 proper 적당한
7 rare 드문
no matter what 무엇이 ~하더라도
8 occasion 적절한 때
elegantly 품위 있게
10 on the contrary 반대로

학교시험 서술형 단골 문제 감 잡기

어법+ 영작 **1** 밑줄 친 (a)와 같은 뜻이 되도록 다음 조건에 맞게 문장을 완성하시오.

〈조건〉
- 조동사 can을 사용할 것
- by -ing를 사용할 것
- 주어진 어구를 사용할 것: satisfaction / increase / our expectations / lives / control (필요하면 변형)

어법 파악 **2** 밑줄 친 (b)에서 어법상 틀린 부분을 찾아 바르게 고쳐 문장을 다시 쓰시오.

어법+ 해석 **3** 밑줄 친 (c)를 우리말로 바르게 해석하시오.

UNIT

04 가정법

결정적 출제 어법

1 가정법 과거인지 과거완료인지 구분

Point 1 + Point 2

If he wrote the letters, he would **get** / have gotten an immediate response.

가정법은 자주 등장하는 어법은 아니지만, 문장의 의미를 파악하려면 반드시 규칙을 알고 있어야 해.

2 다양한 형태의 가정법

Point 3 + Point 4

"I wish the drought will / **would** end."

as if나 I wish, without, but for ... 등 가정법의 형태를 알고 있어야 해석할 수 있겠지?

가정법

가정법이란 있는 사실을 그대로 직접 표현한 것이 아니라, 다른 상황을 가정하거나 상상, 소망하는 문장을 말한다.

- 가정법 과거: 시제는 과거지만, 내용은 '현재나 미래'에 관한 것이다.
- 가정법 과거완료: 시제는 과거완료지만, 내용은 '과거'에 관한 것이다.

	가정법 과거	가정법 과거완료
의미	현재 사실에 반대되는 일, 실현 가능성이 희박한 일을 가정하거나 상상	과거 사실에 반대되는 일을 가정하거나 상상
형태	If+주어+동사의 과거형 ~, 주어+조동사의 과거형+동사원형 …	If+주어+had p.p. ~, 주어+조동사의 과거형+have p.p. …
해석	만일 ~하다면, …할 텐데	만일 ~했다면, …했을 텐데

조건문 vs. 가정법

실현 가능성이 어느 정도 있을 때는 단순 조건문을, 가능성이 희박하거나 사실과 반대되는 경우는 가정법 과거를 사용한다.

	조건문	가정법
의미	실현 가능한 조건과 결과	현재 사실에 반대되는 일, 실현 가능성이 희박한 일을 가정하거나 상상
형태	If+주어+동사의 현재형 ~, 주어+조동사의 미래형+동사원형 …	If+주어+동사의 과거형 ~, 주어+조동사의 과거형+동사원형 …
해석	~하면 …할 것이다	만일 ~하다면, …할 텐데

CHECK-UP 가정법인지 조건문인지 구분하고 우리말로 바르게 해석하시오.

1 If he were tall, he could be a model.

2 If she comes tomorrow, I will go skating with her.

3 If I had studied harder, I would have passed the test.

4 If there is anything else we can do for you, please do not hesitate to ask.

Point ① 가정법 과거

If we [live / **lived**] / on a planet / where nothing ever changed, / there **would be** little to do.

If+주어+동사의 과거형 / 조동사의 과거형(would)+동사원형 [고1 6월]

우리가 만약 아무것도 변하지 않는 행성에서 산다면, 할 일이 거의 없을 것이다.

If + 주어 + were/과거형 ,
주어 + 조동사의 과거형 + 동사원형

- 가정법 과거는 현재 사실에 반대되는 일, 실현 가능성이 희박한 일을 가정하거나 상상할 때 사용한다.
  - 형태: If+주어+동사의 과거형/were ~, 주어+조동사의 과거형+동사원형 …
  - 의미: 만일 ~하다면, …할 텐데
- 가정법 과거는 직설법 현재로 바꿔 쓸 수 있다.

  〈직설법 현재〉 As+주어+do(es) not+동사원형, 주어+조동사의 현재형+not+동사원형 … (~하지 않기 때문에 …하지 않을 것이다)

  If I had the new machine, I could lend it to him.

  = As I don't have the new machine, I can't lend it to him.
- without 가정법 과거는 '만약 ~이 없다면', '만약 ~이 아니라면'의 의미로 현재 있는 것이 없다고 가정할 때 사용한다.

  Without[But for] salt, we couldn't have the pleasure of eating.

Point ② 가정법 과거완료

If the check [have / **had**] **been** enclosed, / **would** they **have responded** / so quickly? [고1 3월]

If+주어+had p.p. / 조동사의 과거형(would)+주어+have p.p. ~?

그 수표가 동봉되었다면, 그들은 그렇게 빨리 답장을 보냈을까?

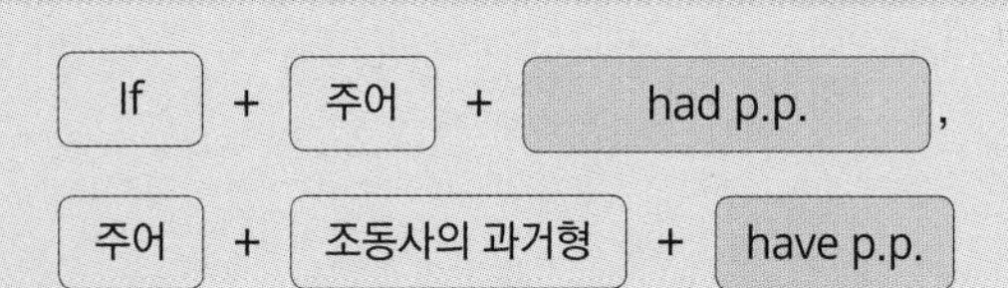

- 가정법 과거완료는 과거 사실에 반대되는 일, 실현 가능성이 희박한 일을 가정하거나 상상할 때 사용한다.
  - 형태: If+주어+had p.p. ~, 주어+조동사의 과거형+have p.p. …
  - 의미: 만일 ~했다면, …했을 텐데 (과거 사실에 반대로 가정)
- 가정법 과거완료는 직설법 과거로 바꿔 쓸 수 있다.

  〈직설법 과거〉 As+주어+did not+동사원형, 주어+조동사의 과거형+not+동사원형 …

  If I had left home early, I could have caught the train.

  = As I didn't leave home early, I couldn't catch the train.
- 혼합가정법은 과거에 일어나지 않은 사건으로 인해 현재까지 영향을 받는 경우에 주로 쓰인다. if절과 주절의 시제가 다르고 주절에 주로 now가 있다.
  - 형태: If+주어+had p.p. ~, 주어+조동사의 과거형+동사원형 …
  - 의미: (과거에) 만약 ~했다면, (지금) …할 텐데

  If I had gone to college then, I would be a senior now.

정답과 해설 p. 11

다음 중 어법상 적절한 표현을 고르시오.

1 If you copied the picture many times, you [will / would] find that each time your drawing would get a little better, a little more accurate. [고1 3월]

2 If I [ask / asked] you to tell me where the eggs are, would you be able to do so? [고1 3월]

3 Carnegie told her that if he wrote them the letter he would [get / have gotten] an immediate response. [고1 3월 응용]

4 Our children would be horrified if they [are / were] told they had to go back to the culture of their grandparents. [고1 3월]

5 I would have called you earlier if my phone battery [have / had] not died. [교과서]

6 If the decision to get out of the building hadn't been made, the entire team would [be / have been] killed. [고1 6월]

7 There was a strong wind outside. If the wind had not been so strong, we could [have / have had] tea outside. [교과서]

8 If Ernest Hamwi had taken that attitude when he was selling zalabia, a very thin Persian waffle, at the 1904 World's Fair, he might [ended / have ended] his days as a street vendor. [고1 3월]

VOCA

accurate 정확한, 정밀한

be able to ~할 수 있다

immediate 즉각적인
response 응답, 회신

horrified 겁에 질린, 충격 받은

attitude 태도, 사고방식
street vendor 노점상

Point ③ I wish 가정법

She lay there, / sweating, / listening to the empty thunder / that brought no rain, / and whispered, / "I **wish** the drought will / **would** end." [고1 9월]

I wish 주어 + 동사의 과거형: ~라면 좋을 텐데

그녀는 그곳에 누워 땀을 흘리며 비를 동반하지 않는 공허한 천둥소리를 들으면서 "이 가뭄이 끝나면 좋을 텐데."라고 속삭였다.

I wish	+	주어	+	과거형
I wish	+	주어	+	had p.p.

- 「I wish+가정법 과거」는 현재의 실현 불가능한 소망이나 사실에 대한 유감을 표현한다.
  - 형태: I wish (that)+주어+동사의 과거형
  - 의미: 지금 ~라면 좋을 텐데

  〈직설법 현재〉 I'm sorry (that)+주어+not+동사의 현재형

  I wish I were Superman who helps people in need.

  → I'm sorry that I am not Superman who helps people in need.
- 「I wish+가정법 과거완료」는 이루지 못한 과거에 대한 아쉬움이나 유감을 표현한다.
  - 형태: I wish (that)+주어+had p.p.
  - 의미: (그때) ~이었다면 (지금) 좋을 텐데

  〈직설법 과거〉 I'm sorry (that)+주어+not+동사의 과거형

  I wish I had chosen Chinese as a second language then.

  → I'm sorry that I didn't choose Chinese as a second language then.

Point ④ as if 가정법

Too many companies advertise / their new products / **as if** their competitors do / **did** not exist. [고1 6월]

as if + 주어 + 동사의 과거형: ~인 것처럼

너무도 많은 회사들이 마치 경쟁자들이 존재하지 않는 것처럼 신제품들을 광고한다.

as if (though)	+	주어	+	과거형
as if (though)	+	주어	+	had p.p.

- 「as if (though)+가정법 과거」는 주절과 같은 시간대에 일어난 사실에 반대되는 상황을 가정한다.
  - 형태: as if (though)+주어+동사의 과거형
  - 의미: 마치 ~인 것처럼 …한다

  〈직설법 현재〉 In fact+주어+not+동사의 현재형

  He talks as if he were my coach.

  → In fact he is not my coach.
- 「as if (though)+가정법 과거완료」는 주절보다 앞선 시간대에 일어난 사실에 반대되는 상황을 가정한다.
  - 형태: as if (though)+주어+had p.p.
  - 의미: 마치 ~이었던 것처럼 …한다

  〈직설법 과거〉 In fact+주어+not+동사의 과거형

  He talks as if he had had breakfast.

  → In fact he did not have breakfast.

정답과 해설 p. 11

다음 중 어법상 적절한 표현을 고르시오.

1 "I wish my life [is / were] the way it is in movies," I said with a sigh. [고1 6월]

2 I wish I [can / could] be a space engineer like you. [교과서]

3 Nevertheless, we sometimes wish that we [were / had been] never informed about something. [고1 6월]

4 I'm very busy these days. I wish I [had / had had] more time. [교과서]

다음 밑줄 친 부분이 어법상 맞으면 ○표 하고, 틀리면 바르게 고치시오.

5 You should learn the role as if you did have the lead. [고1 3월]

6 To make friends with the "cool kids," I often acted as if I am the kind of person they wanted me to be. [교과서]

7 But as soon as he puts skis on his feet, it is as though he has to learn to walk all over again. [고1 9월]

8 Musical ideas sprang into his head, fully formed, as if he were taking dictation. [고1 9월]

VOCA

sigh 한숨

space engineer 우주 항공 기술자

nevertheless 그럼에도 불구하고
informed 잘 아는, 통달한

role 역할
have the lead 주연을 맡다

all over again 처음부터 다시

dictation 받아쓰기

어법 TEST 1 | 문장 어법훈련하기

정답과 해설 p. 12

다음 중 어법상 적절한 표현을 고르시오.

VOCA

1 고1 3월

If teenagers didn't build up a fairly major disrespect for and conflict with their parents or carers, they [will never want / would never want] to leave.

fairly 상당히, 꽤
disrespect 무례, 불손
conflict 갈등
carer 보호자

2 고1 3월

If gases were used up instead of being exchanged, living things [will die / would die].

used up 바닥나다, 다 써 버리다
exchange 교환하다

3 고1 3월

If you [are / were] crossing a rope bridge over a valley, you'd likely stop talking.

rope bridge 밧줄로 된 다리
valley 계곡

4 고1 9월

And then slowly, one by one, as if someone [is / were] dropping pennies on the roof, came the raindrops.

penny (1페니) 동전
raindrop 빗방울

다음 밑줄 친 부분이 어법상 맞으면 ○표 하고, 틀리면 바르게 고치시오.

5 고1 6월

And if we lived in an unpredictable world, where things changed in random or very complex ways, we <u>will</u> not be able to figure things out.

unpredictable 예측할 수 없는
random 무작위의, 임의의
complex 복잡한

6 고1 9월 응용

What would have happened if they <u>defined</u> themselves as being in the mass transportation business?

define 규정하다, 정의하다
mass transportation 대량 수송

7 고1 6월

They write in a language different from the one they <u>would use</u> if they were talking to a friend.

어법 TEST 2 | 짧은 지문 어법훈련하기

정답과 해설 p. 12

다음 글의 네모 안에서 어법상 적절한 표현을 고르시오.

1
고1 6월

If you were at a zoo, then you might (A) [say / have said] you are 'near' an animal if you could reach out and (B) [touch / have touched] it through the bars of its cage. Here the word 'near' means an arm's length away. If you were telling someone how to get to your local shop, you (C) [might / may] call it 'near' if it was a five-minute walk away.

VOCA
reach out 손을 뻗다
bar 빗장
cage 우리
local 지역의, 현지의

2
고1 6월

In one experiment, researchers asked people to think of a difficult episode from their past. Those in one group were told to relive the event (A) [as if / as] it were happening again; the others were instructed to recall the memory, stepping back from the scene as if it (B) [is / were] a video.

experiment 실험
relive 되살리다
instruct 지시하다
recall 기억해 내다, 상기하다

다음 글의 밑줄 친 부분 중, 어법상 틀린 것을 고르시오.

3
고2 9월

If we ① had a really awesome telescope pointed at the earth, we ② would see the dinosaurs walking around. The end of the universe is probably so old that if we ③ have that telescope, we ④ might be able to see the beginning.

awesome 경탄할 만한
telescope 망원경
dinosaur 공룡
so ~ that ... : 너무 ~해서 … 하다

어법 TEST 3 | 기출유형 어법훈련하기

정답과 해설 p. 12

(A), (B), (C)의 각 네모 안에서 어법에 맞는 표현으로 가장 적절한 것은?

Andrew Carnegie, the great early-twentieth-century businessman, once heard his sister complain about her two sons. They were away at college and rarely responded to her letters. Carnegie told her that if he wrote them he (A) [would get / would have gotten] an immediate response. He sent off two warm letters to the boys, and told them that he was happy to send each of them a check for a hundred dollars (a large sum in those days). Then he mailed the letters, but didn't enclose the checks. Within days he received warm grateful letters from both boys, who noted at the letters' end that he (B) [have / had] unfortunately forgotten to include the check. If the check had been enclosed, would they (C) [responded / have responded] so quickly? [고1 3월]

	(A)		(B)		(C)
①	would get	……	have	……	have responded
②	would get	……	had	……	responded
③	would have gotten	……	had	……	responded
④	would get	……	had	……	have responded
⑤	would have gotten	……	have	……	have responded

VOCA

- 2 complain 불평하다
- 3 rarely 거의 ~ 않다
- respond to ~에 응하다, 답하다
- 7 check 수표
- a large sum 큰 액수의 돈
- 8 enclose 동봉하다
- 10 unfortunately 불행히도
- 11 include 포함하다

구조 분석+어법 POINT 확인

(A)

Carnegie told her [that if he wrote them / he [would get / would have gotten] an immediate response].

Carnegie는 그녀에게 말했다 자신이 그들에게 편지를 쓰면 즉각 답장을 받을 것이라고

접속사 if+주어+동사의 과거형 ~ 주어 +조동사 과거형+동사원형 <가정법 과거>

이유

(B)

Within days / he received warm grateful letters / from both boys, / who noted at the letters' end [that he [have / had] unfortunately forgotten / to include the check].

며칠 이내에 그는 받았다 훈훈한 감사의 편지를 두 아이들로부터 그들은 말했다 편지의 말미에 그가 유감스럽게도 잊었다고 수표를 넣는 것을

관계대명사의 계속적 용법 / 접속사 (noted의 목적절) / 대과거

이유

(C)

If the check had been enclosed, / would they [responded / have responded] / so quickly?

그 수표가 동봉되었다면, 그들은 답장을 보냈을까? 그렇게 빨리

if+주어 +had p.p. 조동사 과거형+주어 +have p.p. ~? <가정법 과거완료 의문문>

이유

어법 TEST 4 | 서술형 내신 어법훈련하기

정답과 해설 p. 13

다음 글을 읽고, 물음에 답하시오.

If you (a) [are / were] at a social gathering in a large building and you overheard someone say that "the roof is on fire," what would be your reaction? Until you knew more information, your first inclination might be toward (b) 안전과 생존. But if you were to find out that this particular person was talking about a song called "The Roof Is on Fire," (c) your feelings of threat and danger will be diminished. So once the additional facts are understood — that the person was referring to a song and not a real fire — the context is better understood and you are in a better position to judge and react. All too often people react far too quickly and emotionally over information without establishing context. It is so important for us to identify context related to information because if we fail to do so, we may judge and react too quickly. [고1 11월]

VOCA

1 gathering 모임
2 overhear 우연히 듣다
3 reaction 반응
4 inclination 의향, 성향
6 threat 위협, 위험
7 diminish 줄어들다; 줄이다
8 refer to 언급하다
context 맥락
9 judge 판단하다
11 establish 수립하다, 확립하다
12 identify 확인하다

학교시험 서술형 단골 문제 감 잡기

어법 파악

1 (a)의 네모 안에서 알맞은 것을 고르고, 그 이유를 서술하시오.

어휘 파악

2 밑줄 친 (b)와 같은 뜻이 되도록 다음 괄호 안의 단어를 참고하여 표현을 완성하시오.

__________(safe) and __________(survive)

어법+ 영작

3 밑줄 친 (c)에서 어법상 틀린 부분을 바르게 고쳐 쓰고, 우리말로 해석하시오.

UNIT 05 태

Point 1 능동태 vs. 수동태
Point 2 4형식과 5형식의 수동태
Point 3 진행시제와 완료시제의 수동태
Point 4 주의해야 할 수동태

결정적 출제 어법

1 능동태 vs. 수동태

Point 1 + Point 2 + Point 3

15 of the problems solved / **were solved** correctly.

주어가 능동적으로 '풀고' 있는지, 수동적으로 '풀리고' 있는지 해석에 유의하여 동사의 태를 확인하자.

2 수동태로 쓰지 않는 동사

Point 4

Watercourses **seemed** / were seem boundless.

목적어가 없는 자동사 또는 상태, 소유를 나타내는 타동사의 경우 수동태를 쓸 수 없어. 우리말로 '보이다'로 해석되어서 수동태로 혼동하기 쉬우니까 유의해야 해.

능동태 vs. 수동태

능동태: 동작을 하는 행위자(주어)에 초점을 맞춘다.

수동태: 동작을 당하거나 받는 대상(목적어)에 초점을 맞춘다.

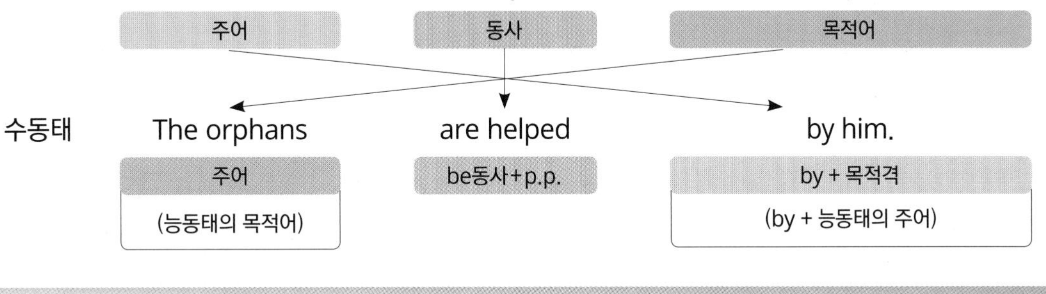

「by+행위자」 생략

수동태 문장에서 행위자가 일반인이거나 명확하지 않은 경우, 또는 누구인지 밝히지 않아도 알 수 있는 경우, 대개 「by+행위자」를 생략한다.

English is spoken in Australia (by people).

수동태의 다양한 형태

시제	형태
현재	am/are/is + p.p.
과거	was/were + p.p.
미래	will be + p.p.

문장	형태
긍정문	be동사 + p.p.
부정문	be동사 + not + p.p.
의문문	be동사 + 주어 + p.p. ~?

기타	형태
조동사의 수동태	조동사 + be + p.p.
to부정사의 수동태	to + be + p.p.
구동사의 수동태	be + 구동사 p.p.

CHECK-UP 다음 괄호 안의 동사를 어법에 맞게 알맞은 형태로 바꿔 쓰시오.

1 Participants are ______________ into two teams by township. (divide)

2 The Olympic Games ______________ in Seoul in 1988. (hold)

3 The winners ______________ at 5:00 p.m. tomorrow on site. (announce)

4 The kite is ______________ by a strong wind. (not, damage)

5 Upcycled items can ______________ on the market as new products. (sell)

6 I didn't expect ______________ to the Academy Awards. (invite)

기출문장으로 실전어법 개념잡기

Point ① 능동태 vs. 수동태

Snakes, / for example, / honored / **are honored** / by some cultures / and **hated** / by others.
주어 / 수동태 (be동사+p.p.) / by+행위자 / 병렬구조 and (be동사)+p.p. 「by+행위자」
예를 들어, 뱀은 일부 문화에서는 존경받고 다른 문화에서는 증오를 받는다. [고1 3월]

Food and pets / prohibited / **are prohibited** / in the museum. [고1 11월]
주어 / 수동태 (be동사+p.p.) / 「by+행위자」 생략
박물관에서 음식과 애완동물은 금지된다.

- 동사의 태: '태'란 주어와 동사의 관계에서 주어가 능동적인 동작을 하는지, 아니면 수동적으로 동작의 대상이 되어 행위를 당하거나 받는지를 나타내는 동사의 형태를 말한다.
- 수동태: 주로 행동의 주체(행위자)보다는 동작의 대상(목적어)에 초점을 맞출 때 수동태 문장으로 쓰인다. 「by+행위자」는 생략되기도 한다.

주어 + be동사+p.p. + (by+행위자)

Point ② 4형식과 5형식의 수동태

One winner of our dinosaur quiz / will give / **be given** a real fossil / as a prize. [고1 11월]
간접목적어 / 조동사+ be+p.p. / 직접목적어 / 「by+행위자」 생략
우리 공룡 퀴즈의 우승자 한 명은 진짜 화석을 상품으로 받을 것입니다.

The triangles made / **were made** smaller or larger / or turned upside down. [고1 6월]
목적어 / be동사+p.p. / 목적격보어(형용사) / 목적격보어(분사) / 「by+행위자」 생략
삼각형은 더 작아지거나 커지거나 뒤집혔다.

- 4형식 문장(주어+동사+간접목적어+직접목적어)의 수동태는 두 가지 형태가 있다.
  The Committee gave the scientist the Nobel Prize.
  간접목적어 / 직접목적어
  → 간접목적어가 주어로 쓰인 경우, 「be동사+p.p.」 바로 뒤에 직접목적어가 온다.
  The scientist **was given** the Nobel Prize by the Committee.
  간접목적어 / 직접목적어
  → 직접목적어가 주어로 쓰인 경우, 「be동사+p.p.」 뒤에 「전치사(to/for/of)+간접목적어」가 온다.
  The Nobel Prize **was given** to the scientist by the Committee.
  직접목적어 / 전치사 / 간접목적어

- 5형식 문장(주어+동사+목적어+목적격보어)의 수동태에서 목적격보어는 「be동사+p.p.」 뒤에 온다.
  We called the doctor a Superman.
  목적어 / 목적격보어
  → The doctor **was called** a Superman (by us).
  목적어 / 목적격보어
- 5형식 문장에서 지각동사와 사역동사의 목적격보어로 쓰인 원형부정사는 수동태 문장에서 to부정사로 바뀐다.
  We heard the kids laugh.
  지각동사 목적어 목적격보어(동사원형)
  → The kids **were heard** to laugh (by us).
  목적어 / 목적격보어(to부정사)

정답과 해설 p. 14

다음 중 어법상 적절한 표현을 고르시오.

1 Water and snacks [provides / are provided] for free. [고1 9월]

2 In the classical fairy tale the conflict is often permanently [resolved / resolving]. [고1 3월]

3 Ellen Church [is born / was born] in Iowa in 1904. [고1 3월]

4 No pets are [allowed / allowing]. We are currently [accepted / accepting] bookings for guided tours. [고1 6월]

5 A god called Moinee [defeated / was defeated] by a rival god called Dromerdeener in a terrible battle up in the stars. [고1 3월]

6 These medicines [call / are called] "antibiotics," which means "against the life of bacteria." [고1 9월]

7 A series of athletic competitions [set up / were set up] between the two groups. Soon, each group [considered / was considered] the other an enemy. [고1 3월 응용]

8 When the same amount of discount [gives / is given] in a purchasing situation, the relative value of the discount affects how people perceive its value. [고1 11월]

VOCA

provide 제공하다

fairy tale 고전 동화
conflict 갈등
permanently 영구적으로
resolve 해결하다

bear 낳다

allow 허락하다, 허용하다
currently 현재
booking 예약

defeat 패배시키다
battle 전투

antibiotics 항생 물질

a series of 일련의
athletic competition 운동 경기

discount 할인
purchase 구매하다
perceive 인식하다

기출문장으로 실전어법 개념잡기

Point ③ 진행시제와 완료시제의 수동태

The entirety of our capacity for attention / is not [**being put** / been put] / to use. [고1 11월 응용]
be동사 + being+p.p. → 현재진행 수동태
우리의 주의력 전체가 사용되지 않고 있다.

This concept [has discussed / **has been discussed**] / at least / as far back as Aristotle. [고1 6월]
have(has)+been+p.p. → 현재완료 수동태
이 개념은 적어도 아리스토텔레스 시대만큼 아주 오래전부터 논의되어 왔다.

- 진행시제의 수동태: 진행을 나타내는 현재분사 being이 be동사와 p.p. 사이에 온다.
  현재진행 수동태: am/are/is+being+p.p. (~되고 있다)
  과거진행 수동태: was/were+being+p.p. (~되고 있었다)
- 완료시제의 수동태: 완료를 나타내는 과거분사 been이 have동사와 p.p. 사이에 온다.
  현재완료 수동태: have/has+been+p.p. (~되어 왔다) 〈과거 ~ 현재〉
  과거완료 수동태: had+been+p.p. (~되어 왔었다) 〈대과거 ~ 과거〉

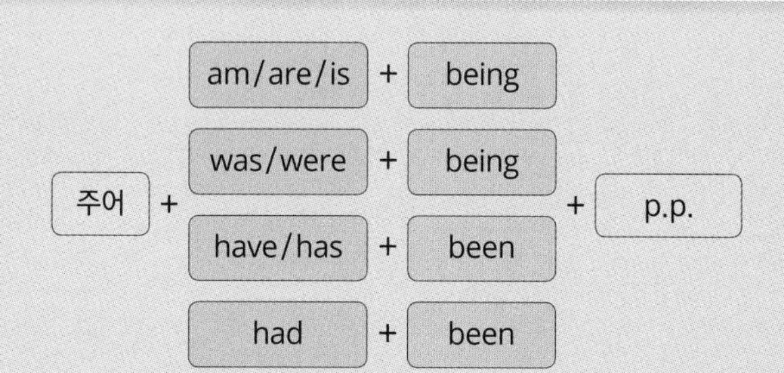

Point ④ 주의해야 할 수동태

Newspaper headlines called / the honest young man / a "spelling bee hero," / and his photo [**appeared** / was appeared] / in *The New York Times*. [고1 6월 응용]
수동태를 사용하지 않는 자동사
신문기사 헤드라인이 그 정직한 젊은이를 '단어 철자 맞히기 대회 영웅'으로 불렀고, 그의 사진이 *The New York Times*에 실렸다.

- 목적어가 없는 자동사나 상태, 소유를 나타내는 타동사의 경우, 수동태를 쓸 수 없다.

목적어가 없는 자동사	look, seem, remain, appear, disappear, happen, occur, exist, result 등
상태, 소유를 나타내는 타동사	have, hold, lack, resemble, fit, cost, become, suit 등

- 수동태의 관용 표현: by 이외의 전치사나 to부정사와 함께 쓰인다.

be satisfied with (~에 만족하다)	be made up of (~으로 구성되다)	be scared of (~을 두려워하다)
be disappointed with (~에 실망하다)	be worried about (~에 대해 걱정하다)	be filled with (~으로 가득 차다)
be accustomed to (~에 익숙하다)	be supposed to+동사원형 (~하기로 되어 있다)	be known to+동사원형 (~으로 알려지다)

정답과 해설 p. 14

다음 중 어법상 적절한 표현을 고르시오.

1 Rats who [had helped / had been helped] previously by an unknown partner were more likely to help others. [고1 11월]

VOCA
previously 이전에
unknown 알려지지 않은, 미지의

2 The quoll's survival was [being / been] threatened by the cane toad, an invasive species introduced to Australia in the 1930s. [고1 11월 응용]

quoll 주머니고양이
survival 생존
threaten 위협하다
cane toad 수수두꺼비
invasive 침략적인

3 Yesterday he could not attend to business as he [was / has been] laid up with high fever. [고1 11월]

attend to ~에 참석하다
be laid up 몸져눕다

4 It has [been / being] reported that young people aged six to 24 influence about 50% of all spending in the US. [고1 3월]

aged ~세의
influence 영향을 주다
spending 소비, 지출

다음 밑줄 친 부분이 어법상 맞으면 ○표 하고, 틀리면 바르게 고치시오.

5 She suggested to Boeing Air Transports that nurses should take care of passengers during flights because most people were frightened of flying. [고1 3월]

suggest 제안하다
flight 비행

6 They are not interested in trying to be appeared or feel superior to others. [고1 11월]

superior to ~보다 우수한, 뛰어난

7 The percentage of UK adults using newspapers in 2014 were remained the same as that in 2013. [고1 3월]

remain ~으로 남다, ~으로 남아 있다

8 While some sand is formed in oceans from things like shells and rocks, most sand made up of tiny bits of rock that came all the way from the mountains! [고1 3월]

ocean 대양, 바다

어법 TEST 1 | 문장 어법훈련하기

정답과 해설 p. 14

다음 중 어법상 적절한 표현을 고르시오.

VOCA

1 고1 3월

Unless you [unusually gifted / are unusually gifted], your drawing will [look / be looked] completely different from what you are seeing with your mind's eye.

unusually 대단히, 특이하게
gift (재능을) 주다
completely 완전히

2 고1 6월

If you [motivated / are motivated] to buy a good car, you will research vehicles online, look at ads, visit dealerships, and so on.

motivate 동기를 부여하다

3 고1 6월 응용

The native people of Nauru [consist / are consisted] of 12 tribes and [believed / are believed] to be a mixture of Micronesian, Polynesian, and Melanesian.

tribe 부족, 종족
mixture 혼합물, 혼합체

4 고1 11월 응용

In fact, black [perceived / is perceived] to be twice as heavy as white. So, small but expensive products like neckties and accessories are often [selling / sold] in dark-colored shopping bags or cases.

perceive 인지하다, 감지하다

다음 밑줄 친 부분이 어법상 맞으면 ○표 하고, 틀리면 바르게 고치시오.

5 고1 3월

Some scientists even believe that the number of people with whom we can continue stable social relationships <u>might be limited</u> naturally by our brains.

stable 안정된
limit 제한하다

6 고1 6월

They <u>were existed</u> around 200 million years ago, and we know about them because their bones <u>have been preserved</u> as fossils.

preserve 보존하다
fossil 화석

7 고1 6월

Each class <u>is limited</u> to 10 kids. Booking <u>requires</u> at least 10 days in advance.

require 요구하다, 필요로 하다
in advance 미리, 사전에

어법 TEST 2 | 짧은 지문 어법훈련하기

정답과 해설 p. 15

다음 글의 네모 안에서 어법상 적절한 표현을 고르시오.

VOCA

1
고1 11월

He (A) [died / was died] of cardiac disease in Chicago in 1923. During his 33-year career, Turner (B) [published / was published] more than 70 papers. His last scientific paper (C) [published / was published] the year after his death.

cardiac disease 심장병
publish 출간하다

2
고1 11월

Boole (A) [forced / was forced] to leave school at the age of sixteen after his father's business collapsed. He (B) [taught / was taught] himself mathematics, natural philosophy and various languages. He began to produce original mathematical research and made important contributions to areas of mathematics. For those contributions, in 1844, he (C) [awarded / was awarded] a gold medal for mathematics by the Royal Society.

force 강요하다, ~하게 만들다
collapse 파산하다
contribution 공헌, 기여
award 수여하다, 상을 주다

다음 글의 밑줄 친 부분 중, 어법상 틀린 것을 고르시오.

3
고1 3월

It ① is often believed that Shakespeare, like most playwrights of his period, did not always write alone, and many of his plays ② considered collaborative or ③ were rewritten after their original composition.

playwright 극작가
collaborative 공동의, 협력의
composition 작품

어법 TEST 3 | 기출 유형 어법훈련하기

정답과 해설 p. 15

(A), (B), (C)의 각 네모 안에서 어법에 맞는 표현으로 가장 적절한 것은?

Some professionals argue that many teenagers can actually study productively under less-than-ideal conditions because they've (A) [exposed / been exposed] repeatedly to "background noise" since early childhood. These educators argue that children have become used to the sounds of the TV, video games, and loud music. They also argue that insisting students turn off the TV or radio when doing homework will not necessarily improve their academic performance. This position is certainly not generally (B) [shared / sharing], however. Many teachers and learning experts (C) [convince / are convinced] by their own experiences that students who study in a noisy environment often learn inefficiently. [고1 3월 응용]

	(A)		(B)		(C)
①	exposed	······	shared	······	convinced
②	been exposed	······	shared	······	are convinced
③	exposed	······	sharing	······	convinced
④	been exposed	······	shared	······	convinced
⑤	been exposed	······	sharing	······	are convinced

VOCA

1 professional 전문가
2 productively 생산적으로
less-than-ideal 전혀 이상적이지 않은
3 expose 노출하다
6 insist 주장하다
7 improve 향상시키다
8 academic performance 학업 성취
10 convince 확신(납득)시키다
11 inefficiently 비효율적으로

구조 분석+어법 POINT 확인

(A)

... because / they've [exposed / been exposed] repeatedly / to "background noise" ...
왜냐하면 / 그들은 / 노출되어 왔다 / 반복적으로 / '배경 소음'에
have + been+p.p. (현재완료 수동태) / expose to: ~에 노출시키다

이유

(B)

This position is certainly / not generally [shared / sharing], however.
이 입장은 확실히 ~인 것은 아니다 / 일반적으로 공유되는 / 그러나
be동사 + not + p.p.

이유

(C)

Many teachers and learning experts / [convince / are convinced] / by their own experiences / that ...
많은 교사들과 교육 전문가들은 / 확신한다 / 그들 자신의 경험에 의해 / ~라는 것을
be동사+p.p.

이유

어법 TEST 4 | 서술형 내신 어법훈련하기

정답과 해설 p. 16

다음 글을 읽고, 물음에 답하시오.

A large American hardware manufacturer (a) [invited / was invited] to introduce its products to a distributor with good reputation in Germany. Wanting to make the best possible impression, the American company (b) ________(send) its most promising young executive, Fred Wagner, who spoke fluent German. When Fred first met his German hosts, he shook hands firmly, greeted everyone in German, and even remembered to bow the head slightly as is the German custom. Fred, a very effective public speaker, began his presentation with a few humorous jokes to set a relaxed atmosphere. However, (c) he felt that his presentation was not very well received by the German executives. Even though Fred thought he had done his cultural homework, he made one particular error. Fred did not win any points by telling a few jokes. It was viewed as too informal and unprofessional in a German business setting. [고1 3월]

VOCA

1 manufacturer 제조업자(체)
2 distributor 유통업자
reputation 평판
5 executive 임원, 실무자
8 effective 효과적인
10 atmosphere 분위기
14 informal 격식을 차리지 않는
unprofessional 비전문적인

학교시험 서술형 단골 문제 감 잡기

어법 파악 **1** (a)의 네모 안에서 어법상 적절한 것을 고르고, 그 이유를 서술하시오.

어법 파악 **2** 빈칸 (b)에 괄호 안의 동사를 어법상 알맞은 형태로 바꿔 쓰시오.

어법+ 영작 **3** 밑줄 친 (c)를 우리말로 옮기시오.

한컷
명언

" 어제에서 배우고 오늘을 살아가며 내일을 꿈꿔라. "

알버트 아인슈타인

Learn from yesterday, live for today, hope for tomorrow.

Albert Einstein

PART 2 | 준동사

수능 모의고사
기출어법
항목별 빈도수

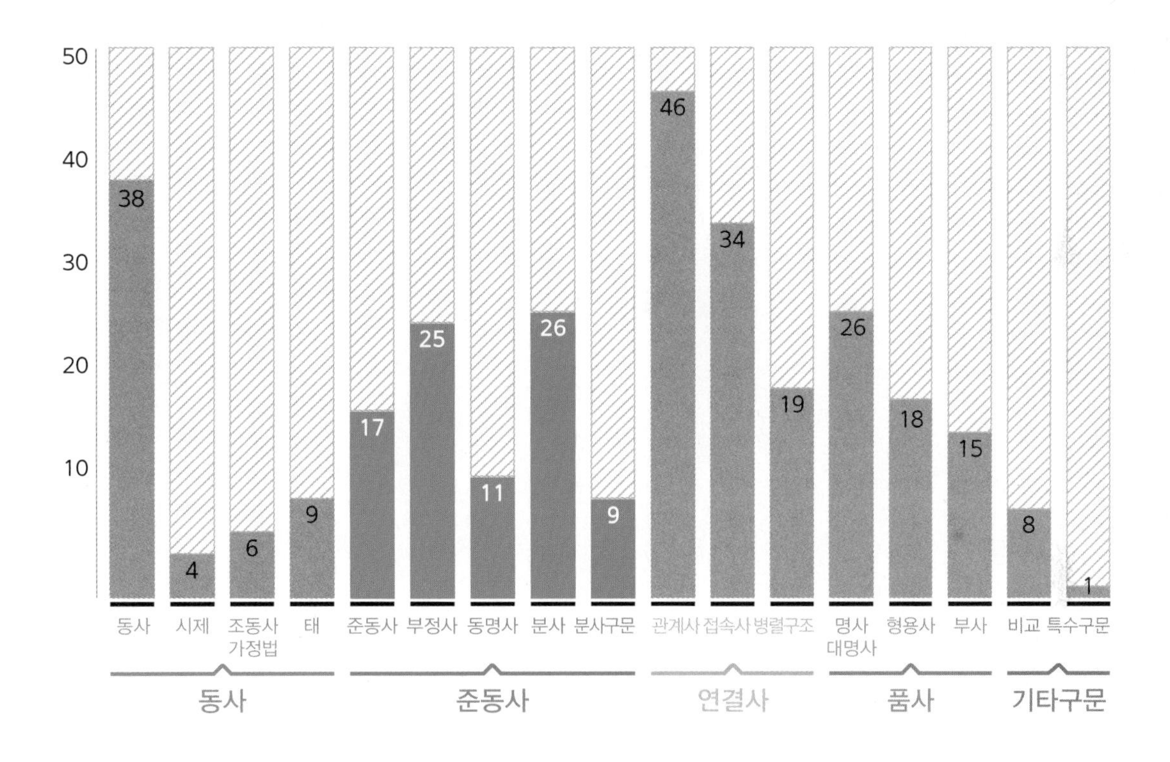

UNIT 06 to부정사와 동명사

UNIT 07 분사와 분사구문

UNIT 06 to부정사와 동명사

Point 1 동사와 준동사
Point 2 동사의 목적어: to부정사/동명사
Point 3 to부정사/동명사 형태의 의미 구분
Point 4 목적격보어로 쓰이는 to부정사와 원형부정사

결정적 출제 어법

1 동사의 목적어 자리에는 동사가 아닌 준동사

Point 1 + Point 2

decide do / **to do** it

동사가 오는지 준동사가 오는지 파악하자!

2 동사 뒤에 to부정사와 동명사가 올 때 뜻이 다른 경우

Point 3

forget **to do** it / forget **doing** it

문맥상 어떤 의미인지 판단하는 것이 중요해.
「forget + to부정사」는 '~할 것을 잊다', 「forget + 동명사」는 '~한 것을 잊다'

3 5형식 동사의 목적격보어는 to부정사나 원형부정사

Point 4

allow them find / **to find** it

목적격보어로 to부정사를 취하는 동사와 원형부정사를 취하는 동사를 알아 두자!

준동사

준동사는 동사가 필요에 따라 변형되어 문장에서 명사, 형용사, 부사의 역할을 하는 것을 말한다. 준동사에는 to부정사(to+V), 동명사(V-ing), 분사(V-ing 또는 p.p.)가 있다.

CHECK-UP **네모 안에서 알맞은 말을 고르시오.**

1 They all agreed [go / to go] to the library.

2 She enjoys [makes / making] miniature buildings.

3 Do you know the boy [to ride / riding] a bike?

to부정사

동사원형 앞에 to를 붙여 만들며, 문장에서 명사, 형용사, 부사의 역할을 한다.

CHECK-UP **to부정사에 동그라미 하고, 문장에서 어떤 역할을 하는지 말하시오.**

1 She decided to go there this weekend.

2 They didn't have enough water to drink.

3 They did their best to win the final game.

동명사

동사 뒤에 -ing를 붙여 만들며, 문장에서 명사 역할을 한다.

CHECK-UP **동명사에 동그라미 하시오.**

1 Playing chess with my grandfather is fun.

2 He avoids meeting his friends these days.

3 Many illness are caused by smoking.

기출문장으로 실전어법 개념잡기

Point 1 동사와 준동사

Volunteering [helps / helping] / to reduce loneliness / in two ways. [고1 3월]
동명사(주어 역할) 동사(서술어) to부정사(목적어 역할)
자원봉사를 하는 것은 두 가지 방식으로 외로움을 줄이는 데 도움이 된다.

- 동사는 문장 또는 절에서 주어의 동작이나 상태를 서술하는 서술어 역할을 한다.
- 준동사는 to부정사, 동명사, 분사의 형태를 가지며, 문장에서 명사, 형용사, 부사의 역할을 하므로 서술어인 동사 자리에 올 수 없다.
- 접속사나 관계사가 없을 때 절 하나에 하나의 동사만 올 수 있고, 나머지는 준동사여야 한다.

  He didn't need the hammer and nails anymore when he learned to hold his temper.
  동사(서술어) 접속사 동사(서술어) to부정사(목적어 역할)

Point 2 동사의 목적어: to부정사/동명사

If you want [to have / having] / a lot of energy tomorrow, / you need to spend / a lot of energy today. [고1 11월]
want + to부정사: ~하기를 원하다 need + to부정사: ~할 필요가 있다

당신이 내일 많은 에너지를 갖기를 원한다면, 오늘 많은 에너지를 소비할 필요가 있다.

So / we keep [to search / searching] for answers / on the Internet. [고1 3월]
keep + 동명사: ~을 계속하다
그래서 우리는 계속 인터넷에서 답을 찾는다.

- 「타동사+목적어」 구조에서 목적어로 to부정사만을 취하는 동사가 있다.

agree, afford, ask, choose, decide, expect, hope, need, offer, pretend, promise, want, wish	+ to부정사

- 「타동사+목적어」 구조에서 목적어로 동명사만을 취하는 동사가 있다.

avoid, admit, deny, discuss, dislike, enjoy, finish, imagine, keep, mind, postpone, quit, stop, suggest, give up	+ 동명사

정답과 해설 p. 17

다음 중 어법상 적절한 표현을 고르시오.

1 These things, by vastly reducing the amount of work needed for household chores, [allowed / allowing] women to enter the labor market and virtually got rid of professions like domestic service. [고1 9월]

2 He used reason to inquire into the nature of the universe, and [encouraged / encouraging] others to do likewise. [고1 9월]

3 [Distinguished / To distinguish] themselves from other commoners, these people developed new ways of speaking to set themselves apart and demonstrate their new, elevated social status. [고1 9월]

다음 밑줄 친 부분이 어법상 맞으면 ○표 하고, 틀리면 바르게 고치시오.

4 In this case, 68% of respondents decided <u>making</u> their way down to the store in order to save $5. [고1 11월]

5 They have employees who absolutely do not mind <u>going</u> the extra mile for their boss. [고1 11월]

6 Subjects played a computerized driving game in which the player must avoid <u>to crash</u> into a wall that appears, without warning, on the roadway. [고1 9월]

7 More countries are acknowledging nature's rights and are expected <u>following</u> Ecuador's lead. [고1 9월]

8 These bosses influence the behavior of their team not by <u>telling</u> them what to do differently, but by <u>to care</u>. [고1 11월]

VOCA

household chore 집안일
virtually 사실상
domestic 가정의

reason 이성
inquire 조사하다

distinguish 구분하다
commoner 평민
demonstrate 보여 주다

respondent 응답자

employee 직원
mind 꺼리다

crash 충돌하다

acknowledge 인정하다
lead 본보기, 선례

influence 영향을 주다
behavior 행동

Point ③ to부정사/동명사 형태의 의미 구분

You reminded me / that there was one of your questions [to which I **forgot** **to give** / giving an answer]. [고1 3월 응용]

전치사+관계대명사 / forget+to부정사: ~(해야) 할 것을 잊다

너는 네가 한 질문 중에 내가 답하는 것을 잊어버린 것이 하나 있었다는 사실을 상기시켜 주었다.

The beginning of growth / comes / when you **begin** accept / **to accept** / **accepting** responsibility / for your choices. [고1 6월 응용]

to부정사와 동명사를 둘 다 목적어로 취하는 동사

성장의 시작은 당신이 당신의 선택에 대한 책임을 받아들이기 시작할 때 온다.

- 동사 뒤에 to부정사 또는 동명사가 올 때 의미가 달라지는 경우가 있다.

to부정사: 미래의 의미		**동명사: 과거의 의미**	
forget + to부정사	~(해야) 할 것을 잊다	forget + 동명사	~한 것을 잊다
remember + to부정사	~(해야) 할 것을 기억하다	remember + 동명사	~한 것을 기억하다
regret + to부정사	~하게 되어 유감이다	regret + 동명사	~한 것을 후회하다
try + to부정사	~하려고 노력하다	try + 동명사	시험 삼아 ~해 보다
stop + to부정사	~하기 위해 멈추다	stop + 동명사	~하는 것을 멈추다

- to부정사와 동명사를 모두 목적어로 취하는 동사도 있다. 이 경우 의미 차이가 거의 없다.

begin, continue, hate, intend, like, love, prefer, start 등 + to부정사/동명사

Point ④ 목적격보어로 쓰이는 to부정사와 원형부정사

Then the teacher / **told** the students / be / **to be** ready / for the surprise test now! [고1 11월]

tell + 목적어 + 목적격보어(to부정사)

선생님은 학생들에게 깜짝 테스트를 당장 준비하라고 말했다!

A teenager / riding his bike / **saw** me **kick** / to kick a tire / in frustration. [고1 9월]

see(지각동사) + 목적어 + 목적격보어(원형부정사)

자전거를 탄 십 대 한 명이 내가 좌절하여 타이어를 차는 것을 보았다.

- 5형식 문장에서 목적격보어로 to부정사만을 취하는 동사가 있다.

advise, allow, ask, cause, enable, encourage, expect, force, order, persuade, tell, want 등

동사 + 목적어 + 목적격보어(to부정사)

- 지각동사와 사역동사는 목적어와 목적격보어의 관계가 능동일 때 to부정사가 아닌 원형부정사(동사원형)가 온다.

지각동사: see, feel, notice, hear, watch 등
사역동사: make, have, let

지각동사 + 목적어 + 목적격보어 (원형부정사/현재분사/과거분사)

사역동사 + 목적어 + 목적격보어(원형부정사/과거분사)

cf. 준사역동사 help는 목적격보어로 to부정사와 원형부정사가 둘 다 올 수 있다.
This approach can help you **escape** / **to escape** / escaping uncomfortable social situations.

정답과 해설 p. 17

다음 중 어법상 적절한 표현을 고르시오.

1 Experts suggest that young people stop [to waste / wasting] their money on unnecessary things and start saving it. [고1 3월]

2 When Fred first met his German hosts, he shook hands firmly, greeted everyone in German, and even remembered [to bow / bowing] the head slightly as is the German custom. [고1 3월]

3 Within days he received warm grateful letters from both boys, who noted at the letters' end that he had unfortunately forgotten [to include / including] the check. [고1 3월]

4 What if the old man does not return with the money? He regretted [to fix up / fixing up] the old man's bicycle. [고1 11월]

5 *Charlie Brown* and *Blondie* are part of my morning routine and help me [to start / starting] the day with a smile. [고1 3월]

6 Do not expect the person [go / to go] right back to acting normally immediately. [고1 3월]

7 In a darkened room he allowed a thin ray of sunlight [to fall / falling] on a triangular glass prism. [고1 6월]

8 We let most of this [pass / to pass] through our brains with minimal retention or reaction. [고1 11월]

VOCA

expert 전문가

custom 관습, 풍습

grateful 감사하는
check 수표

routine 일상

immediately 즉시, 바로

ray 광선
triangular 삼각형의

retention 기억

어법 TEST 1 | 문장 어법훈련하기

정답과 해설 p. 17

다음 중 어법상 적절한 표현을 모두 고르시오.

		VOCA
1 고1 11월 응용	He began [produce / to produce / producing] original mathematical research.	original 독창적인
2 고1 11월	The artist Pablo Picasso, for example, used Cubism as a way to help us [see / to see / seeing] the world differently.	
3 고1 6월	He then went on to list his experiences of road rage and [advised / advising] me to drive very cautiously.	road rage 운전 중 난폭 행동 cautiously 조심스럽게
4 고1 6월	The challenge for educators is to ensure individual competence in basic skills while adding learning opportunities that can enable students [to also perform / also performing] well in teams.	competence 능숙함

다음 밑줄 친 부분이 어법상 맞으면 ○표하고, 틀리면 바르게 고치시오.

5 고1 6월 응용	Such advertisements are quite typical, and as consumers we just have to use our own judgment and avoid <u>taking</u> advertising claims too seriously.	typical 전형적인 claim 주장
6 고1 6월	However, you suddenly see a group of six people <u>to enter</u> one of them.	
7 고1 6월	Consequently, teachers in the past less often arranged group work or encouraged students <u>acquire</u> teamwork skills.	consequently 결과적으로 arrange 준비하다, 마련하다 acquire 습득하다

어법 TEST 2 | 짧은 지문 어법훈련하기

정답과 해설 p. 18

다음 글의 네모 안에서 어법상 적절한 표현을 고르시오.

VOCA

1 고1 3월

Do not base your decision on what yesterday was. Your future is not your past and you have a better future. You must decide (A) [to forget / forgetting] and let go of your past. Your past experiences are the thief of today's dreams only when you allow them (B) [control / to control] you.

base ~에 근거를 두다

2 고1 9월

Time alone allows people to sort through their experiences, put them into perspective, and plan for the future. I strongly encourage you (A) [find / to find] a place to think and to discipline yourself to pause and use it because it has the potential to change your life. It can help you (B) [to figure / figuring] out what's really important and what isn't.

sort 분류하다
put into perspective 장래를 전망하다, 넓게 보다
encourage 권장하다
discipline 훈련시키다
potential 잠재력
figure out 이해하다, 알아내다

다음 글의 밑줄 친 부분 중, 어법상 틀린 것을 고르시오.

3 고1 3월 응용

When Toby returned to camp that evening he couldn't stop ① to think about the little boy with the big sad eyes. Thinking of the boy and his own refusal to give him his shirt, Toby cried about the decision he'd made. But not for long, Toby vowed not to forget the boy he had refused ② to give his shirt to. When Toby returned home to Michigan, he tried ③ to keep his promise to make a difference in the lives of the people he had seen.

refusal 거절
vow 맹세하다

어법 TEST 3 | 기출 유형 어법훈련하기

정답과 해설 p. 18

(A), (B), (C)의 각 네모 안에서 어법에 맞는 표현으로 적절한 것은?

Every event that causes you to smile makes you (A) [feel / to feel] happy and produces feel-good chemicals in your brain. Force your face (B) [smile / to smile] even when you are stressed or feel unhappy. The facial muscular pattern produced by the smile is linked to all the "happy networks" in your brain and will in turn naturally calm you down and change your brain chemistry by releasing the same feel-good chemicals. Researchers studied the effects of a genuine and forced smile on individuals during a stressful event. The researchers had participants (C) [perform / to perform] stressful tasks while not smiling, smiling, or holding chopsticks crossways in their mouths (to force the face to form a smile). The results of the study showed that smiling, forced or genuine, during stressful events reduced the intensity of the stress response in the body and lowered heart rate levels after recovering from the stress. [고1 6월]

	(A)		(B)		(C)
①	feel	……	smile	……	perform
②	feel	……	smile	……	to perform
③	to feel	……	to smile	……	perform
④	feel	……	to smile	……	perform
⑤	to feel	……	to smile	……	to perform

VOCA

2 chemical 화학 물질

force 강제하다

4 muscular 근육의

6 release 내보내다

8 genuine 진짜의

13 intensity 강도

stress response 스트레스 반응

14 heart rate 심장 박동률

구조 분석+어법 POINT 확인

(A)

Every event [that causes you to smile] makes you / [feel / to feel] happy ...

모든 사건들은 / 당신을 미소 짓게 하는 (관계대명사 동사 목적어 목적격보어(to부정사)) / 당신을 ~하게 만든다 (사역동사 목적어) / 행복하다고 느끼게 (목적격보어(원형부정사))

이유

(B)

Force your face / [smile / to smile] / even when you are stressed / or feel unhappy.

당신의 얼굴을 강제하라 (동사 목적어) / 미소 짓도록 (목적격보어(to부정사)) / 당신이 스트레스를 받았거나 (부사절(시간)) / 불행함을 느낄 때도

이유

(C)

The researchers / had participants / [perform / to perform] stressful tasks ...

연구자들은 / 참가자들을 ~하게 했다 (사역동사 목적어) / 스트레스를 받게 하는 임무를 수행하도록 (목적격보어(원형부정사))

이유

어법 TEST 4 | 서술형 내신 어법훈련하기

정답과 해설 p. 19

다음 글을 읽고, 물음에 답하시오.

Serene tried to do a pirouette in front of her mother but fell to the floor. Serene's mother helped her off the floor. She told her that she had to keep (a) [to try / trying] if she wanted (b) [to succeed / succeeding]. However, Serene was almost in tears. She had been practicing very hard the past week but she did not seem to improve. Serene's mother said that she herself had tried many times before succeeding at Serene's age. She had fallen so often that she sprained her ankle and had to rest for three months (c) 그녀가 다시 춤추도록 허락되기 전에. Serene was surprised. Her mother was a famous ballerina and to Serene, her mother had never fallen or made a mistake in any of her performances. (d) Listening to her mother made her to realize that she had to put in more effort than what she had been doing so far. [고1 3월]

VOCA

1 pirouette 피루엣(발레의 동작 중 하나)

7 sprain 삐다

11 performance (개인의) 연기, 공연

realize 깨닫다

12 effort 노력

학교시험 서술형 단골 문제 감 잡기

어법 파악 **1** (a), (b)의 네모 안에서 어법상 맞는 것을 고르시오.

어법+영작 **2** 밑줄 친 (c)와 같은 뜻이 되도록 주어진 단어들을 알맞은 순서로 배열하시오.

(she / allowed / again / to dance / before / was)

어법 파악 **3** 밑줄 친 (d)에서 어법상 틀린 부분을 찾아 바르게 고쳐 다시 쓰시오.

UNIT 07 분사와 분사구문

Point 1 명사를 수식하는 현재분사와 과거분사
Point 2 보어로 사용되는 현재분사와 과거분사
Point 3 분사구문(현재분사)
Point 4 분사구문(과거분사)

결정적 출제 어법

1 분사가 수식할 때 능동 vs. 수동

Point 1

a sandwich filling / **filled** with tuna
his **smiling** / smiled face

수식하는 분사와 수식을 받는 명사의 능동/수동 관계 파악하기

2 분사가 보어로 쓰일 때 능동 vs. 수동

Point 2

The music was very **relaxing** / relaxed.
The ship got pushing / **pushed** around.

보어로 쓰인 분사와 분사가 설명하는 대상의 능동/수동 관계 파악하기

3 분사구문일 때 능동 vs. 수동

Point 3 + Point 4

Looking / Looked into those eyes, I knew I was safe.
Surprising / **Surprised** by the news, he couldn't say anything.

분사구문의 분사와 주절의 주어의 능동/수동 관계 파악하기

분사

분사에는 현재분사(-ing)와 과거분사(p.p.)가 있다. 현재분사는 능동/진행의 의미를 나타내며, 과거분사는 수동/완료의 의미를 나타낸다.

현재분사(능동/진행)	an interesting book	과거분사(수동/완료)	a confused student

CHECK-UP 분사에 동그라미 하고, 능동인지 수동인지 말하시오.

1 a barking dog
2 fallen leaves
3 a boring movie
4 disappointing news
5 a broken watch
6 boiled water

명사 수식과 보어 역할

분사는 명사의 앞 또는 뒤에서 명사를 수식할 수 있고, 문장에서 주격보어나 목적격보어 역할을 할 수 있다.

CHECK-UP 분사에 동그라미 하고, 문장에서 어떤 역할을 하는지 말하시오.

1 Images are simply mental pictures showing ideas and experiences.
2 This sight of stars can also be confusing.
3 He found his car cleaned by his son.

분사구문

분사구문은 부사절에서 접속사, 주어를 생략하고 동사를 분사로 바꿔 부사구로 만든 구문이다.

〈분사구문 만드는 법〉

When he played soccer with his friend, he hurt his knee.
①　②　③

→ Playing soccer with his friend, he hurt his knee.

① 접속사: 생략할 수 있다.(정확한 의미 전달을 위해 남겨 두기도 한다.)
② 주어: 주절의 주어와 같을 때 생략한다.(같지 않으면 그대로 둔다.)
③ 동사: 의미상 주절의 주어와의 관계가 능동일 때는 현재분사(-ing), 수동일 때는 과거분사(p.p.)로 바꾼다.

CHECK-UP 분사구문에 밑줄을 치시오.

1 Cleaning her room, she found her ring.
2 Injured badly, he couldn't ride a bike.

기출문장으로 실전어법 개념잡기

Point 1 명사를 수식하는 현재분사와 과거분사

<Social lies / such as making [deceptive but **flattering** / flattered] comments> / may benefit mutual relations. [고1 9월 응용]

(주어< >, 동명사, 동사 / 명사 앞에서 수식, '기분 좋게 만드는'의 뜻이므로 능동의 현재분사)

속이는 말이지만 기분 좋게 만드는 언급과 같은 사회적 거짓말이 상호 관계에 도움이 될 수 있다.

If the person is truly important to you, / it is worthwhile [to give him or her / the time and space { needing / **needed** to heal}]. [고1 3월]

(가주어, 진주어 / 명사구 뒤에서 수식, '필요한, 요구되는'의 뜻이므로 수동의 과거분사)

그 사람이 당신에게 진정으로 중요하다면, 그 또는 그녀에게 치유되는 데 필요한 시간과 공간을 주는 것이 가치 있다.

- 현재분사는 능동이나 진행의 의미를 나타내고, 과거분사는 수동이나 완료의 의미를 나타낸다.
- 분사가 단독으로 쓰일 때는 명사의 앞 또는 뒤에서 수식하고, 분사가 구를 이루고 있을 때는 명사의 뒤에서 수식한다.

Point 2 보어로 사용되는 현재분사와 과거분사

"I am tiring / **tired** ! Will you take me home, Grandma?" she asked. [고1 6월]

(주격보어 / 지친 상태가 된 것이므로 수동의 과거분사)

"난 지쳤어요! 저를 집으로 데려다 주시겠어요, 할머니?"라고 그녀가 요청했다.

He pointed at a girl [**walking** / walked up the street]. [고1 3월]

(목적어, 목적격보어 / 목적어인 a girl이 '걸어가고 있는' 것이므로 능동의 현재분사)

그는 거리를 걷고 있는 젊은 여자를 가리켰다.

- 분사는 문장에서 보어 역할을 할 수 있다. 이때도 현재분사는 능동이나 진행의 의미를, 과거분사는 수동이나 완료의 의미를 나타낸다.
- 문장이 2형식일 때 분사는 주어를 설명하는 주격보어 역할을 한다.
- 문장이 5형식일 때 분사는 목적어를 설명하는 목적격보어 역할을 한다.

정답과 해설 p. 20

다음 중 어법상 적절한 표현을 고르시오.

1 In early 19th century London, a young man [naming / named] Charles Dickens had a strong desire to be a writer. [고1 6월]

2 There is a very old story [involving / involved] a man trying to fix his broken boiler. [고1 6월]

3 Vision is like shooting at a [moving / moved] target. [고1 9월]

4 The [sharing / shared] assumptions and values serve as a foundation for the discussion. [고1 11월]

다음 밑줄 친 부분이 어법상 맞으면 ○표 하고, 틀리면 바르게 고치시오.

5 Keeping good ideas floated around in your head is a great way to ensure that they won't happen. [고1 3월]

6 Randomness, in organization or in events, is more challenging and more frightening for most of us. [고1 11월]

7 During a thunderstorm, clouds may become charged as they rub against each other. [고1 9월]

8 Several minutes later the conductor turned around from the front of the traincar to see Einstein continued to search under his seat for the missing ticket. [고1 11월]

VOCA

name 이름을 붙이다
desire 갈망

involve 관련시키다

share 공유하다
assumption 가정
foundation 기반
discussion 토론

float 떠다니다
ensure 반드시 ~하게 하다

randomness 무작위성
organization 조직
challenging 도전적인
frighten 겁먹게 하다

charge 충전하다
rub 맞비비다

conductor 승무원

Point 3 분사구문(현재분사)

Feeling / Felt that the worst is over, / I find / my whole body / loosening up and at ease.
주절의 주어(I)와의 관계가 능동이므로 현재분사 사용 / 동사 / 목적어 / 목적격보어(현재분사) [고1 9월]
최악은 끝났다고 느끼며, 나는 온몸의 긴장이 풀리고 편안해짐을 발견한다.

Even after **receiving** / received his degree, / Turner was unable to get a teaching or research position at any major universities. [고1 11월 응용]
생략되지 않은 접속사 / 주절의 주어(Turner)와의 관계가 능동이므로 현재분사 사용

학위를 받은 이후에도, Turner는 어떤 주요한 대학에서도 교직이나 연구직을 얻을 수 없었다.

- 현재분사를 사용하는 분사구문은 의미상 주절의 주어와 분사의 관계가 능동이다.
- 일반적으로 분사구문에서 접속사는 생략하지만, 뜻을 분명히 하기 위해 남기기도 한다.
  생략된 경우, 생략된 접속사를 문맥에 맞게 찾아내어 해석한다.

시간(~할 때, ~하는 동안, ~한 후에)	when, as, while, after	이유(~하기 때문에)	because, as, since
조건(~한다면)	if	양보(~라 해도)	though, although
동시동작(~하면서)	while, as	연속동작(그리고 ~하다)	and

Point 4 분사구문(과거분사)

Still amazing / **amazed** by his success, / he was now in the finals. [고1 9월]
주절의 주어 (he)와의 관계가 수동이므로 과거분사 사용
여전히 자신의 성공에 놀란 채로, 그는 이제 결승에 진출했다.

- 과거분사를 사용하는 분사구문은 의미상 주절의 주어와 분사의 관계가 수동이다.
  이때 과거분사는 being p.p. 또는 having been p.p.에서 being/having been이 생략된 형태이다.

정답과 해설 p. 20

다음 중 어법상 적절한 표현을 고르시오.

1 Within minutes, the plane shakes hard, and I freeze, [feeling / felt] like I'm not in control of anything. [고1 9월]

2 It also meant that the latter could now ask the former for a favor, in return, [increasing / increased] the familiarity and trust. [고1 9월]

3 However, some wild mushrooms are dangerous, [leading / led] people to lose their lives due to mushroom poisoning. [고1 6월]

4 After [becoming / become] a priest, he returned to Spain and spent the rest of his life peacefully in Madrid as a composer and organist. [고1 6월]

5 [Bearing / Born] in 1867 in Cincinnati, Ohio, Charles Henry Turner was an early pioneer in the field of insect behavior. [고1 11월]

6 [Terrifying / Terrified] by the poor medical treatment for female patients, she founded a hospital for women in Edinburgh. [고1 11월]

7 The historical tendency, [framing / framed] in the outdated dualism of us versus them, is strong enough to make a lot of people cling to the status quo. [고1 11월]

8 [Lying / Lain] on the floor in the corner of the crowded shelter, [surrounding / surrounded] by bad smells, I could not fall asleep. [고1 6월]

VOCA

freeze 얼다

the latter 후자
the former 전자
favor 부탁
familiarity 친밀함

lead 이르게 하다
due to ~로 인한
poisoning 중독

priest 사제, 성직자
organist 오르간 연주자

bear 낳다
pioneer 개척자

terrify 겁먹게 하다
found 설립하다

frame 틀에 넣다
outdated 시대에 뒤쳐진
dualism 이원론
status quo 현재의 상황

shelter 대피소

어법 TEST 1 | 문장 어법훈련하기

정답과 해설 p. 20

다음 중 어법상 적절한 표현을 고르시오.

VOCA

1 고1 9월

[Surprising / Surprised] himself, the boy easily won his first two matches.

match 경기, 시합

2 고1 3월

It can take time, maybe a long time, before the [injuring / injured] party can completely let go and fully trust you again.

party 당사자
let go 놓아 주다

3 고1 9월

[Leaving / Left] a store, I returned to my car only to find that I'd locked my car key and cell phone inside the vehicle.

vehicle 차량

4 고1 9월

[Arming / Armed] with scientific knowledge, people build tools and machines that transform the way we live, making our lives much easier and better.

arm 무장시키다
transform 변형시키다

다음 밑줄 친 부분이 어법상 맞으면 ○표 하고, 틀리면 바르게 고치시오.

5 고1 11월

In this stage, we can even imagine ourselves victoriously <u>danced</u> on the top of that mountain, feeling successful and ultimately happy.

victoriously 의기양양해서
ultimately 궁극적으로

6 고1 9월

Delivery is free. If you want the TV <u>installed</u>, there is an additional $50 fee.

install 설치하다

7 고1 11월

<u>Caring</u> for both soldiers and civilians suffering from sickness, Inglis became ill in Russia and was forced to return to Britain, where she died in 1917.

civilian 민간인
force ~을 강요하다

어법 TEST 2 | 짧은 지문 어법훈련하기

정답과 해설 p. 21

다음 글의 네모 안에서 어법상 적절한 표현을 고르시오.

1
고1 9월

This theory could explain in part why time feels slower for children. (A) [Assigning / Assigned] the enormous task of absorbing and processing all this new perceptual and sensory information around them, their brains are continuously alert and attentive. Why? Because everything is unfamiliar. Consider the mind of a child: having experienced so little, the world is a mysterious and (B) [fascinating / fascinated] place.

VOCA
assign 부여하다
enormous 막대한
absorb 흡수하다
perceptual 인지적인
sensory 감각의
attentive 주의를 기울이는
fascinate 매혹하다

다음 글의 밑줄 친 부분 중, 어법상 <u>틀린</u> 것을 고르시오.

2
고1 11월

At home, Rangan was ① <u>confusing</u>. ② <u>Washing</u> his greasy hands, he heard a knock at his door. It was the old man and the tea boy. The old man said, "Your shop was closed when I returned. Luckily, I saw this boy in front of the shop." ③ <u>Handing</u> over the money to Rangan, he continued, "Thanks for your hospitality."

greasy 기름투성이의
luckily 운 좋게도
continue 계속하다
hospitality 환대, 호의

3
고1 6월

With thousands of websites, television channels, text messages, and phone calls, it is easy to become ① <u>drowned</u> in a flood of media. We often try to absorb too much in too many ways, to enjoy music while at the same time ② <u>e-mailed</u> someone on our laptops and being ③ <u>interrupted</u> by constant messages on our mobile phones.

drown 익사시키다
flood 홍수

어법 TEST 3 | 기출 유형 어법훈련하기

정답과 해설 p. 21

(A), (B), (C)의 각 네모 안에서 어법에 맞는 표현으로 적절한 것은?

The natural world provides a rich source of symbols (A) [using / used] in art and literature. Plants and animals are central to mythology, dance, song, poetry, rituals, festivals, and holidays around the world. Different cultures can exhibit opposite attitudes toward a (B) [giving / given] species. Snakes, for example, are honored by some cultures and hated by others. Rats are (C) [considering / considered] pests in much of Europe and North America and greatly respected in some parts of India. Of course, within cultures individual attitudes can vary dramatically. For instance, in Britain many people dislike rodents, and yet there are several associations devoted to breeding them, including the National Mouse Club and the National Fancy Rat Club. [고1 3월]

	(A)		(B)		(C)
①	using	……	given	……	considering
②	used	……	given	……	considered
③	using	……	giving	……	considering
④	used	……	giving	……	considered
⑤	using	……	given	……	considered

VOCA

2 central to ~의 중심이 되는
3 mythology 신화
ritual 의식
5 species 종
6 honor 존경하다
7 pest 해충, 유해 동물
9 vary 각기 다르다
10 rodent 설치류
11 devoted to ~에 열심인

구조 분석+어법 POINT 확인

(A) The natural world / provides / a rich source of symbols / [using / used] in art and literature.
자연계는 / 제공한다 / 상징의 풍부한 원천을 / 미술과 문학에서 사용되는
명사구 뒤에서 수식, 수동의 과거분사

이유

(B) Different cultures / can exhibit / opposite attitudes / toward a [giving / given] species.
서로 다른 문화들은 / 보일 수 있다 / 상반된 태도를 / 주어진 종에 대해
명사 앞에서 수식, 수동의 과거분사

이유

(C) Rats / are [considering / considered] / pests / in much of Europe and North America ...
쥐들은 / 여겨졌다 / 유해 동물로 / 유럽과 북미의 많은 지역에서
주어 rats와 수동 관계(수동태)

이유

어법 TEST 4 | 서술형 내신 어법훈련하기

정답과 해설 p. 22

다음 글을 읽고, 물음에 답하시오.

Interestingly, in nature, the more powerful species have a narrower field of vision. The distinction between predator and prey offers a (a) [clarifying / clarified] example of this. The key feature that distinguishes predator species from prey species isn't the presence of claws or any other feature related to biological weaponry. The key feature is the position of their eyes. (b) 포식자는 앞쪽을 향하고 있는 눈을 가지도록 진화하였다 — which allows for binocular vision that offers accurate depth perception when pursuing prey. Prey, on the other hand, often have eyes facing outward, (c) maximize peripheral vision, which allows the hunted to detect danger that may be approaching from any angle. Consistent with our place at the top of the food chain, humans have eyes that face forward. We have the ability to gauge depth and pursue our goals, but we can also miss important action on our periphery. [고1 11월]

VOCA

2 predator 포식자
prey 사냥감, 피식자
3 clarify 명확하게 하다
5 weaponry 무기류
7 binocular 두 눈으로 보는
8 accurate 정밀한, 정확한
perception 인식
pursue 뒤쫓다
9 maximize 최대화하다
10 peripheral 주변부의
11 consistent 일치하는
13 gauge 측정하다

학교시험 서술형 단골 문제 감 잡기

어법 파악 **1** (a)에서 어법상 맞는 것을 고르고, 그 이유를 서술하시오.

어법+ 영작 **2** 밑줄 친 (b)와 같은 뜻이 되도록 주어진 단어들을 알맞은 순서로 배열하시오.

(predators / facing / evolved / with eyes / forward)

어법 파악 **3** 밑줄 친 (c)를 분사구문으로 바꿔 쓰시오.

한컷 명언

" 행동은 모든 성공의 기본 열쇠이다. "

파블로 피카소

Action is the foundational key to all success.

Pablo Picasso

PART 3 | 연결사

수능 모의고사
기출어법
항목별 빈도수

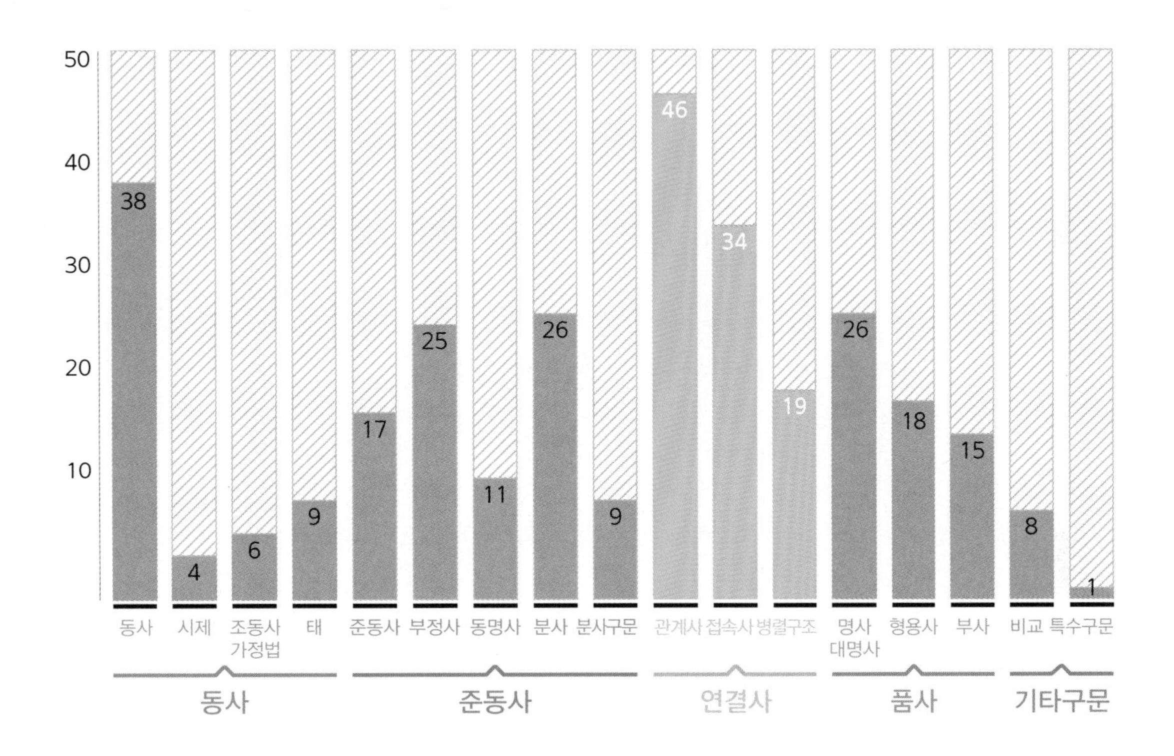

UNIT 08 관계사

UNIT 09 접속사

UNIT 08 관계사

Point 1 관계대명사의 격
Point 2 관계대명사의 계속적 용법
Point 3 전치사+관계대명사
Point 4 관계대명사 that vs. what
Point 5 관계부사
Point 6 관계대명사 vs. 관계부사

결정적 출제 어법

1 관계대명사의 격 파악하기

Point 1

I have a friend **who** / whom likes pizza.
I have a friend whose / **whom** I can trust.

선행사가 관계사절에서 의미상 무슨 역할을 하는지 보자.

2 that과 what 구분하기

Point 4

Tell me the story **that** / what you like.
I can't believe that / **what** you're saying.

선행사가 보이면 that, 선행사가 안 보이면 what!

3 관계대명사? 관계부사?

Point 5 + Point 6

This is the park **which** / where we love.
This is the place which / **where** we played soccer.

관계대명사 뒤에는 불완전한 구조, 관계부사 뒤에는 완전한 구조!

관계대명사

• 관계대명사는 접속사와 대명사의 역할을 동시에 한다. 일반적으로 관계대명사가 이끄는 절은 앞에 나온 명사(선행사)를 뒤에서 꾸미는 형용사처럼 쓰인다(형용사절). 선행사의 사람/사물 여부와 격에 따라 다른 관계사가 사용된다.

선행사 \ 격	주격	소유격	목적격
사람	who	whose	who(m)
사물	which	whose / of which	which
사람/사물	that	–	that

• 관계대명사의 용법

– 제한적 용법: 관계대명사절이 선행사를 직접 수식하며, '~한, ~하는'으로 해석한다.

– 계속적 용법: 관계대명사 앞에 콤마(,)가 있으며, 선행사(명사, 어구, 앞 문장 전체)를 보충 설명한다. 관계사 앞의 절부터 해석하고, and, but 등의 접속사를 넣어 해석할 수 있다.

CHECK-UP 관계대명사에 동그라미 하고, 제한적 용법인지 계속적 용법인지 말하시오.

1 There are many children who suffer from hunger.

2 I saw a girl whose umbrella was red.

3 I like the picture which James painted.

4 She has two daughters, who became nurses.

관계부사

관계부사는 시간, 장소, 이유, 방법을 나타내는 선행사를 수식하며, 접속사와 부사 역할을 동시에 한다.

	선행사	관계부사	전치사 + 관계대명사
시간	the time, the day 등	when	in, at, on + which
장소	the place 등	where	in, at, on + which
이유	the reason	why	for which
방법	the way	how	in which

CHECK-UP 관계부사에 동그라미 하시오.

1 This Friday is the day when I will have my birthday party.

2 I don't know the reason why he wants to go there.

3 I'll visit the city where the Olympic Games were held.

기출문장으로 실전어법 개념잡기

Point ① 관계대명사의 격

First, / someone [**who** / which is lonely] might benefit / from helping others. [고1 3월]
선행사(사람) 주격 관계대명사 동사
우선, 외로운 사람은 다른 사람들을 도와주는 일로부터 이득을 볼 수도 있다.

So / a patient [who / **whose** heart has stopped] can no longer be regarded as dead. [고1 9월]
선행사(사람) 소유격 관계대명사 명사 동사
그래서 심장이 멈춘 환자는 더 이상 사망한 것으로 여겨질 수 없다.

Imagine / the loss of self-esteem [who / **that** manager must have felt]. [고1 3월]
선행사(사물) 목적격 관계대명사 주어 동사
관리자가 느꼈음에 틀림없을 자존감의 상실을 상상해 보라.

- 선행사가 관계사절 내에서 어떤 역할을 하는지에 따라 관계대명사의 격이 결정된다.
- 목적격 관계대명사 who(m), which, that이 오는 경우, 또는 「주격 관계대명사 + be동사」 뒤에 현재분사(-ing)나 과거분사(p.p.)가 올 때 「주격 관계대명사 + be동사」는 생략이 가능하다.

선행사 [주격 + V ~].
선행사 [소유격 + 명사 + V ~].
선행사 [목적격 + S + V ~].

Point ② 관계대명사의 계속적 용법

In reality, / the building is surrounded by air, [who / **which** applies friction / to the falling marble / and slows it down]. [고1 9월]
선행사 (= and it) 동사1 동사2
실제로 건물은 공기로 둘러싸여 있는데, 그것이 떨어지는 구슬에 마찰을 가하고 속도를 느리게 한다.

She admired / the work of Edgar Degas / and was able to meet him in Paris, [**which** / that was a great inspiration]. [고1 9월]
동사1 동사2 선행사(앞 문장 전체) (= and it)

그녀는 Edgar Degas의 작품을 동경했고 Paris에서 그를 만날 수 있었는데, 그것은 커다란 영감이었다.

- 관계대명사 앞에 콤마(,)를 써서 선행사에 대한 부연 설명을 하는 것을 관계대명사의 계속적 용법이라 한다. 이때 관계대명사는 생략할 수 없고, 관계대명사 that과 what은 계속적 용법으로 쓸 수 없다.
- 계속적 용법의 선행사는 명사, 어구, 앞 문장 전체 등 다양한 형태로 올 수 있다.

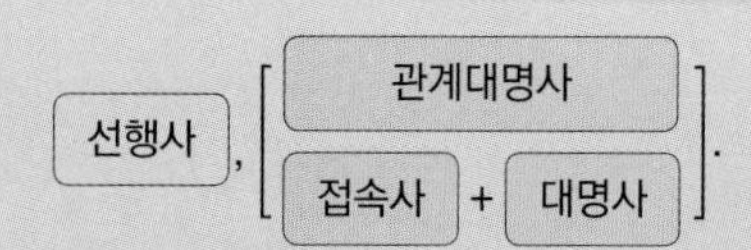

정답과 해설 p. 23

다음 중 어법상 적절한 표현을 고르시오.

1 Maybe you'll run into people there [whose / that] you've never met before. [고1 3월]

2 They depend on an existing context [who / which] has been in the making for a long time. [고1 11월]

3 In one study, participants [who / whose] briefly held a cup of hot coffee judged a target person as having a "warmer" personality. [고1 6월 응용]

4 The researchers next stopped the athletic competitions and created several apparent emergencies [that / whose] solution required cooperation between the two groups. [고1 3월]

다음 밑줄 친 부분이 어법상 맞으면 ○표 하고, 틀리면 바르게 고치시오.

5 Within days he received warm grateful letters from both boys, that noted at the letters' end that he had unfortunately forgotten to include the check. [고1 3월]

6 Fast-forward another billion years to our world, which is full of social animals, from ants to wolves to human. [고1 3월]

7 We cannot predict the outcomes of sporting contests, that vary from week to week. [고1 11월]

8 Written language is more complex, which makes it more work to read. [고1 6월]

VOCA

run into 우연히 만나다

depend on ~에 의존하다
context 맥락, 문맥

participant 참가자
briefly 잠시
personality 성격, 인격

apparent 명백한
emergency 비상사태
cooperation 협력

note 언급하다
check 수표

fast-forward 고속으로 앞으로 감다
billion 10억

predict 예견하다
vary 달라지다

complex 복잡한

기출문장으로 실전어법 개념잡기

Point 3 전치사+관계대명사

At the beginning of your letter / you reminded me / that there was one of your questions
선행사
[which / **to which** I forgot to give an answer]. [고1 3월 응용]
선행사를 관계사절로 넘기면 I forgot to give an answer to one of your questions.
= At the beginning of your letter you reminded me that there was one of your questions **which** I forgot to give an answer **to**.

편지의 서두에서 당신은 당신의 질문들 중에서 내가 답을 해주는 것을 잊었던 것이 하나 있다고 나에게 상기시켰습니다.

- 관계사절의 구조상 관계대명사가 전치사의 목적어일 때, 전치사는 관계대명사의 앞, 혹은 관계사절의 맨 끝에 온다.
- 전치사 뒤에 관계대명사가 올 경우 관계대명사는 생략할 수 없으며, 관계대명사 that과 who는 전치사 바로 뒤에 올 수 없다.

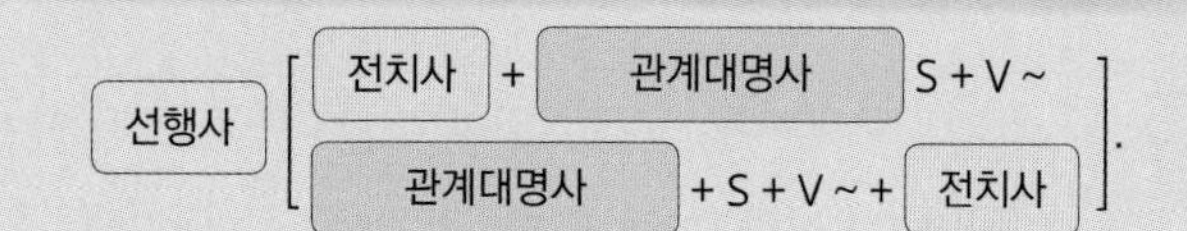

Point 4 관계대명사 that vs. what

When they arrived, / they could see / a ravine [**that** / what was a few meters wide]. [고1 9월]
선행사 주격 관계대명사
그들이 도착했을 때, 그들은 몇 미터 너비의 협곡을 볼 수 있었다.

Have you ever / thought about / how you can tell [that / **what** somebody else is feeling]?
선행사 없음 (= the thing(s) which) 목적어 역할을 하는 명사절 [고1 9월]
당신은 다른 누군가가 느끼고 있는 것을 당신이 어떻게 알 수 있는지에 대해 생각해 본 적이 있는가?

- 관계대명사 that은 who(m), which를 대신해서 쓰이며 선행사를 수식하는 형용사절을 이끌고, 관계대명사 what은 선행사를 그 안에 포함하여 주어, 목적어, 보어가 되는 명사절을 이끈다.
- 선행사가 있으면 that, 선행사가 없고 관계대명사 대신 the thing(s) which로 바꿀 수 있으면 what이 온다.

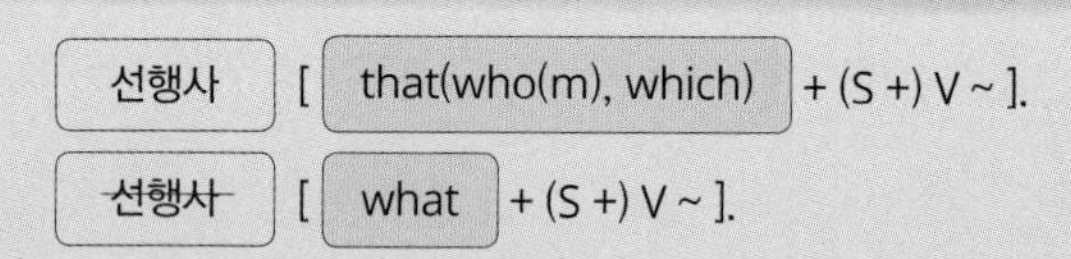

정답과 해설 p. 23

다음 중 어법상 적절한 표현을 고르시오.

1 The teacher wrote back a long reply [which / in which] he dealt with thirteen of the questions. [고1 3월]

2 Humans have not always had the abundance of food [that / in which] is enjoyed throughout most of the developed world today. [고1 9월]

3 To be a great scientist, you need to be able to look at a problem [that / in which] hundreds, maybe even thousands, of people have already looked at and have been unable to solve. [고1 3월 응용]

4 Japanese tend to do little disclosing about themselves to others except to the few people [whom / with whom] they are very close. [고1 3월]

5 Having friends with other interests keeps life interesting — just think of [that / what] you can learn from each other. [고1 3월]

6 Now, with that picture in your mind, try to draw [that / what] your mind sees. [고1 3월]

7 He knew now that the obstacles [that / what] had been placed in his path were part of his preparation. [고1 9월]

8 Few people would choose to walk or bike on roadways [that / what] lack safe sidewalks or marked bicycle lanes. [고1 3월]

VOCA

reply 답장

abundance 풍족, 풍부

solve 풀다

little 거의 없는
disclosing 발설, 드러냄

interest 관심

mind 마음

obstacle 장애물
preparation 준비, 대비

roadway 도로
lack ~이 부족하다

Point 5 관계부사

Non-verbal communication / can be useful / in situations [**where** / how speaking may be impossible or inappropriate]. [고1 11월]

선행사 / 장소를 나타내는 관계부사(= in which)

비언어적 의사소통은 말하는 것이 불가능하거나 부적절한 상황들에서 유용할 수 있다.

This is / one of the reasons [when / **why** people still go to cinemas / for good films]. [고1 6월]

이유를 나타내는 관계부사(= for which)

이것이 사람들이 여전히 좋은 영화를 보기 위해 영화관에 가는 이유 중 하나이다.

- 관계부사는 「전치사+관계대명사」로 바꿔 쓸 수 있다. 선행사에 따라 시간(when), 장소(where), 이유(why), 방법(how) 등의 관계부사를 사용할 수 있다.
- 관계부사 앞의 선행사가 the time, the place, the reason 등 특정한 정보를 가지고 있지 않은 경우, 선행사나 관계부사 둘 중 하나는 생략이 가능하다.
- the way와 how는 함께 쓰이지 않는다.
  This is the way I met Jim. (O)
  This is how I met Jim. (O)
  This is the way how I met Jim. (×)

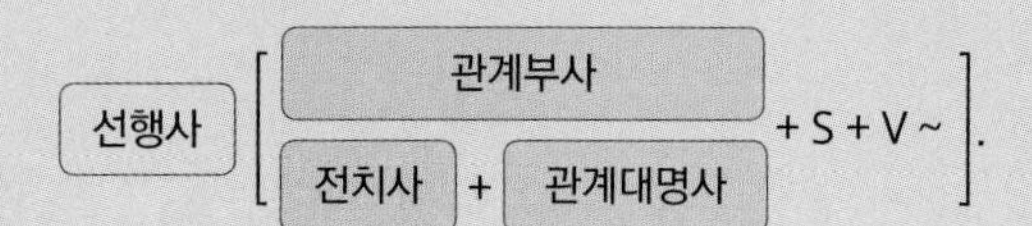

Point 6 관계대명사 vs. 관계부사

Reality for a child / is vastly different – / full of wonders and curiosities and miraculous little events [**that** / where most adults ignore]. [고1 9월]

선행사 / 주어 / 동사 (목적어 없음 → 불완전한 문장)

아이에게 현실은 크게 다른데, 대부분의 성인들은 무시하는 놀라움과 호기심, 그리고 기적 같은 작은 일들로 가득 차 있다.

Hike the Valley / is a hiking program [which / **where** we guide participants / through local trails / every Saturday]. [고1 9월]

선행사 / 주어 / 동사 / 목적어 (→ 완전한 문장)

Hike the Valley는 우리가 매주 토요일 참가자들에게 지역 숲길을 안내하는 하이킹 프로그램입니다.

- 관계대명사 뒤에는 문장의 필수 성분을 다 갖추지 못한 불완전한 문장이 온다.
  This is the watch **that** my brother lost.
  주어 동사 목적어 없음
- 관계부사 뒤에는 문장의 필수 성분을 다 갖춘 완전한 문장이 온다.
  This is the place **where** I met my wife first.
  주어 동사 목적어

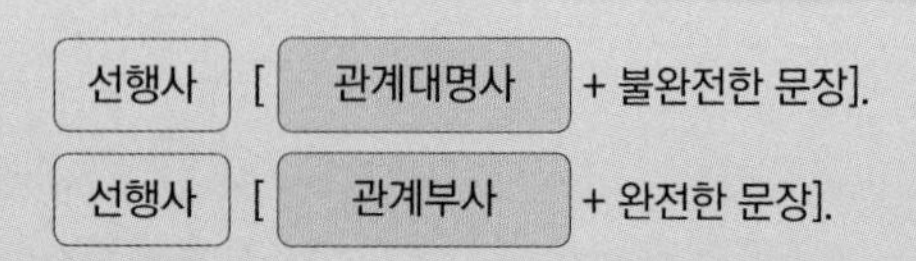

정답과 해설 p. 23

다음 중 어법상 적절한 표현을 고르시오.

1 One day [when / where] the dogs jumped the fence, they attacked and severely injured several of the lambs. [고1 11월]

2 If we lived on a planet [when / where] nothing ever changed, there would be little to do. [고1 6월]

3 We tend to form generalizations about [the way / the way how] people behave and things work. [고1 9월]

4 It is the reason [where / why] humans, normally a quite cooperative species, can become so noncooperative on the road. [고1 3월]

5 We live in an in-between universe, [which / where] things change, but according to rules. [고1 6월]

6 People usually exaggerate about the time they waited, and what they find most bothersome is time [which / when] was spent unoccupied. [고1 9월 응용]

7 You never know what great things will happen to you until you step outside the zone [which / where] you feel comfortable. [고1 3월]

8 The city [that / where] received the higher number of tourists in 2013 was Antalya, but in the following three years, Istanbul received more tourists than Antalya did. [고1 9월]

VOCA

severely 심각하게

generalization 일반화

cooperative 협조적인

in-between 중간의

exaggerate 과장하다
bothersome 성가신
unoccupied 사용 중이지 않은

step outside 밖으로 나가다

following 다음의

어법 TEST 1 | 문장 어법훈련하기

정답과 해설 p. 24

다음 중 어법상 적절한 표현을 고르시오.

VOCA

1 고1 3월

Take a tip from writers, [who / that] know that the only good ideas that come to life are the ones that get written down.

2 고1 6월

Aristotle's suggestion is that virtue is the midpoint, [which / where] someone is neither too generous nor too stingy, neither too afraid nor recklessly brave.

virtue 선, 미덕
midpoint 중간점
generous 관대한
stingy 인색한
recklessly 무모하게

3 고1 3월

To get your new toaster, simply take your receipt and the faulty toaster to the dealer [whom / from whom] you bought it.

receipt 영수증

4 고1 3월 응용

Consumers also reduce uncertainty by buying the same brand [that / what / where] they did the last time.

uncertainty 불확실성

다음 밑줄 친 부분이 어법상 맞으면 ○표 하고, 틀리면 바르게 고치시오.

5 고1 9월

A complex hormonal regulation directs the growth of hair and nails, none of whom is possible once a person dies.

hormonal 호르몬에 의한
regulation 통제

6 고1 3월

Listening to her mother made her realize that she had to put in more effort than what she had been doing so far.

7 고1 3월

One way to get the word out is through an advertising exchange, which advertisers place banners on each other's websites for free.

advertiser 광고주

어법 TEST 2 | 짧은 지문 어법훈련하기

정답과 해설 p. 24

다음 글의 네모 안에서 어법상 적절한 표현을 고르시오.

1
고1 9월

So a patient (A) [who / whose] heart has stopped can no longer be regarded as dead. Instead, the patient is said to be 'clinically dead'. Someone (B) [who / whom] is only clinically dead can often be brought back to life.

VOCA
be regarded as ~로 여겨지다
clinically 임상적으로

2
고1 11월 응용

From multiple physiological studies, we know that encounters with members of other ethnic-racial categories trigger stress responses. Minority individuals have many encounters with majority individuals, each of (A) [whom / which] may trigger such responses. However minimal these effects may be, their frequency may increase total stress, (B) [which / that] would account for part of the health disadvantage of minority individuals.

physiological 생리학의
encounter 마주침
ethnic-racial 민족적-인종적인
trigger 촉발시키다
frequency 빈도

다음 글의 밑줄 친 부분 중, 어법상 틀린 것을 고르시오.

3
고1 11월

For music fans, the genres, artists, and songs ① which people find meaning, thus, function as potential "places" ② through which one's identity can be positioned in relation to others: they act as chains ③ that hold at least parts of one's identity in place.

meaning 의미
function 기능하다
potential 잠재적인
identity 정체성

어법 TEST 3 | 기출 유형 어법훈련하기

정답과 해설 p. 24

(A), (B), (C)의 각 네모 안에서 어법에 맞는 표현으로 가장 적절한 것은?

How does a leader make people feel important? First, by listening to them. Let them know you respect their thinking, and let them voice their opinions. As an added bonus, you might learn something! A friend of mine once told me about the CEO of a large company (A) [who / which] told one of his managers, "There's nothing you could possibly tell me that I haven't already thought about before. Don't ever tell me (B) [that / what] you think unless I ask you. Is that understood?" Imagine the loss of self-esteem (C) [that / where] manager must have felt. It must have discouraged him and negatively affected his performance. [고1 3월]

	(A)		(B)		(C)
①	who	……	that	……	that
②	who	……	that	……	where
③	which	……	that	……	where
④	who	……	what	……	that
⑤	which	……	what	……	that

VOCA

2 respect 존경하다
3 voice 소리 내어 말하다
8 loss 상실
self-esteem 자존감
9 discourage 낙담시키다
10 affect 영향을 미치다
performance 업무 수행

구조 분석+어법 POINT 확인

(A) A friend of mine / once told me / about the CEO of a large company [who / which told one of his managers, ...]

내 친구가 / 말해준 적이 있었다 / 큰 회사의 CEO에 대해 (선행사(사람)) / 주격 관계대명사 / 동사

그의 관리자 중 한 사람에게 (간접목적어) …을 말한 (직접목적어)

이유

(B) Don't ever tell me [that / what you think] unless I ask you.

나에게 절대 말하지 마세요 (선행사 없음) / 당신이 생각하는 것을 (= the thing(s) which) / 내가 당신에게 묻지 않으면 (~하지 않으면)

이유

(C) Imagine / the loss of self-esteem [that / where manager must have felt].

상상해 보라 / 자존감의 상실을 (선행사) / 목적격 관계대명사 / 그 관리자가 (주어) 느꼈음에 틀림없을 (동사)

이유

어법 TEST 4 | 서술형 내신 어법훈련하기

정답과 해설 p. 25

다음 글을 읽고, 물음에 답하시오.

If you walk into a room (a) where smells of freshly baked bread, you quickly detect the rather pleasant smell. However, stay in the room for a few minutes, and the smell will seem to disappear. In fact, the only way to reawaken it is to walk out of the room and come back in again. The exact same concept applies to many areas of our lives, including happiness. Everyone has something to be happy about. Perhaps they have a loving partner, good health, a (b) [satisfying / satisfied] job, a roof over their heads, or enough food to eat. As time passes, however, (c) 그들은 그들이 가지고 있는 것에 익숙해진다 and, just like the smell of fresh bread, these wonderful assets disappear from their consciousness. As the old proverb goes, you never miss the water till the well runs dry. [고1 6월]

VOCA

1 freshly 갓, 신선하게
2 detect 감지하다, 알아내다
4 reawaken 다시 일깨우다
5 exact 정확히
apply 적용하다
7 perhaps 아마도
11 asset 재산, 자산
consciousness 의식
proverb 속담
12 well 우물

학교시험 서술형 단골 문제 감 잡기

어법 파악 **1** 밑줄 친 (a)를 어법에 맞게 고치고, 그 이유를 서술하시오.

어법 파악 **2** (b)의 네모 안에서 어법상 맞는 것을 고르고, 그 이유를 서술하시오.

어법+ 영작 **3** 밑줄 친 (c)와 같은 뜻이 되도록 주어진 단어들을 알맞은 순서로 배열하시오.

(get / they / have / they / what / used to)

UNIT 09 접속사

Point 1 명사절을 이끄는 접속사 that vs. 관계대명사 what
Point 2 부사절을 이끄는 종속접속사
Point 3 접속사와 전치사
Point 4 접속사의 병렬구조

결정적 출제 어법

1 접속사 that과 관계대명사 what의 구분

Point 1

I knew **that** he was busy.

I don't believe **what** he says.

뒤에 오는 문장구조가 완전한지 불완전한지 살펴보자.

2 접속사와 전치사의 구분

Point 3

I watched TV [during / **while**] he played soccer.

I went to England [**during** / while] the vacation.

뒤에 「주어+동사 ~」 형태가 오면 접속사가 와.

3 접속사의 병렬구조

Point 4

She turned off the light and [goes / **went**] to bed.

He not only cleaned the room but also [washes / **washed**] the dishes.

등위접속사나 상관접속사가 있을 때는 병렬구조인지 확인해야 해!

접속사

• 접속사는 단어와 단어, 구와 구, 문장과 문장을 이어주는 말이다.
등위접속사: 문법적으로 대등한 요소들을 연결
종속접속사: 주절과 주절에 의미상 종속되는 종속절을 연결
상관접속사: and, but, or과 같은 등위접속사가 다른 단어와 짝을 이루는 접속사

등위접속사	and, but, or 등
종속접속사	when, while, before, after, until, because, if, although 등
상관접속사	not only A but also B, both A and B, either A or B 등

CHECK-UP 접속사에 동그라미 하시오.

1 Historians try to find out not only what happened but also why it happened.
2 When I arrived at the station, the train had already left.
3 Do you want to go to the park or the zoo?
4 She kept ringing the bell until he woke up.

접속사가 이끄는 절

종속접속사가 이끄는 종속절은 문장에서 명사, 부사 역할을 한다.

명사절	주어, 목적어, 보어 역할 (that, if, whether 등)	Whether he will arrive here soon is not clear. 〈주어〉 I hope that the world becomes a better place. 〈목적어〉 The fact is that he made a mistake. 〈보어〉
부사절	시간, 이유, 조건 등을 설명 (when, while, since, because, although, if 등)	I have lived in Seoul since I was born. 〈시간〉 I cannot stay outside because it is too cold. 〈이유〉 I will go there if the weather is fine tomorrow. 〈조건〉

CHECK-UP 종속절에 밑줄을 치시오.

1 That he wrote this story is amazing.
2 She sang a song while she was driving.
3 If you have a toothache, go and see a dentist.
4 I don't know whether Jimmy will show up or not.

기출문장으로 실전어법 개념잡기

Point ① 명사절을 이끄는 접속사 that / 관계대명사 what

Anything of value requires [**that** / what we take / a risk of failure or being rejected]. [고1 3월]

(명사절 / 접속사 that / 주어 / 동사)

가치가 있는 것은 무엇이든 우리가 실패하나 거절당할 위험을 무릅쓸 것을 요구한다.

Having friends with other interests / keeps life interesting / — just think of [that / **what** you can learn / from each other]. [고1 3월]

(명사절 / 관계대명사 what / 주어 / 동사 / 목적어 없음(불완전한 문장))

관심이 다른 친구들을 갖는 것은 삶을 흥미롭게 한다. – 그저 서로에게서 배울 수 있는 것에 대해 생각해 보라.

• 접속사 that은 뒤에 완전한 형태의 절이 오고, 관계대명사 what은 불완전한 절이 온다.

접속사 that	관계대명사 what
I know [**that** the story is real]. S V 접속사 S′ V′ C (완전한 문장)	I know [**what** is real]. S V 관계대명사 V′ C (주어가 없음) I don't believe [**what** he says]. S V 관계대명사 S′ V′ (목적어가 없음)
접속사 that이 이끄는 명사절은 문장의 필수 성분이 모두 갖춰진 완전한 구조이다. (1형식: S+V / 2형식: S+V+C / 3형식: S+V+O 등)	관계대명사 what이 이끄는 명사절은 문장의 필수 성분이 갖춰지지 않은 불완전한 구조이다.

Point ② 부사절을 이끄는 종속접속사

Trade will not occur [if / **unless** both parties want {what the other party has to offer}]. [고1 9월]

(부사절 / unless: ~하지 않으면 / 관계대명사 / 주어 / 동사 / 조건의 접속사 / 주어′ / 동사′ / 목적어′)

양쪽 모두가 상대방이 제공하는 것을 원하지 않으면 거래는 발생하지 않는다.

• 부사절을 이끄는 종속접속사의 종류

시간	when, while, as, since, till, until, before, after, as soon as 등
이유, 원인	because, as, since 등
결과	so ... (that), such ... (that) 등
목적	so that ... can, in order that 등
조건	if, in case, unless 등
양보	though, although, even if, while 등

정답과 해설 p. 26

다음 중 어법상 적절한 표현을 고르시오.

1 To take risks means you will succeed sometime but never to take a risk means [that / what] you will never succeed. [고1 3월]

2 No matter what anyone asks of you, no matter how much of an inconvenience it poses for you, you do [that / what] they request. [고1 11월]

3 The reality is [that / what] most people will never have enough education in their lifetime. [고1 3월]

4 [That / What] differed in both of these situations was the price context of the purchase. [고1 11월]

5 Chances are good, however, that you remember stories, anecdotes, and examples from the event, [after / even if] you can't think of their exact context. [고1 11월]

6 Yesterday he could not attend to business [as / until] he was laid up with high fever, but today he made it up to the shop to earn money for his family. [고1 11월]

7 [If / Because] trees are sensitive to local climate conditions, such as rain and temperature, they give scientists some information about that area's local climate in the past. [고1 6월]

8 You can buy the ink, the rice paper, and the brush, but [if / unless] you don't cultivate the art of calligraphy, you can't really do calligraphy. [고1 6월]

VOCA

take a risk 위험을 무릅쓰다
succeed 성공하다

no matter what 비록 무엇이 ~한다 해도
inconvenience 불편
pose 제기하다
request 요청하다

education 교육

context 맥락
purchase 구매

anecdote 일화
exact 정확한

laid up with ~으로 몸져누운
high fever 고열

temperature 온도, 기온

cultivate 연마하다
calligraphy 서예

기출문장으로 실전어법 개념잡기

Point 3 접속사와 전치사

Despite / Although your efforts, / it is beyond our facility's capacity / to care for animals with special needs. [고1 9월]

(Despite: 전치사 / your efforts: 명사구 / it: 가주어 / to care for animals with special needs: 진주어)

여러분의 노력에도 불구하고, 특별한 도움이 필요한 동물들을 돌보는 것은 저희 시설의 수용 능력 밖입니다.

No food will be sold / because of / **because** it might spoil / in the hot weather. [고1 9월]

(because: 접속사 / it: 주어 / might spoil: 동사)

더운 날씨에 상할 수 있으므로 어떠한 음식도 판매되지 않을 것이다.

- 전치사는 뒤에 명사(구)나 동명사(구)가 오고, 접속사는 뒤에 「주어+동사 ~」 형태의 절이 온다.

	전치사	접속사
시간	during	while
원인, 결과	because of	because
양보	despite / in spite of	though / although

전치사 + 명사(구)

접속사 + 주어 + 동사 ~

Point 4 접속사의 병렬구조

They danced in circles / making joyful sounds / **and** **shaking** / shook their hands. [고1 6월]

(병렬구조: making joyful sounds — 분사구문(현재분사) / and: 등위접속사 and / shaking: 현재분사)

그들은 흥겨운 소리를 지르고, 손을 흔들며 원을 이뤄 춤을 추었다.

Antibiotics **either** kill bacteria / **or** **stop** / stopping them from growing. [고1 9월]

(병렬구조: kill — 동사원형 / or: 등위접속사 or / stop: 동사원형)

항생 물질은 박테리아를 죽이거나 또는 그것이 자라는 것을 막는다.

- 등위접속사 and, but, or으로 연결되는 단어, 구, 절은 동일한 형태와 기능을 갖는데, 이를 병렬구조라고 한다.
- 상관접속사 both A and B, not only A but (also) B, either A or B, neither A nor B, not A but B 등도 병렬구조를 이룬다.
- 반복되는 조동사, 또는 진행이나 완료시제일 경우 be동사나 have가 접속사 다음에서 생략될 수 있다.
  Humans tend to like what they have grown up in and (have) get / **gotten** used to.

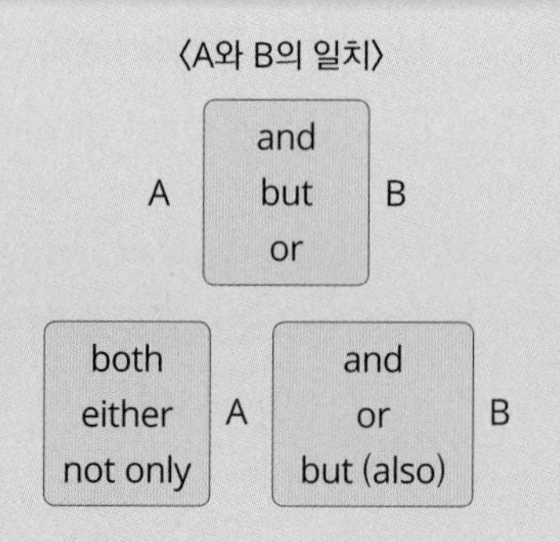

정답과 해설 p. 26

다음 중 어법상 적절한 표현을 고르시오.

1 Researchers studied the effects of a genuine and forced smile on individuals [during / while] a stressful event. [고1 6월]

2 Consumers like some products [because of / because] their feel. [고1 3월]

3 [During / While] we were perfecting consciousness and learning to walk on two feet, they were inventing photosynthesis and perfecting organic chemistry. [고1 11월 응용]

4 [Despite / Though] we don't know a lot about dinosaurs, what we do know is fascinating to children of all ages. [고1 9월]

다음 밑줄 친 부분이 어법상 맞으면 ○표 하고, 틀리면 바르게 고치시오.

5 Try experimenting with working by a window or use full spectrum bulbs in your desk lamp. [고1 6월]

6 The simple reason why the majority of scientists are not creative is not because they don't know how to think, but because they don't know how to stop thinking! [고1 6월]

7 Many factors determine what we should do either because we are members of the human race, or we belong to a certain culture and society. [고1 6월]

8 Such critics are usually unaware of the real nature of social science and of its special problems and basic limitations. [고1 11월]

VOCA

genuine 진짜의

feel 감촉

consciousness 의식
photosynthesis 광합성
organic chemistry 유기 화학

fascinating 매력적인

experiment 실험하다
bulb 전구

majority 대다수

determine 결정하다
human race 인류

critic 비판하는 사람
unaware 알지 못하는

어법 TEST 1 | 문장 어법훈련하기

정답과 해설 p. 27

다음 중 어법상 적절한 표현을 고르시오.

		VOCA
1 고1 6월	The results revealed [that / what] those who had engaged in fantasizing about the desired future did worse in all three conditions.	reveal 드러내다, 폭로하다 engage in ~에 몰두하다 fantasize 환상을 품다
2 고1 6월	These rings can tell us how old the tree is, and what the weather was like [during / while] each year of the tree's life.	ring 나이테
3 고1 3월 응용	[Although / After] individual preferences vary, touch is an important aspect of many products.	preference 선호 vary 다르다
4 고1 6월	What you may not appreciate is [that / what] the quality of light may also be important.	appreciate (제대로) 인식하다

다음 밑줄 친 부분이 어법상 맞으면 ○표 하고, 틀리면 바르게 고치시오.

5 고1 3월	Now, with that picture in your mind, try to draw <u>that</u> your mind sees.	try to ~하려고 노력하다
6 고1 9월	<u>Despite</u> his best efforts over many months, he can't do it.	precisely 정확히
7 고1 9월	There is nothing wrong in modifying your vision or even <u>abandon</u> it, as necessary.	modify 수정하다 abandon 버리다

어법 TEST 2 | 짧은 지문 어법훈련하기

정답과 해설 p. 27

다음 글의 네모 안에서 어법상 적절한 표현을 고르시오.

1
고1 9월

There are still millions desperately looking for the next promotion, the next million-dollar payday that they believe will satisfy their longing to feel better about themselves, or (A) [silent / silence] their dissatisfaction. But both in the West and in emerging economies, there are more people every day who recognize (B) [that / what] these are all dead ends — that they are chasing a broken dream.

VOCA
desperately 필사적으로
promotion 승진, 진급
longing 갈망
dissatisfaction 불만
emerging economies 신흥 경제 국가(들)
chase 뒤쫓다, 좇다
dead end 막다른 길

2
고1 9월 응용

She admired the work of Edgar Degas and was able to meet him in Paris. (A) [Despite / Though] she never had children of her own, she loved children and painted portraits of the children of her friends and family. Cassatt lost her sight at the age of seventy, and, sadly, was not able to paint (B) [during / while] the later years of her life.

admire 동경하다
portrait 초상화

다음 글의 밑줄 친 부분 중, 어법상 틀린 것을 고르시오.

3
고1 3월

Thus, it is not surprising ① <u>that</u> constant exposure to noise is related to children's academic achievement, particularly in its negative effects on reading and ② <u>learned</u> to read. Some researchers found ③ <u>that</u>, ④ <u>when</u> preschool classrooms were changed to reduce noise levels, the children spoke to each other more often and in more complete sentences.

exposure 노출
achievement 성취
preschool 유치원

어법 TEST 3 | 기출 유형 어법훈련하기

정답과 해설 p. 27

(A), (B), (C)의 각 네모 안에서 어법에 맞는 표현으로 가장 적절한 것은?

Imagine in your mind one of your favorite paintings, drawings, cartoon characters or something equally complex. Now, with that picture in your mind, try to draw what your mind sees. (A) [If / Unless] you are unusually gifted, your drawing will look completely different from what you are seeing with your mind's eye. However, if you tried to copy the original rather than your imaginary drawing, you might find your drawing now was a little better. Furthermore, if you copied the picture many times, you would find (B) [that / what] each time your drawing would get a little better, a little more accurate. Practice makes perfect. This is because you are developing the skills of coordinating (C) [that / what] your mind perceives with the movement of your body parts. [고1 3월]

	(A)		(B)		(C)
①	If	……	that	……	what
②	Unless	……	what	……	that
③	If	……	that	……	that
④	Unless	……	that	……	what
⑤	Unless	……	what	……	what

VOCA

2 complex 복잡한

4 gifted 재능 있는

6 copy 베끼다

8 furthermore 게다가

10 accurate 정확한

11 coordinate 협력하다

구조 분석+어법 POINT 확인

(A) [If / Unless] / you are unusually gifted, / your drawing will look completely different ...

만약 ~이 아니라면 / 당신이 특별하게 재능이 있다 / 당신의 그림은 완전히 다르게 보일 것이다

= if you are not unusually gifted / 조건의 부사절 / 주절

이유

(B) ... you would find [[that / what] / each time / your drawing would get a little better, ...]

당신은 ~라는 것을 알게 될 것이다 / 접속사(find의 목적어절) / 매번 / 당신의 그림이 좀 더 나아질 것이다 / 주어 / 동사 / 보어 → 완전한 형태의 문장

이유

(C) This is [because you are developing / the skills of coordinating {[that / what] your mind perceives} with the movement of your body parts].

이것은 / 발달되고 있기 때문이다 (보어절) / 조화시키는 능력이 / 마음이 인식한 것과 (선행사 포함 관계대명사) / +S+V(목적어가 없는 불완전한 문장) / 신체 부위의 움직임을

이유

어법 TEST 4 | 서술형 내신 어법훈련하기

정답과 해설 p. 28

다음 글을 읽고, 물음에 답하시오.

Bad lighting can increase stress on your eyes, as can light that is too bright, or light that shines directly into your eyes. Fluorescent lighting can also be tiring. (a) [That / What] you may not appreciate is that the quality of light may also be important. Most people are happiest in bright sunshine — this may cause a release of chemicals in the body that bring a feeling of emotional well-being. Artificial light, which typically contains only a few wavelengths of light, does not seem to have the same effect on mood that sunlight has. (b) Try experimenting with working by a window or using full spectrum bulbs in your desk lamp. (c) 당신은 아마도 이것이 당신의 작업 환경의 질을 향상시킨다는 것을 발견할 것이다. [고1 6월]

VOCA

2 fluorescent lighting 형광등
3 appreciate 인정하다
5 release 분비
6 chemical 화학물질
7 artificial 인공의
wavelength 파장
10 spectrum 스펙트럼

학교시험 서술형 단골 문제 감 잡기

어법 파악 **1** (a)의 네모 안에서 어법상 적절한 표현을 고르고, 그 이유를 서술하시오.

어법+ 해석 **2** 밑줄 친 (b)를 우리말로 바르게 해석하시오.

어법+ 영작 **3** 밑줄 친 (c)와 같은 뜻이 되도록 주어진 단어들을 알맞은 순서로 배열하시오.

(this / that / of / improves / your working environment / the quality / probably find / you / will)

웃어라!
온세상이 너와
함께
웃으리.

PART 4 | 품사

수능 모의고사
기출어법
항목별 빈도수

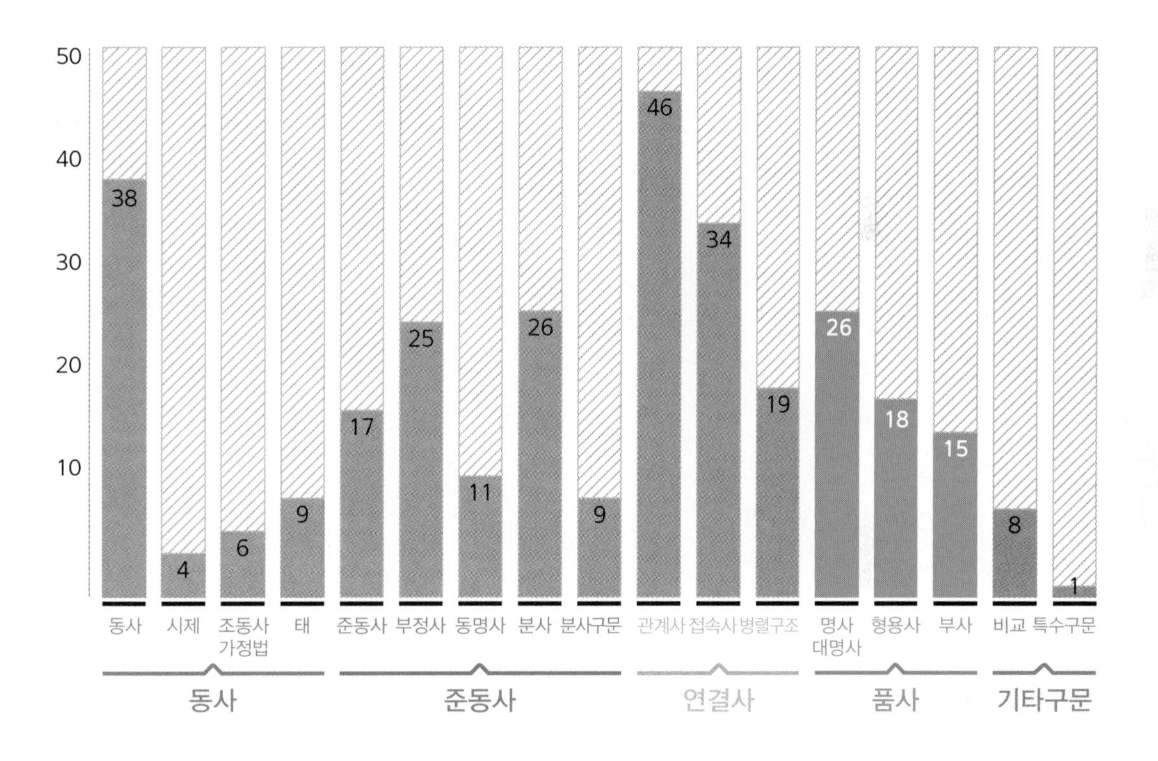

UNIT 10 명사와 대명사

UNIT 11 형용사와 부사

UNIT 10 명사와 대명사

Point 1 셀 수 있는 명사, 셀 수 없는 명사
Point 2 명사와 대명사의 일치
Point 3 지시대명사, 부정대명사
Point 4 인칭대명사, 재귀대명사

결정적 출제 어법

1 셀 수 있는 명사 vs. 셀 수 없는 명사

Point 1

Russia spent the smallest [number / **amount**] of money on international tourism.

셀 수 있는 명사와 셀 수 없는 명사는 수식어가 달라.

2 지시대명사 vs. 부정대명사

Point 3

My watch is broken. I need to buy a new [it / **one**].

'바로 그것'을 가리키면 지시대명사 it, '같은 종류의 것'을 가리키면 부정대명사 one(s).

3 인칭대명사 vs. 재귀대명사

Point 4

Other fish float and sink by propelling [them / **themselves**] forward.

목적어가 주어와 일치하면 인칭대명사 대신 재귀대명사를 써.

셀 수 있는 명사 vs. 셀 수 없는 명사

	셀 수 있는 명사(가산명사)	셀 수 없는 명사(불가산명사)
	단수형과 복수형(-s[-es])이 있다.	셀 수 없으므로 복수형이 없다.
	부정관사 a[an]와 정관사 the를 쓸 수 있다.	부정관사 a[an]는 쓸 수 없고, 정관사 the는 쓸 수 있다.
많은	many, a (great) number of	much, an[a] (great) amount[deal] of
	a lot of, lots of, plenty of	
약간의	a few	a little
	some(긍정문, 권유문), any(부정문, 의문문)	
거의 없는	few	little
전혀 없는	no	

CHECK-UP 네모 안에서 알맞은 것을 고르시오.

1 I'm thirsty. Give me [a / some] water.
2 [A few / A little] days later, I came back to the recording room.
3 There was [few / little] air in the cave, so it seemed difficult for any animal to live.

대명사 it의 여러 가지 쓰임

- 지시대명사 it: 앞에 나온 단어/구/절을 대신하는 지시대명사로 쓰인다.
- 비인칭 주어 it: 시간, 날짜, 날씨, 요일 등을 나타내는 문장의 주어로, 해석하지 않는다.
- 가주어, 가목적어 it: 구/절로 길어진 주어와 목적어 자리에 대신 쓰이며, 해석하지 않는다.
- 강조구문: 「It is[was] ~ that ...」 구문으로, 특정 부분을 강조할 때 쓰인다.

CHECK-UP 밑줄 친 It[it]의 쓰임을 쓰시오.

1 It was seven o'clock and the start of one of the worst nights of my life. ____________
2 It is easy to judge people based on their actions. ____________
3 I found it difficult to solve the problem. ____________
4 It was Tom that used the phone in the classroom. ____________

기출문장으로 실전어법 개념잡기

Point ① 셀 수 있는 명사, 셀 수 없는 명사

Many successful [person / **people**] / tend to keep / a good bedtime routine. [고1 6월]

셀 수 있는 복수 명사 (person 한 사람 / people 사람들)

많은 성공하는 사람들은 잠자리에 드는 시간을 잘 지키는 경향이 있다.

If you want more [**information** / informations], / visit our website / at www.miltondance.com. [고1 6월]

셀 수 없는 명사

더 많은 정보를 원하시면, 우리 웹사이트 www.miltondance.com을 방문하세요.

- 셀 수 있는 명사는 복수형이 있으며 a[an]를 쓸 수 있지만, 셀 수 없는 명사는 복수형이 불가능하다.
- 주의해야 할 셀 수 없는 명사: information(정보), advice(충고), news(뉴스), knowledge(지식), money(돈), luggage(짐, 수화물), furniture(가구), equipment(장비), mail(우편), jewelry(보석류) 등
- 셀 수 있는 명사와 셀 수 없는 명사는 수식어가 다르며, 동사의 수 일치에 유의한다.

셀 수 있는 명사		셀 수 없는 명사
many, a (great) number of, a few, few, several, both, one of, each of, a couple of +복수 명사+복수 동사	every, each +단수 명사+단수 동사	much, an[a] (great) amount[deal] of, a little, little +셀 수 없는 명사+단수 동사
some, any, a lot of, lots of, plenty of, all, no+셀 수 있는 명사/셀 수 없는 명사+(주어에 따라) 단수/복수 동사		

Point ② 명사와 대명사의 일치

When children are allowed to develop / their language play, / a range of benefits / result from [**it** / them]. [고1 6월]

단수 명사 / 단수 대명사

아이들이 그들의 언어 놀이를 발전시키도록 허용될 때, 광범위한 이점이 그것으로부터 생긴다.

Marie Curie's husband stopped / [her / **his**] original research / and joined Marie in [her / **hers**]. [고1 3월]

단수 명사 / 소유격 대명사 / 소유대명사

Marie Curie의 남편은 원래 자신의 연구를 중단하고 Marie의 연구를 함께 했다.

- 대명사는 앞에 나온 명사의 성, 인칭, 수, 격에 맞게 일치시킨다. 대명사가 대신하는 명사가 무엇인지 잘 살핀다.
- 대명사 it은 비인칭 주어, 가주어, 가목적어, 강조구문 등으로 다양하게 쓰인다.

정답과 해설 p. 29

다음 중 어법상 적절한 표현을 고르시오.

1 Stay in the room for [a few / a little] minutes, and the smell will seem to disappear. [고1 6월]

2 Since [a great deal / a great number] of day-to-day academic work is boring and repetitive, you need to be well motivated to keep doing it. [고1 3월]

3 People seek relationships with others to fill a fundamental need, and this need underlies [many / much] emotions, actions, and [decision / decisions] throughout life. [고1 6월]

4 Many [person / people] face barriers in their environment that prevent such choices. [고1 3월]

다음 밑줄 친 부분이 어법상 맞으면 ○표 하고, 틀리면 바르게 고치시오.

5 Experts suggest that young people stop wasting <u>their</u> money on unnecessary things and start saving <u>them</u>. [고1 3월]

6 Many of the manufactured products made today contain so many chemicals and artificial ingredients that <u>it</u> is sometimes difficult to know exactly what is inside <u>it</u>. [고1 3월]

7 Farm and industrial jobs had slowly dried up, and nothing had replaced <u>it</u>. [고1 6월]

8 I could punish the hunter and instruct him to keep his dogs chained or lock <u>them</u> up. [고1 11월]

VOCA

disappear 사라지다

day-to-day 매일 행해지는
academic 학업의, 학교의
repetitive 반복적인
motivate 동기를 부여하다

fundamental 근본적인
underlie 기저를 이루다

face ~을 마주보다, 직면하다
barrier 장벽, 장애물
environment 환경

expert 전문가
waste 낭비하다
save 저축하다

manufactured 제작된
contain ~이 들어 있다
artificial 인공적인
ingredient 재료, 성분

industrial 산업의
replace 대체하다

punish 처벌하다, 벌주다
instruct 지시하다, 가르치다
lock up 가두다

Point 3 지시대명사, 부정대명사

For health science invention, / the percentage of female respondents / was twice as high as / [**that** / those] of male respondents. [고1 9월]
(= the percentage)

건강 과학 발명 분야에서, 여성 응답자의 비율은 남성 응답자의 그것(비율)보다 두 배 높았다.

The path split into two: / **one** was clear and smooth, / [others / **the other**] had fallen logs and other obstacles / in the way. [고1 9월]
(one: 둘 중 하나 / the other: 나머지 하나)

길은 두 갈래로 갈라졌는데, 하나는 막혀 있지 않고 평탄했지만, 다른 하나는 쓰러진 통나무들과 다른 장애물들이 길을 막고 있었다.

- 앞에 나온 구나 절을 받을 때 바로 그것을 지칭하면 지시대명사 it, 같은 종류의 것을 지칭하면 부정대명사 one(s)을 쓴다.
- 지시대명사 that[those]은 앞에 나온 명사나 내용의 반복을 피하기 위해 사용되며, 수 일치에 유의한다.
- 부정대명사의 쓰임

one ~, the other ...	(둘 중) 하나는 ~, 나머지 하나는 …
one ~, another ..., the other –	(셋 중) 하나는 ~, 또 하나는 …, 나머지 하나는 –
one ~, the others ...	(여럿 중) 하나는 ~, 나머지 모두는 …
some ~, others ...	(불특정 다수 중) 일부는 ~, 또 다른 일부는 …
some ~, the others ...	(특정 다수 중) 일부는 ~, 나머지 전부는 …

every (모든 ~)	+단수 명사	all (모든 ~)	+복수 명사 / 셀 수 없는 명사
each (각각의 ~)		most (대부분의 ~)	

Point 4 인칭대명사, 재귀대명사

The student / who chose the easy path / finished first / and felt proud of [him / **himself**]. [고1 9월]
(himself: 재귀대명사 재귀 용법)

쉬운 길을 선택했던 제자가 먼저 마쳤고 자신을 자랑스럽게 느꼈다.

Serene's mother said / that she [itself / **herself**] had tried many times / before succeeding / at Serene's age. [고1 3월]
(herself: 재귀대명사 강조 용법)

Serene의 어머니는 자기 자신이 Serene의 나이였을 때 성공해 내기 전에 여러 번 시도했다고 말했다.

- you, we, they는 불특정 일반인을 나타내는 대명사로 쓰이기도 한다.
- 재귀대명사의 재귀 용법: 문장의 목적어가 주어와 일치하면 목적어 자리에 인칭대명사의 목적격 대신 재귀대명사를 쓴다. 이때 재귀대명사는 생략할 수 없다.
- 재귀대명사의 강조 용법: 주어나 목적어를 강조하기 위해 주어나 목적어 뒤에 재귀대명사를 쓴다. 이때 재귀대명사는 생략할 수 있다.

정답과 해설 p. 29

다음 중 어법상 적절한 표현을 고르시오.

1 The world is a funny place and your existence within [it / one] is probably funnier. [고1 9월]

2 The number of native speakers of English is smaller than [that / it] of Spanish. [고1 3월]

3 For instance, [one / some] man makes shoes for men, and another for women. [고1 3월]

4 Once somebody makes a discovery, [the other / others] review it carefully before using the information in their own research. [고1 9월]

5 Overprotective parents spare kids from [every / all] natural consequences. [고1 9월]

6 In 1949, she worked on the structure of penicillin with [her / herself] colleagues. [고1 9월]

7 The emotion [it / itself] is tied to the situation in which it originates. [고1 3월]

8 If you're staying in your comfort zone and you're not pushing [you / yourself] past that same old energy, then you're not going to move forward on your path. [고1 3월]

VOCA

existence 존재

native 원어민의

for instance 예를 들어

discovery 발견
review 검토하다

overprotective 과보호하는
spare (불쾌한 경험을) 맛보게 하지 않다
consequence 결과

structure 구조
penicillin 페니실린
colleague 동료

tied to ~와 관련 있는
originate 비롯되다, 유래하다

comfort 편한, 안락한
path 길

어법 TEST 1 | 문장 어법훈련하기

정답과 해설 p. 30

다음 중 어법상 적절한 표현을 모두 고르시오.

VOCA

1 고1 6월

These incentives may come in the form of coupons, or a reduction in the cable bill for [each / all / every] advertisement watched.

incentive 장려책
reduction 할인

2 고1 9월

When in doubt, we need to cross-check story lines [our / ours / ourselves]. The simple act of fact-checking prevents misinformation from shaping [our / ours / ourselves] thoughts.

doubt 의심, 의혹
prevent ~ from -ing ~가 -하는 것을 막다

3 고1 11월

People engage in typical patterns of interaction based on the relationship between [their / them / themselves] roles and the roles of [other / another / others].

engage in ~에 참여하다
typical 전형적인
interaction 상호 작용

4 고1 3월

On reading and math tests, elementary and high school students in noisy schools or classrooms consistently perform below [that / those] in quieter settings.

consistently 일관되게, 항상
perform 성취하다

다음 밑줄 친 부분이 어법상 맞으면 ○표 하고, 틀리면 바르게 고치시오.

5 고1 9월

Consider adopting a pet with medical or behavioral needs, or even a senior <u>ones</u>.

adopt 입양하다
medical 의료의
behavioral 행동적인

6 교과서 응용

Hold one end of the strip near your lips, and blow slowly and evenly over the paper. <u>Another</u> end of the strip will rise.

strip 띠, 끈
blow 불다
evenly 균등하게

7 고1 9월

"They were only there to slow me down," he thought to <u>him</u>.

slow down 속도를 늦추다

어법 TEST 2 | 짧은 지문 어법훈련하기

정답과 해설 p. 30

다음 글의 네모 안에서 어법상 적절한 표현을 고르시오.

VOCA

1
고1 11월

People are more attracted to a desired object because (A) [it / one] is out of their reach. When the object of desire is finally gained, the attraction for the object rapidly (B) [decrease / decreases].

attract 마음을 끌다
desired 바랐던, 희망했던
reach (닿을 수 있는) 거리
decrease 감소하다

2
고1 3월

On the other hand, Japanese tend to do little disclosing about (A) [them / themselves] to (B) [others / another] except to the few people with whom they are very close. In general, Asians do not reach out to strangers.

disclosing 밝힘, 드러냄
except 제외하고는

다음 글의 밑줄 친 부분 중, 어법상 틀린 것을 고르시오.

3
고1 3월

The Internet has made so ① <u>many</u> free information available on any issue that we think we have to consider all of ② <u>it</u> in order to make a decision. So we keep searching for answers on the Internet. This makes us information blinded, like deer in headlights, when trying to make personal, business, or ③ <u>other</u> decisions.

available 이용할 수 있는
consider 고려하다, 생각하다
keep -ing ~을 계속하다
search for ~을 찾다
blinded 눈먼

어법 TEST 3 | 기출 유형 어법훈련하기

정답과 해설 p. 30

(A), (B), (C)의 각 네모 안에서 어법에 맞는 표현으로 가장 적절한 것은?

We are more likely to eat in a restaurant if we know that (A) [it / one] is usually busy. Even when nobody tells us a restaurant is good, our herd behavior determines our decision-making. Let's suppose you walk toward two empty restaurants. You do not know which one to enter. However, you suddenly see a group of six people enter one of them. Which one are you more likely to enter, the empty one or (B) [the other / another] one? Most people would go into the restaurant with people in it. Let's suppose you and a friend go into that restaurant. Now, it has eight people in it. (C) [Other / Others] see that one restaurant is empty and the other has eight people in it. So, they decide to do the same as the other eight. [고1 6월]

	(A)		(B)		(C)
①	it	......	the other	......	Other
②	it	......	another	......	Other
③	it	......	the other	......	Others
④	one	......	another	......	Others
⑤	one	......	the other	......	Others

VOCA

1 be likely to ~할 것 같다

3 herd behavior 무리의 행위
determine 결정하다
decision-making 의사결정

4 suppose 가정하다
empty 텅 빈

5 enter 들어가다

구조 분석+어법 POINT 확인

(A)

We are more likely / to eat / in a restaurant / if we know [that [it / one] is usually busy].

우리는 가능성이 더 많다 (~할 가능성이 더 많다) / 식사할 / 그 식당에서 / 우리가 알게 되면 어떤 식당이 대체로 붐빈다는 것을 (접속사(조건) 접속사(명사절) (= a restaurant))

이유

(B)

Which one / are you more likely / to enter, / the empty one / or [the other / another] one?

어느 곳에 / 가능성이 더 많을까 / 들어갈 / 텅 빈 식당 / 혹은 나머지 식당

Which ~ A or B? (선택의문문) / one ~, the other _: (둘 중) 하나는 ~, 나머지 하나는 …

이유

(C)

[Other / Others] see [that one restaurant is empty / and the other has eight people / in it].

다른 사람들이 보게 된다 (부정대명사(다른 사람들)) / 한 식당은 텅 비어 있고 (접속사(명사절)) / 다른 식당은 여덟 명이 있는 것을 (one ~, the other _ (= the other restaurant)) / 그 안에

이유

어법 TEST 4 | 서술형 내신 어법훈련하기

정답과 해설 p. 31

다음 글을 읽고, 물음에 답하시오.

(a) No one like to think they're average, least of all below average. When asked by psychologists, most people rate (b) their / them / themselves above average on all manner of measures including intelligence, looks, health, and so on. Self-control is no different: people consistently overestimate their ability to control themselves. This overconfidence in self-control can lead people to assume (c) 그들이 그들 자신을 통제할 수 있을 것이다 in situations in which, it turns out, they can't. This is why trying to stop an unwanted habit can be an extremely frustrating task. Over the days and weeks from our resolution to change, we start to notice it popping up again and again. The old habit's well-practiced performance is beating our conscious desire for change into submission. [고1 9월]

VOCA

1 average 평균(의)
2 psychologist 심리학자
4 measure 척도, 기준
5 consistently 지속적으로
overestimate 과대평가하다
6 overconfidence 과신
7 assume 가정하다
9 frustrating 좌절감을 주는
10 resolution 결심
12 conscious 자각하는, 의식 있는
13 submission 항복, 굴복

학교시험 서술형 단골 문제 감 잡기

어법 파악 **1** 밑줄 친 (a)에서 어법상 틀린 부분을 찾아 바르게 고쳐 문장을 다시 쓰시오.

어법 파악 **2** (b)의 네모 안에서 어법상 맞는 것을 고르고, 그 이유를 서술하시오.

어법+영작 **3** 밑줄 친 (c)를 다음 조건에 맞게 영작하시오.

〈조건〉
- 미래시제를 나타내는 조동사를 사용할 것
- 재귀대명사를 사용할 것
- control을 포함하여 7단어로 쓸 것

UNIT 11

형용사와 부사

Point 1 형용사
Point 2 부사
Point 3 주의해야 할 형용사/부사
Point 4 부정의 의미가 있는 부사

결정적 출제 어법

1 보어 자리에 오는 형용사

Point 1 + Point 2

feel **happy** / happily

「감각동사 + 형용사 보어」는 꼭 알아두자!

2 형용사와 부사의 형태가 동일하지만 -ly가 붙어 다른 뜻이 되는 경우

Point 3

a high / **highly** dangerous place

high 형 높은 부 높이 / highly 부 높이; 매우, 대단히

3 부정의 뜻이 포함된 부사

Point 4

I can hard / **hardly** wait.

부사 자체에 부정의 뜻이 있으므로 not, never 등을 중복하여 쓰지 않도록 주의해야 해!

형용사

형용사는 사람이나 사물의 상태나 성질을 나타내는 말로, 명사를 수식하거나 명사를 보충 설명하는 보어 역할을 한다.

명사 수식	역할	명사 수식
	위치	명사 앞, 뒤에서 수식
보어 역할	역할	명사를 보충 설명
	위치	주격보어, 목적격보어 자리

CHECK-UP 형용사에 동그라미 하시오.

1 Technology has doubtful advantages.
2 I want to drink something cold.
3 The soup tastes salty.
4 These wonderful creatures can make us sick.

부사

- 부사는 대개「형용사+-ly」형태로, 동사, 형용사, 다른 부사, 구, 절 또는 문장 전체를 수식한다.
- 빈도부사: 횟수나 빈도를 나타내며 대개 일반동사 앞, be동사나 조동사 뒤에 온다.

always 〉	usually 〉	often 〉	sometimes 〉	seldom 〉	rarely 〉	never
100%	90%	70%	50%	30%	10%	0%

CHECK-UP 부사에 동그라미 한 후, 부사가 수식하는 것에 밑줄을 치시오.

1 The rich man was very unkind and cruel to them.
2 He accidentally dropped the glass when the bell rang.
3 His car passed my car so fast, and I was so embarrassed.
4 Finally, he asked the US Food and Relief Administration for help.

기출문장으로 실전어법 개념잡기

Point ① 형용사

Old ideas are replaced / when scientists find [**new** / newly] information / that they cannot explain. [고1 9월]

(new: 형용사, information: 명사)

기존의 생각들은 과학자들이 그들이 설명할 수 없는 새로운 정보를 찾을 때 대체된다.

All these goods are shared / and a spirit of community / makes / all participants [happily / **happier**]. [고1 3월]

(a spirit of community: 주어, makes: 동사, all participants: 목적어, happier: 목적격보어(형용사))

이 모든 재화들은 공유되며, 공동체 의식은 모든 참여자들을 더 행복하게 만든다.

- 형용사의 한정적 용법: 명사의 앞이나 뒤에서 그 명사를 수식하여 상태나 성질을 나타낸다. -thing, -body, -one 등으로 끝나는 명사는 형용사가 뒤에서 수식한다.
- 형용사의 서술적 용법: 주어나 목적어를 보충 설명하는 주격보어나 목적격보어 역할을 한다. 부사는 보어 자리에 올 수 없는 것에 유의한다. 서술적 용법으로만 쓰이는 형용사: alive, alike, asleep, awake, alone, afraid 등

Point ② 부사

Do you [real / **really**] know / what you are eating / when you buy canned foods? [고1 3월 응용]

(really: 부사, know: 동사)

여러분은 통조림 식품을 살 때 자신이 무엇을 먹고 있는 것인지 정말 아는가?

- 부사는 동사, 형용사, 다른 부사, 구, 절 또는 문장 전체를 수식하며, 구체적인 시간, 장소, 방법, 정도, 원인, 결과, 빈도 등을 나타낸다.

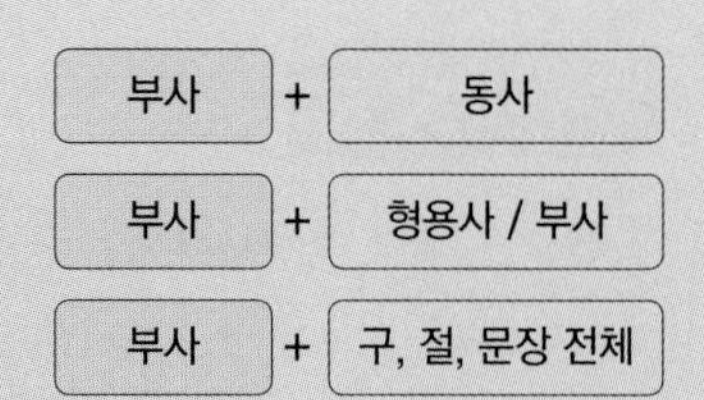

정답과 해설 p. 32

다음 중 어법상 적절한 표현을 고르시오.

1 Honesty is a [fundamental / fundamentally] part of every strong relationship. [고1 3월]

2 I think the reason kids like dinosaurs so much is that dinosaurs were big, were different from [alive anything / anything alive] today, and are extinct. [고1 9월]

3 For example, tree rings usually grow [wider / widely] in warm, wet years and are thinner in years when it is cold and dry. [고1 6월]

4 We make a few changes, but the results never seem to come quickly and so we slide back into our [previous / previously] routines. [고1 3월]

다음 밑줄 친 부분이 어법상 맞으면 ○표 하고, 틀리면 바르게 고치시오.

5 If you are feeling like something is impossible, then you are told that you are just not thinking positive enough. [고1 6월]

6 Clearly, the class requires a teacher to teach it and students to take it. [고1 3월]

7 Chances are, that person will have a hard time knowing exact which star you're looking at. [고1 6월]

8 Unless you are unusual gifted, your drawing will look completely different from what you are seeing with your mind's eye. [고1 3월]

VOCA

fundamental 근본적인
relationship 관계

dinosaur 공룡
extinct 멸종한

tree ring 나이테

slide back 복귀하다
routine (규칙적인) 일상

impossible 불가능한
positive 긍정적인

require 필요로 하다

chances are (that) 아마 ~일 것이다
exact 정확한

unless 만약 ~이 아니라면
gifted 재능이 있는

Point 3 주의해야 할 형용사 / 부사

For all of human history, / we have been the **most** / almost creative beings / on Earth.
most 형 가장, 대부분의 / almost 부 거의 [고1 6월]
인류 역사를 통틀어, 우리는 지구상에서 가장 창의적인 존재였다.

- 의미에 유의하여 어법과 문맥에 따라 적절한 표현을 사용한다.

1. 혼동하기 쉬운 형용사와 부사

most almost mostly	형 가장, 대부분의 부 거의 부 주로, 대개	alone lonely	형 혼자 있는 부 홀로 형 외로운, 고독한	last latest	형 최후의 형 최근의

2. -ly가 붙어 의미가 달라지는 부사

late lately	형 늦은 부 늦게 부 최근에	hard hardly	형 어려운; 딱딱한 부 열심히 부 거의 ~ 않다	deep deeply	형 깊은 부 깊이 부 깊이; 진심으로
high highly	형 높은 부 높이 부 높이; 매우	near nearly	형 가까운 부 가까이에 부 거의	short shortly	형 짧은 부 짧게; 부족하여 부 곧, 즉시

Point 4 부정의 의미가 있는 부사

They were away at college / and not rarely / **rarely** responded / to her letters. [고1 3월]
좀처럼 ~않는 <준부정>
그들은 집을 떠나 대학을 다니면서 좀처럼 그녀의 편지에 답장을 하지 않았다.

People are always not / **not always** defined / by their behavior. [고1 9월]
항상 ~은 아닌 <부분부정>
사람들은 항상 그들의 행동으로 정의되는 것은 아니다.

- 준부정: 이미 부정의 의미가 있으므로 no, never, not, none, without 등의 부정어와 함께 쓰지 않는다.

준부정	hardly, scarcely, seldom, rarely, barely	거의 ~ 않는, 좀처럼 ~ 않은
	little, few	

- 완전부정과 부분부정

완전부정	none, no	전혀(모두) ~이 아닌
	never, neither	결코 ~ 아닌
	no(not) ~ any / either, not at all 등	어떤 ~도 아닌
부분부정	부정어+every / all, both, always, completely 등	모두(둘 다 / 항상 / 완전히) ~은 아닌

정답과 해설 p. 32

다음 중 어법상 적절한 표현을 고르시오.

1 My dad worked very [late / lately] hours as a musician — until about three in the morning — so he slept [late / lately] on weekends. [고1 9월]

2 Brazil shows the highest percentage of people who [most / mostly] watch news videos via social networks among the five countries. [고1 3월]

3 The left engine starts losing power and the right engine is [near / nearly] dead now. [고1 9월]

4 I believe you will find Ashley to be a [high / highly] successful member of your student body and recommend that you accept her to your college. [고1 6월]

5 Not everything [is / isn't] taught at school! [고1 3월]

6 The Amondawa tribe, living in Brazil, does not have a concept of time that can be measured or counted. Researchers also found that [no / some] one had an age. [고1 3월 응용]

7 We set resolutions based on what we're supposed to do rather than what really matters to us. This [seldom / ×] makes it nearly impossible to stick to the goal. [고1 9월 응용]

8 If the tree has experienced stressful conditions, such as a drought, the tree might [hard / hardly] grow at all during that time. [고1 6월]

VOCA

on weekends 주말마다

via ~을 통하여

power 동력

recommend 추천하다
accept 받아들이다

everything 모든 것

tribe 종족, 부족
concept 개념
measure 측정하다
age 나이

resolution 결심
stick to ~을 고수하다

drought 가뭄

어법 TEST 1 | 문장 어법훈련하기

정답과 해설 p. 32

다음 중 어법상 적절한 표현을 고르시오.

VOCA

1 고1 3월

Her parents had a Bible in their cabin, but no one [could / couldn't] read it.

cabin 오두막

2 고1 6월

One way to do this is by keeping wonderful experiences [rare / rarely].

experience 경험

3 고1 6월

School assignments have typically required that students work [lonely / alone].

assignment 과제

4 고1 3월

Assigning students to [independent / independently] read, think about, and then write about a complex text is not enough, either.

assign 맡기다, 부과하다
independent 독자적인

다음 밑줄 친 부분이 어법상 맞으면 ○표 하고, 틀리면 바르게 고치시오.

5 고1 6월

By enjoying the emotionally effects of the book more deeply, people become more in touch with their own feelings.

in touch with ~와 접촉하여

6 고1 6월

One would have to filter enormous amounts of water to collect a relative small amount of plastic.

filter 여과하다
enormous 막대한
collect 수거하다

7 고1 3월

The Nobel Prize-winning biologist Peter Medawar said that about four-fifths of his time in science was wasted, adding sadly that "near all scientific research leads nowhere."

four-fifths 5분의 4
nowhere 아무데도 (~없다[않다])

어법 TEST 2 | 짧은 지문 어법훈련하기

정답과 해설 p. 33

다음 글의 네모 안에서 어법상 적절한 표현을 고르시오.

VOCA

1
고1 3월

I was diving (A) [lonely / alone] in about 40 feet of water when I got a (B) [terrible / terribly] stomachache. I was sinking and (C) [hard / hardly] able to move. I could see my watch and knew there was only (D) [a few / a little] more time on the tank before I would be out of air.

stomachache 복통
sink 가라앉다
out of air 공기가 부족한

2
고1 3월

This may explain why Americans seem (A) [particular / particularly] easy to meet and are good at cocktailparty conversation. On the other hand, Japanese tend to do little disclosing about themselves to others except to the (B) [few / little] people with whom they are very (C) [close / closely]. In general, Asians do not reach out to strangers.

be good at ~에 능숙하다
disclose 공개하다
reach out 관심을 보이다, 접촉하게 하다

다음 글의 밑줄 친 부분 중, 어법상 틀린 것을 고르시오.

3
고1 11월

We call people we haven't spoken to in ages, hoping that one small effort will erase the months and years of distance we've created. However, this ① rare works: relationships aren't kept up with big one-time fixes. They're kept up with ② regular maintenance, like a car. In our relationships, we have to make sure that not too ③ much time goes by between oil changes, so to speak.

erase 지우다
distance 거리
keep up with ~으로 지속하다
maintenance 유지, 정비
so to speak 말하자면

어법 TEST 3 | 기출 유형 어법훈련하기

정답과 해설 p. 33

(A), (B), (C)의 각 네모 안에서 어법에 맞는 표현으로 가장 적절한 것은?

Bad lighting can increase stress on your eyes, as can light that is too bright, or light that shines (A) [direct / directly] into your eyes. Fluorescent lighting can also be tiring. What you may not appreciate is that the quality of light may also be important. (B) [Most / Almost] people are happiest in bright sunshine — this may cause a release of chemicals in the body that bring a feeling of emotional well-being. Artificial light, which (C) [typical / typically] contains only a few wavelengths of light, does not seem to have the same effect on mood that sunlight has. Try experimenting with working by a window or using full spectrum bulbs in your desk lamp. You will probably find that this improves the quality of your working environment. [고1 6월]

	(A)		(B)		(C)
①	direct	......	Most	......	typical
②	direct	......	Almost	......	typically
③	directly	......	Most	......	typical
④	directly	......	Almost	......	typical
⑤	directly	......	Most	......	typically

VOCA

3 fluorescent lighting 형광등
4 appreciate 제대로 인식하다, 진가를 인정하다
6 release 분비
7 emotional 감정적인
8 wavelength 파장
10 bulb 전구
11 improve 개선하다

구조 분석+어법 POINT 확인

(A) ... or light [that shines / [direct / directly] / into your eyes].

또는 빛 (선행사) / 비추는 (주격 관계대명사) / 직접적으로 (부사) / 눈에 (전치사구)

이유

(B) [Most / Almost] people / are happiest / in bright sunshine ...

대부분의 사람들은 (most + 복수 명사) / 가장 행복하다 (복수 동사 최상급) / 밝은 햇빛 속에서

이유

(C) Artificial light, [which [typical / typically] contains / only a few / wavelengths of light], does not seem to ...

인공조명은 (선행사) / 관계대명사절(삽입) / 전형적으로 (부사) / 포함하는 (동사) / 단지 몇 개의 (a few(약간의)+셀 수 있는 명사) / 빛 파장만 / ~처럼 보이지 않는다

이유

어법 TEST 4 | 서술형 내신 어법훈련하기

정답과 해설 p. 34

다음 글을 읽고, 물음에 답하시오.

Clothing doesn't have to be expensive to provide comfort during exercise. Select clothing appropriate for the temperature and (a) <u>environmentally</u> conditions in which you will be doing exercise. Clothing that is appropriate for exercise and the season can improve your exercise experience. In warm environments, clothes that have a wicking capacity (b) <u>몸에서 열을 발산하는 데 도움이 된다</u>. In contrast, it is best to face cold environments with layers so you can adjust your body temperature to avoid sweating and remain (c) [comfortable / comfortably]. [고1 3월]

VOCA

1 provide 제공하다
2 appropriate 적절한
temperature 온도
4 appropriate 적절한
5 improve 향상시키다, 개선하다
6 wicking capacity 수분 배출 기능
dissipate 발산하다
7 in contrast 반면, 반대로
layer 겹쳐 입기
8 adjust 조절하다, 적응하다

학교시험 서술형 단골 문제 감 잡기

어법 파악 **1** 밑줄 친 (a)를 어법에 맞게 바르게 고치시오.

어법+영작 **2** 밑줄 친 (b)와 같은 뜻이 되도록 주어진 단어들을 알맞은 순서로 배열하시오.
(heat / from / dissipating / the body / in / helpful / are)

어법 파악 **3** (c)의 네모 안에서 어법에 맞는 것을 고른 후, 그 이유를 서술하시오.

네가
최고

PART 5 | 기타구문

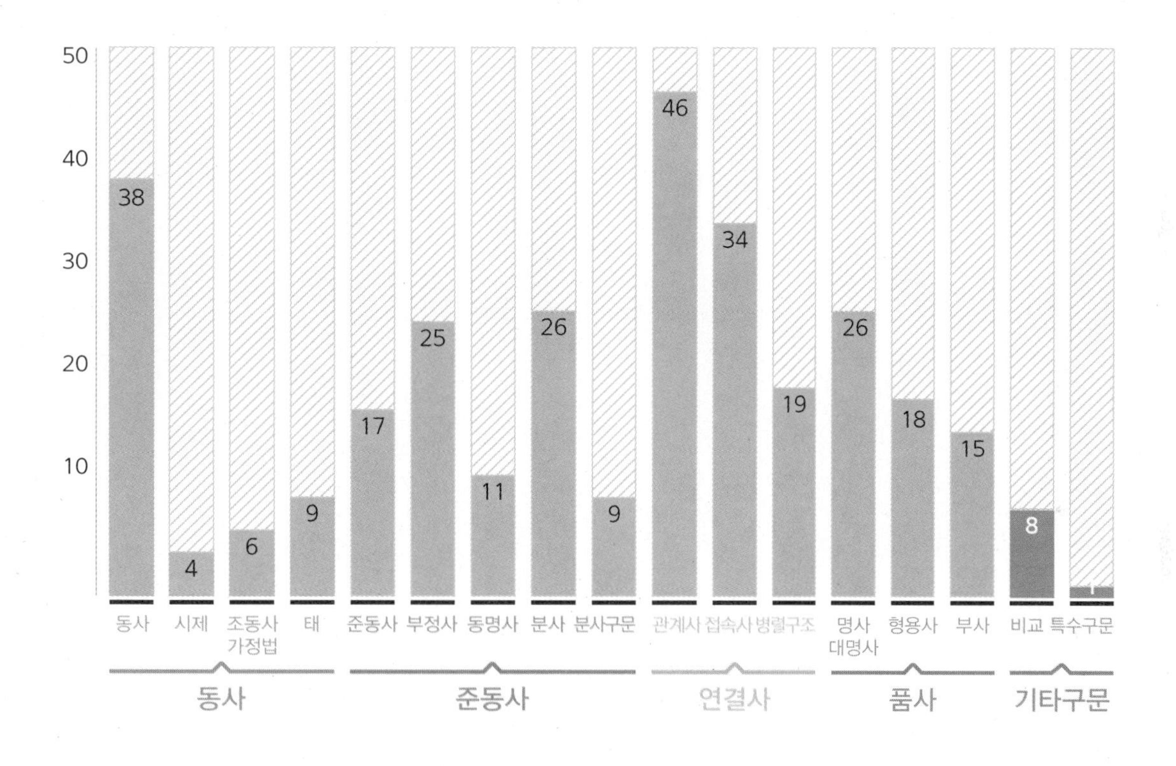

UNIT 12 비교

UNIT 13 특수구문

UNIT 12

비교

Point 1 원급
Point 2 비교급
Point 3 최상급
Point 4 비교급의 강조 표현
Point 5 비교구문의 병렬구조

결정적 출제 어법

1 비교구문의 형태

Point 1 + Point 2 + Point 3

He ran as fast **as** / than he could.

① as + 원급 + as ② 비교급(-er) + than ③ the + 최상급(-est)

2 비교급 강조하는 수식어: much, even, still, far, a lot ...

Point 4

It was very / **even** longer than that.

비교급 강조 수식어로 very는 안 된다는 것 기억하기!

3 비교 대상은 병렬구조

Point 5

We are taught to put more value in actions than **words** / word.

두 비교 대상은 문법적 형태가 같아야 해.

비교구문

• 비교구문이란 형용사와 부사의 원급, 비교급, 최상급 비교 표현을 포함한 문장을 말한다.
• 문장 구조를 살펴 형용사(명사 수식)를 쓸지, 부사(동사 수식)를 쓸지 파악해야 한다.

원급	as + 형용사/부사의 원급 + as	~만큼 …한/하게
비교급	형용사/부사의 비교급 + than	(둘 중) ~보다 더 …한/하게
최상급	the + 형용사/부사의 최상급 + (in/of ~)	(여러 대상) ~ 중에서 가장 …한/하게

CHECK-UP 네모 안에서 알맞은 것을 고르시오.

1 The new machine is as good [as / than] the previous one.
2 He disappeared as [quick / quickly] as he had come.

비교급/최상급 불규칙 변화

• 형용사/부사의 비교급은 -(e)r을 붙이고, 최상급은 -(e)st를 붙인다.
• 대부분의 2음절 이상의 형용사/부사는 비교급에 more, 최상급에 most를 붙인다.
• 불규칙하게 변화하는 형용사/부사

many[much] – more – most	little – less – least
good[well] – better – best	bad[ill] – worse – worst
late(순서) – latter – last	late(시간) – later – latest
old(나이) – older – oldest	old(연배) – elder – eldest

CHECK-UP 다음 빈칸에 괄호 안의 단어를 알맞은 형태로 쓰시오.

1 In winter, I drink ____________ (little) water than in summer.
2 This sofa is much ________________ (comfortable) than my bed.

원급/비교급을 활용한 최상급 표현

The most important to us is the satisfaction of our customers.
= **Nothing** is **as** important to us **as** the satisfaction of our customers.
= **Nothing** is **more** important to us **than** the satisfaction of our customers.
= The satisfaction of our customers is **more** important to us **than anything else**.

기출문장으로 실전어법 개념잡기

Point 1 형용사/부사의 원급

Be **as** [**creative** / creation] **as** / you like, / and write one short sentence / about the selfie. [고1 3월]
(as / 형용사의 원급 / as)
마음껏 창의력을 발휘하고, 셀카 사진에 관한 짧은 문장 하나를 쓰세요.

- 원급 비교구문의 기본 형태: as + 원급 + as(~만큼 …한/하게)
- 원급 비교구문의 부정 표현은 not을 as 앞에 넣어 「not as[so] + 원급 + as」로 쓴다. (= less + 원급 + than)
- 관용 표현

as + 원급 + as possible = as + 원급 + as + 주어 + can	가능한 한 ~한/하게
배수사(twice, three times ...) + as + 원급 + as	~의 몇 배의

as + 원급 + as

Point 2 형용사/부사의 비교급

In 2011, / Internet usage time by mobiles was [short / **shorter**] **than** / that by desktops or laptops. [고1 3월]
(형용사의 비교급+than / that = Internet usage time)
2011년에, 휴대용 기기에 의한 인터넷 사용 시간은 데스크톱이나 노트북 컴퓨터에 의한 시간보다 짧았다.

The [big / **bigger**] the team, / **the more** possibilities exist / for diversity. [고1 3월]
(the+비교급 / the+비교급)
팀이 클수록, 다양성이 존재할 가능성이 더 많이 존재한다.

- 비교급 비교구문의 기본 형태: 비교급 + than(~보다 더 …한/하게)
- 관용 표현

the + 비교급 ~, the + 비교급 …	~하면 할수록, 더 …하다
비교급 and 비교급	점점 더 ~한/하게

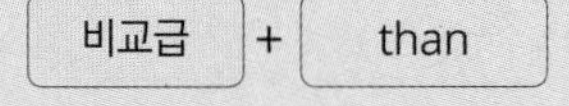

Point 3 형용사/부사의 최상급

With a population of about 10,000, / Nauru is **the** [smaller / **smallest**] country / **in** the South Pacific / and **the third** [small / **smallest**] country / by area in the world. [고1 6월]
(the / 형용사의 최상급 / in + 장소 / the + 서수 + 최상급)
약 10,000명의 인구로, Nauru는 남태평양에서 가장 작은 나라이고 면적으로 세계에서 세 번째로 작은 나라이다.

- 최상급 비교구문의 기본 형태: the + 최상급 + 단수 명사(+ in/of ~) ((~ 중에서) 가장 …한/하게)
- 관용 표현

the + 최상급 + 명사 + have[has] ever p.p.	지금까지 ~중에 가장 …한
one of the + 최상급 + 복수 명사	가장 …한 것들 중 하나
the + 서수 + 최상급	~번째로 가장 …한

(the) + 최상급 + in/of

정답과 해설 p. 35

다음 중 어법상 적절한 표현을 고르시오.

1 He ran as [fast / faster] as he could and launched himself into the air. [고1 9월]

2 That is because the road to your goal, the implementation of the plan is [not as / as not] appealing as the plan. [고1 11월]

3 Acoustic concerns in school libraries are as important and complex today [as / than] anything else they were in the past. [고1 6월 응용]

4 First, text chat required less effort and attention, and was [much / more] enjoyable than voice chat. [고1 3월]

5 However, most people settle for [little / less] than their best because they fail to start the day off right. [고1 9월]

6 In essence, the more new information we take in, the [slow / slower] time feels. [고1 9월]

7 The above graph shows what devices British people considered the [more / most] important when connecting to the Internet in 2014 and 2016. [고1 6월]

8 French is the [less / least] spoken language among the five in terms of the number of native speakers. [고1 3월]

VOCA

launch 내던지다

implementation 이행, 완성
appealing 매력적인, 호소하는

acoustic 소리의, 소음의
concern 우려, 걱정
complex 복잡한
anything else 다른 어떤 것

require 필요로 하다
attention 집중

settle 정착하다

in essence 본질적으로

device 장비
connect 접속하다

native speaker 모국어 사용자

Point 4 비교급의 강조 표현

Now / the word 'near' means / very / **much** longer / **than** an arm's length away. [고1 6월]

(비교급 강조 수식어 / 비교급 / than)

이제 'near'이라는 단어는 팔 하나 만큼의 길이보다 훨씬 더 길다는 것을 의미한다.

The material / presented by the storyteller / has **even** **more** / much interest / **than** that / gained via the traditional method. [고1 3월 응용]

(비교급 강조 수식어 / 비교급)

스토리텔러들에 의해서 제시된 자료가 전통적인 방법을 통해서 얻은 자료보다 훨씬 더 흥미를 가진다.

- 비교급을 강조하는 수식어는 much, even, still, far, a lot 등이 있다.
- 특히 very로 비교급을 수식할 수 없다는 것에 유의한다.

  cf. 원급을 강조하는 수식어: very, almost ...

  최상급을 강조하는 수식어: quite, the very, by far ...

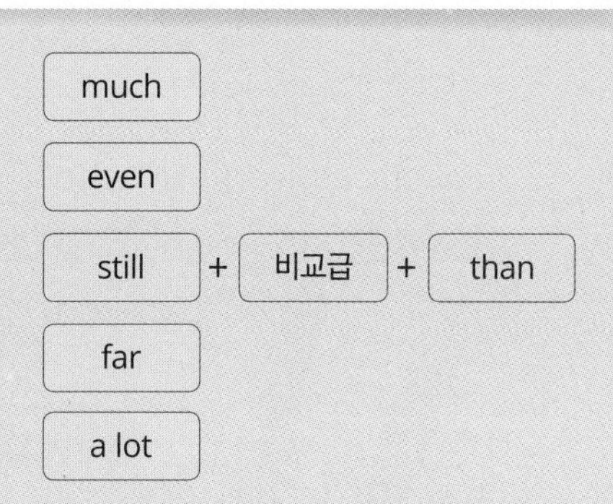

Point 5 비교구문의 병렬구조

After hatching, / **chickens** / peck busily for their own food / **much faster than** / crow / **crows**. [고1 3월]

(비교 대상 1: 복수 명사 / 비교급 강조 수식어 / 비교급 than / 비교 대상 2: 복수 명사)

부화한 후에 닭은 까마귀보다 훨씬 더 빨리 분주하게 자신의 먹이를 쪼아 먹는다.

The percentage of female respondents was / twice as high as / **that** / those of male respondents. [고1 9월]

(비교 대상 1: 단수 명사 / 비교 대상 2: 단수 명사)

여성 응답자의 비율이 남성 응답자의 그것(비율)보다 두 배만큼 높았다.

- 비교구문에서 비교되는 두 대상은 서로 문법적 형태가 같아야 한다.
- 「소유격+명사」의 경우 소유대명사로 올 수 있고, 명사의 경우 대명사 that/those 등이 대신할 수 있다.
- 주로 사용되는 병렬구조의 형태

명사 – 명사	소유격+명사 – 소유격+명사 / 소유대명사
목적격 – 목적격	전치사구 – 전치사구
동명사 – 동명사	부정사 – 부정사
단수 – 단수	복수 – 복수
주어+동사 – 주어+동사	동사 – 동사

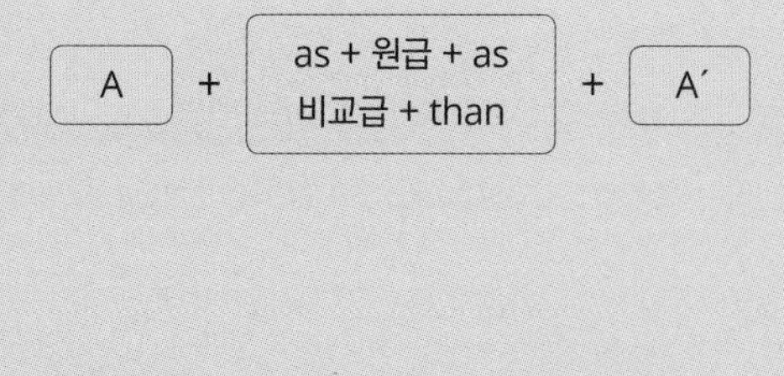

정답과 해설 p. 35

다음 중 어법상 적절한 표현을 고르시오.

1 His next challenge was as great or [very / even] greater than the T-shirts. [고1 3월]

2 "You look [more / much] older now than you did a few years ago." [고1 9월]

3 The seats with the best view of city life are used [very / far] more frequently than those that do not offer a view of other people. [고1 3월 응용]

다음 밑줄 친 부분이 어법상 맞으면 ○표 하고, 틀리면 바르게 고치시오.

4 The percentage of UK adults using magazines in 2014 was lower than those in 2013. [고1 3월]

5 We are often taught to put more value in actions than words, and for good reason. [고1 9월]

6 In the long term, lies with good intentions hurt people much more than tell the truth. [고1 3월]

7 When it comes to gold medals, Great Britain won more than China did. [고1 6월]

8 It's why those with the right habits seem to do better than other. [고1 3월]

VOCA

challenge 도전

frequently 자주

value 가치

intention 의도

when it comes to ~에 대해 서라면

어법 TEST 1 | 문장 어법훈련하기

정답과 해설 p. 35

다음 중 어법상 적절한 표현을 고르시오.

VOCA

1 고1 9월

First, you've mastered one of the most difficult [throw / throws] in all of judo.

throw (유도 기술) 던지기
judo 유도

2 고1 11월

Imagine that your body is a battery and the more energy this battery can store, the [more / most] energy you will be able to have within a day.

store 저장하다
within a day 하루 안에

3 고1 9월

Armed with scientific knowledge, people build tools and machines that transform the way we live, making our lives [more / much] easier and better.

arm 무장하다
transform 변형시키다

4 고1 9월

The driving of early adolescents was [two times / twice] as reckless when other young teens were around.

adolescent 청소년

다음 밑줄 친 부분이 어법상 맞으면 ○표 하고, 틀리면 바르게 고치시오.

5 고1 9월

Fast fashion refers to trendy clothes designed, created, and sold to consumers as quicklier as possible at extremely low prices.

refer to ~을 나타내다
extremely 극도로, 극히

6 고1 3월

Consuming news videos on news sites is more popular than via social networks are in four countries.

via ~ 통하여

7 고1 11월

High-efficiency dishwashers save even more water. These machines use up to 50 percent little water than older models.

high-efficiency 고효율

어법 TEST 2 | 짧은 지문 어법훈련하기

정답과 해설 p. 36

다음 글의 네모 안에서 어법상 적절한 표현을 고르시오.

1
고1 3월

Your mind has not yet adapted to this relatively new development. An image has a (A) [much / very] greater impact on your brain than words; the nerves from the eye to the brain are twenty-five times larger (B) [as / than] the (C) [nerve / nerves] from the ear to the brain.

VOCA
adapt to ~에 적응하다
impact 영향
nerve 신경

2
고1 11월 응용

When we read a number, we are (A) [more / the most] influenced by the leftmost digit than by the rightmost, since that is the order in which we read, and process, them. The number 799 feels significantly (B) [more / less] than 800 because we see the former as 7-something and the (C) [later / latter] as 8-something, whereas 798 feels pretty much like 799.

leftmost 제일 왼쪽의
digit 숫자
rightmost 제일 오른쪽의
significantly 상당히
former 전자
whereas 반면에

다음 글의 밑줄 친 부분 중, 어법상 틀린 것을 고르시오.

3
고1 9월

The city that received ① the higher number of tourists in 2013 was Antalya, but in the following three years, Istanbul received more tourists than Antalya ② does. While the number of tourists to Istanbul increased steadily from 2013 to 2015, Antalya received ③ less tourists in 2015 compared to the previous year. Interestingly, in 2016, the number of tourists dropped to ④ less than one hundred thousand for both cities.

increase 증가하다
steadily 꾸준히
previous 이전의
drop 떨어지다

어법 TEST 3 | 기출 유형 어법훈련하기

정답과 해설 p. 36

(A), (B), (C)의 각 네모 안에서 어법에 맞는 표현으로 가장 적절한 것은?

The above graph shows how people in five countries consume news videos: on news sites versus via social networks. Consuming news videos on news sites is (A) [very / more] popular than via social networks in four countries. As for people who mostly watch news videos on news sites, Finland shows the (B) [higher / highest] percentage among the five countries. The percentage of people who mostly watch news videos on news sites in France is higher than (C) [that / those] in Germany. As for people who mostly watch news videos via social networks, Japan shows the lowest percentage among the five countries. Brazil shows the highest percentage of people who mostly watch news videos via social networks among the five countries. [고1 3월 응용]

	(A)		(B)		(C)
①	very	……	higher	……	that
②	very	……	highest	……	those
③	more	……	higher	……	those
④	more	……	highest	……	that
⑤	very	……	highest	……	that

VOCA

1 consume 소비하다
2 versus 대
via ~ 통하여
5 mostly 주로, 대개
6 among ~ 사이에

구조 분석+어법 POINT 확인

(A)

Consuming news videos on news sites / is [very / more] popular than via social networks / in four countries.

뉴스 영상 사이트에서의 뉴스 영상 소비는(주어) / (동사) / 더 인기가 있다(형용사 비교급) / 소셜 네트워크를 통한 것보다 / 네 개 국가에서

이유

(B)

... Finland shows / the [higher / highest] percentage / among the five countries.

핀란드는(주어) 보인다(동사) / 가장 높은(최상급) 비율을(단수 명사) / 다섯 개 나라 중에서(among+복수 명사)

이유

(C)

The percentage of people [who mostly watch news videos on news sites] in France / is higher / than [that / those] in Germany.

사람들의 비율은(주어) / 주로 뉴스 사이트에서 뉴스 영상을 시청하는(관계대명사 주격) / 프랑스에서 / 더 높다(비교급) / 독일에서의 그것(비율)보다 (= the percentage)

이유

어법 TEST 4 | 서술형 내신 어법훈련하기

정답과 해설 p. 37

다음 글을 읽고, 물음에 답하시오.

Imagine that your body is a battery and the more energy this battery can store, the more energy you will be able to have within a day. Every night when you sleep, this battery is recharged with (a) 당신이 소비했던 것만큼 많은 에너지 during the previous day. If you want to have a lot of energy tomorrow, you need to spend a lot of energy today. Our brain consumes only 20% of our energy, so it's a must to supplement thinking activities with walking and exercises that spend a lot of energy, (b) so that your internal battery has more energy tomorrow as today. Your body stores as much energy as you need: for thinking, for moving, for doing exercises. (c) 여러분이 오늘 더 활동적일수록, 여러분은 오늘 더 많은 에너지를 소비한다 and the more energy you will have to burn tomorrow. Exercising gives you more energy and keeps you from feeling exhausted. [고1 11월 응용]

VOCA

2 within ~안에
3 recharge 재충전하다
4 previous 이전의
6 consume 소비하다
7 must 절대로 필요한 것
supplement 보충하다
8 internal 내부의
13 exhausted 지친

학교시험 서술형 단골 문제 감 잡기

어법+영작 **1** 밑줄 친 (a)를 다음 조건에 맞게 영작하시오.

〈조건〉
• 원급 비교구문(as ~ as)을 사용할 것
• spend를 포함하여 6단어로 쓸 것(필요하면 변형)
• as로 시작할 것

어법 파악 **2** 밑줄 친 (b)에서 어법상 틀린 부분을 찾아 바르게 고쳐 쓰고, 그 이유를 서술하시오.

어법+영작 **3** 밑줄 친 (c)와 같은 뜻이 되도록 주어진 단어들을 알맞은 순서로 배열하시오.

(the more / you spend today / active / you are today, / energy / the more)

UNIT 13

특수구문

Point 1 강조
Point 2 도치
Point 3 부정
Point 4 간접의문문

결정적 출제 어법

1 「It ~ that」으로 강조하기

Point 1

It was at the library **that** I met Terry.

It과 that이 나오면 강조구문인지 확인하자.

2 부정어 + 전체를 나타내는 말

Point 3

You may **not always** / always not be able to guess correctly.

「부정어+전체를 나타내는 말」은 부분부정!

3 직접의문문과 다른 어순의 간접의문문

Point 4

I don't know why **he went** / did he go there.

간접의문문의 어순은 「의문사+주어+동사」로 직접의문문과 달라.

강조, 도치, 부정, 간접의문문

• 강조: 다음의 두 가지 방법으로 문장의 특정 부분을 강조할 수 있다.

- 「It ~ that」 강조구문
- 조동사 do 강조

• 도치: 일반적인 문장의 어순인 「주어+동사」를 「(조)동사+주어」로 바꾸어 쓰는 것을 말한다.

- 부사구/보어 도치
- 부정어(구) 도치
- there/here 도치
- so/neither 도치

• 부정: 부정어를 추가하여 문장을 부정문으로 만들 수 있다.

- be동사 + not
- do[does] + not + 일반동사
- no + 명사

• 간접의문문: 문장 안에 포함된 의문문의 형태를 '간접의문문'이라고 하며, 「의문사+주어+동사」의 어순이다.

- 직접의문문: Who are you?
- 간접의문문: I want to know. Who are you? ⇨ I want to know who you are.

CHECK-UP 괄호 안의 조건에 맞게 빈칸에 알맞은 말을 쓰시오.

1 His idea brought us success. ⇨ It ________ his idea ________ brought us success. (강조구문)

2 I love you. ⇨ I ________ love you. (강조구문)

3 Could you show me? What did you make? ⇨ Could you show me ________ ________ made? (간접의문문)

동격, 삽입, 생략

• 동격: 명사 또는 명사 상당어구의 뒤에 다른 명사 상당어구를 추가하여 설명을 보충하는 것을 말한다.

Mrs. Brown, **my math teacher**, is very smart.
The fact **that he said 'yes'** is a good sign.

• 삽입: 부가적인 설명을 위해 단어, 구, 절 등을 문장 가운데 추가하는 것을 말한다.

That news, **indeed**, is shocking.
The Harry Potter series, **for example**, is very popular.
This movie, **I am sure**, will be interesting.

• 생략: 문장을 간결하게 하기 위해 반복되거나 문맥상 유추 가능한 정보를 삭제하는 것을 말한다.

- 동일어구 생략: Will it rain? – I hope (**it will**) not (**rain**).
- 부사절의 「주어+be동사」 생략: When (**I was**) young, I was very small.
- 목적격 관계대명사 생략: This is the gift (**that**) my grandfather gave me.
- 「주격 관계대명사+be동사」 생략: This is the book (**which was**) given to me by my mother.

기출문장으로 실전어법 개념잡기

Point 1 강조

It is / this fact of plants' immobility / what / **that** causes them / to make chemicals.
It+be동사 that 「It ~ that」 강조구문 [고1 11월]
바로 식물들의 부동성이라는 이러한 사실이 그것들로 하여금 화학 물질을 만들도록 한다.

Dinosaurs, however, do / **did**, once live. [고1 6월]
강조 did
그러나, 공룡들은 정말로 한때 살았다.

- 「It+be동사」와 that 사이에 강조하고자 하는 어구를 넣는다.
  that은 강조되는 어구에 따라 who, whom, which, when, where 등으로 바꾸어 쓸 수 있다.
- 동사의 의미를 강조하기 위해 동사원형 앞에 do를 쓸 수 있다.
  이때 do의 형태는 주어의 수와 본동사의 시제에 따라 do/does/did 등으로 일치시킨다.

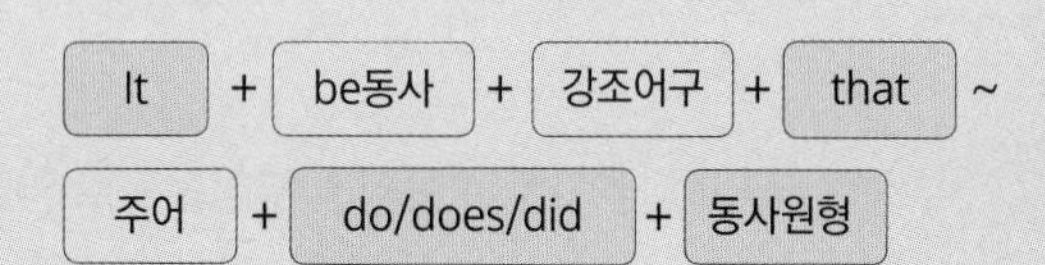

Point 2 도치

Once in a village / **lived a rich man** / a rich man lived. [고1 3월]
부사구 도치 동사 주어
옛날에 한 마을에 부자가 살고 있었다.

Never / the dogs bothered / **did the dogs bother** / the farmer's lambs again. [고1 11월]
부정어구 도치 조동사 주어
그 개들은 농부의 양들을 다시 괴롭히지 않았다.

Picasso's artwork / reminds you / **there are alternative ways** / there alternative ways are / of using shape, objects, and colors. [고1 11월 응용]
there+동사+주어

Picasso의 예술 작품은 당신에게 형체, 사물, 색을 사용하는 대안적인 방식들이 있다는 것을 상기시킨다.

- 도치란 강조하고자 하는 어구를 문장의 맨 앞에 두고 이어지는 문장의 어순을 「(조)동사+주어」로 바꾸는 것이다.
- 주로 사용되는 도치의 형태

장소, 방향 등을 나타내는 부사(구) 도치	부사(구)+(조)동사+주어
보어 도치	보어+(조)동사+주어
부정어(구) 도치	부정어(구)+(조)동사+주어
there/here 도치	there/here+(조)동사+주어
so/neither[nor] 도치	so+(조)동사+주어(긍정문: ~도 역시 그렇다) neither[nor]+(조)동사+주어(부정문: ~도 역시 그렇지 않다)

강조어구 + (조)동사 + 주어

정답과 해설 p. 38

다음 중 어법상 적절한 표현을 고르시오.

1 It was only when Newton placed a second prism in the path of the spectrum [that / who] he found something new. [고1 6월]

2 Some historical evidence indicates that coffee [did / does] originate in the Ethiopian highlands. [고1 11월 응용]

3 Such skilled workers may have used simple tools, but their specialization did [result / resulted] in more efficient and productive work. [고1 3월]

4 You all must have played this game at least once because [it is / it has] *juldarigi* that often highlights a school sports day. [교과서 응용]

다음 밑줄 친 부분이 어법상 맞으면 ○표 하고, 틀리면 바르게 고치시오.

5 Seldom social scientists are in a position to control social action. [고1 11월 응용]

6 From plants chemical compounds come that nourish and heal and delight the senses. [고1 11월]

7 In fact, there have been numerous times in history when food has been rather scarce. [고1 9월]

8 Keep working on one habit long enough, and not only it becomes easier, but so do other things as well. [고1 3월]

VOCA

prism 프리즘
spectrum 스펙트럼

evidence 증거
indicate 보여 주다
originate 유래하다
highland 고산지

tool 도구
specialization 전문화
efficient 효율적인

at least 적어도
highlight 강조하다

seldom 좀처럼 ~않다
social scientist 사회과학자

chemical compound 화합물
nourish 영양분을 공급하다
delight 즐겁게 하다

numerous 수많은
scarce 부족한

기출문장으로 실전어법 개념잡기

Point 3 부정

Humans have [always not / **not always**] had / the abundance of food [that is enjoyed /
부분부정 not + always
throughout most of the developed world / today]. [고1 9월]

인간은 오늘날 대부분의 발전된 세상에서 향유되는 음식의 풍부함을 항상 가졌던 것은 아니다.

I let out / a terrifying scream [that could be heard / all the way down the block], but [**nobody** / anybody] answered! [고1 6월]
전체부정을 나타내는 대명사
나는 그 구역 끝까지 들릴 수 있는 무시무시한 비명을 질렀지만, 아무도 대답하지 않았다!

	부분부정	전체부정
의미	모두/항상/둘 다 ~인 것은 아니다	모두/전혀 ~ 아니다
형태	not+all/every/always/both 등	not+any/either no, none, never, neither ...

부분 부정
not + all / every / always / both

전체 부정
not + any / either
no, none, never, neither

• 전체부정 no vs. none
no(= not a / not any): 「no+명사」 형태로 사용
none: 명사 없이 단독 사용 또는 'none of ~' 형태로 사용

Point 4 간접의문문

When I drove out of the parking lot, / I doubted [whether [could I / **I could**] make it]. [고1 11월]
간접의문문 whether 주어 동사
내가 주차장 밖으로 운전해 나왔을 때 나는 내가 잘 해낼 수 있을지 의심스러웠다.

Ideas / about [how much [**disclosure is** / is disclosure] appropriate] vary / among cultures.
의문사구 how much 주어 동사 how much가 이끄는 간접의문문(명사절) [고1 3월]
얼마나 많은 정보 공개가 적절한지에 관한 생각은 문화마다 다르다.

• 간접의문문이란 의문사(what, where, how much ...)나 if[whether]로 시작하는 의문문이 다른 문장의 일부로 사용되는 형태를 말한다.
• 주로 사용되는 간접의문문의 형태:

의문사가 있는 경우	의문사+주어+동사
	의문사(주어)+동사
의문사가 없는 경우	if [whether]+주어+동사

• 의문사 중 how much, how old 등 「how+형용사/부사」의 경우는 한 덩어리로 취급한다.
• 주절의 동사가 생각이나 추측을 나타내는 경우(think, believe, guess, imagine, suppose ...)는 의문사를 문장의 맨 앞에 두어 「의문사+do you think[believe, guess ...]+주어+동사」로 나타낸다.
What do you think it is?

정답과 해설 p. 38

다음 중 어법상 적절한 표현을 고르시오.

1 People are [always not / not always] defined by their behavior. [고1 9월]

2 A complex hormonal regulation directs the growth of hair and nails, [no / none] of which is possible once a person dies. [고1 9월]

3 If you [never / neither] take the risk of being rejected, you can [never / neither] have a friend or partner. [고1 3월]

4 Researchers also found that [none / no] one had an age. [고1 3월]

다음 밑줄 친 부분이 어법상 맞으면 ○표 하고, 틀리면 바르게 고치시오.

5 If I asked you to tell me where the eggs are, would you be able to do so? [고1 3월]

6 You will receive coupons according to how you bring much. [고1 9월]

7 I asked Kenichi Ohmae, a global management consultant, if he could sense whether was a company going to be successful. [고1 11월]

8 The salesperson asks you if you are interested in buying any cruelty-free cosmetics from their store. [고1 11월]

VOCA

define 정의하다
behavior 행동

hormonal 호르몬의
regulation 조절
direct 지휘하다

risk 위험
reject 거절하다

researcher 연구자
age 나이

receive 받다
according to ~에 따라

consultant 자문위원
sense 알아차리다

cruelty 잔인함
cosmetic 화장품

어법 TEST 1 | 문장 어법훈련하기

정답과 해설 p. 38

다음 중 어법상 적절한 표현을 고르시오.

VOCA

1 고1 6월

It was his newfound self-confidence [who / that] enabled him to achieve anything he went after.

newfound 새로 발견된
enable 가능하게 하다
achieve 성취하다

2 고1 3월

It is often believed that Shakespeare, like most playwrights of his period, did [not always / no always] write alone.

playwright 극작가
period 시기

3 고1 9월

The news ecosystem has become so overcrowded and complicated that I can understand [why is navigating it / why navigating it is] challenging.

ecosystem 생태계
overcrowded 붐비는
complicated 복잡한
navigate 항해하다

다음 밑줄 친 부분이 어법상 맞으면 ○표 하고, 틀리면 바르게 고치시오.

4 고1 3월 응용

They <u>do show</u> great care for each other, since they view harmony as essential to relationship improvement.

essential 필수적인
improvement 발전

5 고1 6월

Aristotle's suggestion is that virtue is the midpoint, where someone is neither too generous nor too stingy, <u>neither</u> too afraid nor recklessly brave.

midpoint 중간 지점
generous 관대한
stingy 인색한
recklessly 무모하게

6 고1 6월 응용

Throw away your own hesitation and forget all your concerns about <u>whether are you</u> musically talented.

hesitation 주저함
concern 걱정

7 고1 11월

<u>Nor we do</u> consider one of the major reasons why schools and colleges overlook the intellectual potential of street smarts.

major 주요한
overlook 간과하다
intellectual 지적인
potential 잠재력

어법 TEST 2 | 짧은 지문 어법훈련하기

정답과 해설 p. 39

다음 글의 네모 안에서 어법상 적절한 표현을 고르시오.

1
고1 11월 응용

The public had (A) [never / no] seen such 'informal' paintings before. The edge of the canvas cut off the scene in an arbitrary way, as if snapped with a camera. The subject matter included modernization of the landscape; railways and factories. Never before (B) [had these subjects / these subjects had] been considered appropriate for artists.

VOCA
arbitrary 임의적인
subject matter 주제
modernization 현대화
landscape 풍경
consider 여기다
appropriate 적절한

다음 글의 밑줄 친 부분 중, 어법상 틀린 것을 고르시오.

2
고1 6월

Mammals tend to be less colorful than other animal groups, but zebras are strikingly dressed in black-and-white. ① What purpose do such high contrast patterns serve? The colors' roles ② aren't always obvious. The question of ③ what can zebras gain from having stripes has puzzled scientists for more than a century.

mammal 포유류
strikingly 두드러지게
contrast 대비
obvious 명확한

3
고1 9월

When the vote was announced, my brain just would not work out the right percentages to discover ① whether we had the necessary two-thirds majority. Then one of the technicians turned to me with a big smile on his face and said, "You've got it!" At that moment, the cameras outside took over and ② out there in the yard ③ a scene of joy there was almost beyond belief.

vote 투표
technician 기술자
yard 뜰

어법 TEST 3 | 기출 유형 어법훈련하기

정답과 해설 p. 39

(A), (B), (C)의 각 네모 안에서 어법에 맞는 표현으로 가장 적절한 것은?

We notice repetition among confusion, and the opposite: we notice a break in a repetitive pattern. But how do these arrangements make us feel? And what about "perfect" regularity and "perfect" chaos? Some repetition gives us a sense of security, in that we know (A) [is what / what is] coming next. We like some predictability. We (B) [do / did] arrange our lives in largely repetitive schedules. With "perfect" chaos we are frustrated by having to adapt and react again and again. But "perfect" regularity is perhaps even more horrifying in its monotony than randomness is. It implies a cold, unfeeling, mechanical quality. Such perfect order does not exist in nature; (C) [there are too many forces / there too many forces are] working against each other. Either extreme, therefore, feels threatening. [고1 11월 응용]

	(A)		(B)		(C)
①	is what	……	do	……	there are too many forces
②	what is	……	did	……	there are too many forces
③	is what	……	did	……	there too many forces are
④	what is	……	do	……	there too many forces are
⑤	what is	……	do	……	there are too many forces

VOCA

1 confusion 혼돈
2 arrangement 배열
3 chaos 무질서
5 predictability 예측 가능성
7 frustrated 좌절감을 느끼는
9 monotony 단조로움
imply 의미하다
10 mechanical 기계적인
12 extreme 극단
13 threatening 위협적인

구조 분석+어법 POINT 확인

(A)

Some repetition gives / us / a sense of security, / in that / we know / [is what / what is] coming / next.

어느 정도의 반복은(주어) 준다(동사) 우리에게(간접목적어) 안정감을(직접목적어) ~라는 점에서 우리가(주어) 안다는(동사) 무엇이(의문사) 올지(동사) 다음에

이유

(B)

We [do / did] arrange / our lives / in largely repetitive schedules.

우리는(주어) 정말로 배열한다(강조의 do+동사) 우리 생활을(목적어) 대체로 반복적인 스케줄 속에(부사구)

이유

(C)

[there are too many forces / there too many forces are] / working against each other.

힘이 너무 많다(there 도치구문) 서로 대항하여 작용하는(현재분사(forces 수식))

이유

어법 TEST 4 | 서술형 내신 어법훈련하기

정답과 해설 p. 40

다음 글을 읽고, 물음에 답하시오.

Music connects people to one another not only through a shared interest or hobby, but also through emotional connections to particular songs, communities, and artists. The significance of others in the search for the self is meaningful; as Agger, a sociology professor, states, "identities are largely social products, formed in relation to others and (a) how we think do they view us." And Frith, a socio-musicologist, argues that popular music has such connections. For music fans, the genres, artists, and songs in which people find meaning, thus, function as potential "places" through which one's identity can be positioned in relation to others; they act as chains that hold at least parts of one's identity in place. (b) The connections made through shared musical passions provide a sense of safety and security in the notion that (c) 비슷한 사람들의 집단이 있다 who can provide the feeling of a community. [고1 11월 응용]

VOCA

- 2 connection 연결
- 3 significance 중요성
- 5 state 진술하다
- identity 정체성
- 7 socio-musicologist 사회음악학자
- 8 genre 장르
- 9 potential 잠재적인
- 13 notion 개념

학교시험 서술형 단골 문제 감 잡기

어법 파악 **1** 밑줄 친 (a)에서 어법상 틀린 부분을 찾아 바르게 고쳐 문장을 다시 쓰시오.

어법+ 영작 **2** 밑줄 친 (b)가 강조구문이 되도록 문장을 완성하시오.

It is ____
provide a sense of safety and security.

어법+ 영작 **3** 밑줄 친 (c)와 같은 뜻이 되도록 주어진 단어들을 알맞은 순서로 배열하시오.

(similar / are / people / there / groups of)

MEMO

MEMO

MEMO

지금까지의 배움을 완성하는 멋진 3년! 우리와 함께해요♥ By 천재교육

#차원이_다른_클라쓰
#강의전문교재
#고등교재

수학 교재

●쉬운 개념서
짤강수학 예비고~고3
수학(상), 수학(하), 수학Ⅰ, 수학Ⅱ, 확률과통계, 미적분

●쉬운 입문서
수학입문 예비고~고3
수학(상), 수학(하), 수학Ⅰ, 수학Ⅱ

●수학 기본서
수학의 힘 알파 고1~고3
수학(상), 수학(하), 수학Ⅰ, 수학Ⅱ, 확률과통계, 미적분

●문제 유형서
수학의 힘 베타 고1~고3
수학(상), 수학(하), 수학Ⅰ, 수학Ⅱ, 확률과통계, 미적분

●4주 집중학습 기출문제집
내신 꼭 고1~고3
고등수학, 수학Ⅰ, 수학Ⅱ

영어 교재

●종합 기본서
체크체크 고등영어 예비고~고1

●고등 영어의 시작
처음 만나는 수능 구문 예비고~고2
Starter, Basic

●고등 영어의 시작
처음 만나는 수능 어법 예비고~고2
Starter, Basic

●필수 어휘 총 정리서
바로 VOCA 예비고~고1
고교기본, 수능필수

기출지문으로 공략하는

처음 만나는 수능 어법

정답과 해설

CHUNJAE
EDUCATION, INC.

정답과 해설
포인트 3가지

▶ 혼자서도 이해할 수 있는 친절한 문제 풀이

▶ 필수 어법 Point 중심 자세한 문제 분석

▶ 전 지문 문장구조 분석 및 직독직해 수록

기출지문으로 공략하는

처음 만나는 수능 어법

Starter

정답과 해설

Unit 01 주어 동사 수 일치

어법 기본 다지는 Basic Grammar p. 15

동사 1 is 2 lost, are 3 reads 4 am, went
주어와 동사의 수일치 1 is 2 loves 3 is 4 sell

기출 문장으로 실전어법 개념잡기 1, 2 p. 17

1 is 2 was 3 seem 4 has added
5 is 6 ○ 7 contain 8 were

1 이와는 대조적으로, 또 다른 그룹의 학생들은 전통적인 조사/보고 기법에 참여한다.
▶ another group of students에서 another group이 핵심 주어이고, of students는 수식어이므로 단수 동사 is를 써야 한다.

2 두 해 모두, 그들의 가장 좋아하는 것으로 코미디를 선택한 사람들의 비율은 모든 장르 가운데 가장 높았다.
▶ of people selecting comedy as their favorite가 단수 주어 the percentage를 수식하고 있다. 따라서 단수 동사 was가 필요하다.

3 우리가 소통했던 방식에 대한 기억들이 현재 나에게는 우스워 보인다.
▶ memories of how we interacted에서 핵심 주어는 복수형 memories이고 「전치사+의문사절」 수식어가 이어지고 있다. 따라서 복수 동사 seem을 써야 한다.

4 오늘날 컴퓨터, 프린터, 그리고 다른 장비들의 폭넓은 사용은 기계 소음을 더했다.
▶ of computers, printers, and other equipments가 뒤에서 핵심 주어 the widespread use를 수식하고 있다. 따라서 단수 동사 has added가 적절하다.

5 식품 라벨의 주된 목적은 여러분이 구입하고 있는 식품 안에 무엇이 들어 있는지 여러분에게 알려주는 것이다.
▶ the main purpose of food labels에서 of food labels는 전치사구 수식어이고 핵심 주어는 the main purpose이므로 단수 동사 is를 써야 한다.

6 안전한 자전거 도로와 산책로, 공원, 자유롭게 이용할 수 있는 운동 시설이 있는 동네에 사는 사람들은 자주 그것들을 사용한다.
▶ people living in neighborhoods with safe biking and walking lanes, public parks, and freely available exercise facilities에서 핵심 주어는 people이고 나머지는 모두 수식어이므로 복수 동사 use가 바르게 쓰였다.

7 오늘날 만들어진 제조 생산품 중 다수는 너무 많은 화학물질과 인공적인 재료를 포함하고 있다.
▶ many of the manufactured products made today에서 과거분사구 made today의 수식을 받고 있는 products가 핵심 주어이므로 복수 동사 contain을 써야 한다. 명사 앞의 수식어인 many of the manufactured도 확인한다.

8 이전에 모르는 파트너에게 도움을 받았던 적이 있는 쥐들은 다른 쥐들을 도울 가능성이 좀 더 많았다.
▶ 관계대명사 who가 이끄는 관계사절(who had been helped previously by an unknown partner)이 핵심 주어 rats를 수식하고 있으므로 복수 동사 were를 써야 한다.

기출 문장으로 실전어법 개념잡기 3, 4 p. 19

1 is 2 needs 3 backfire, come 4 are
5 were 6 triggers 7 was 8 ○

1 대기 전술을 펼치는 것이 펭귄의 해결책이다.
▶ to부정사구가 주어로 쓰이면 단수 취급하기 때문에 is를 써야 한다.

2 모든 사람은 그들이 가치가 있고 인정받는다는 것을 알 필요가 있다.
▶ everyone은 '모든 사람들'이라는 뜻이지만 단수 명사이므로 needs를 써야 한다.

3 두 엔진이 모두 점화되어 최대 동력에 이르게 된다.
▶ 동사의 주어는 both engines으로 「both+복수 명사」이므로 복수 동사 backfire와 come을 써야 한다.

4 문화 상대주의에 따르면, 이 모든 체계는 똑같이 타당하다.
▶ 「부분 표현+of」 뒤의 명사의 수와 동사를 일치시킨다. all of 뒤의 명사가 systems이므로 복수 동사 are를 써야 한다.

5 부자들은 노예들에게 매우 불친절했으며 잔인했다.
▶ 「the+형용사」는 '~한 사람들'이라는 뜻으로, 복수 취급하여 동사 were를 써야 한다.

6 다수 집단의 개인들과의 각각의 마주침은 그러한 반응을 촉발한다.
▶ 「each of+복수 명사」가 주어로 쓰였는데, 핵심 주어는 each이므로 동사는 단수형 triggers를 써야 한다.

7 미국이 획득한 동메달 수는 독일이 획득한 동메달 수의 두 배보다 적었다.
▶ 「the number of+복수 명사」에서 주어는 the number이므로 동사는 단수형 was를 써야 한다. won by the United States는 과거분사구 수식어로 medals를 수식하고 있다.

8 따라서 친밀함과 의미 있는 관계를 추구하는 것은 오랫동안 인간의 생존에 필수적이었다.
▶ 동명사 seeking이 주어이며, closeness and meaningful relationships는 seeking의 목적어이다. 동명사구 주어는 단수 취급하므로 has가 적절하다.

어법 TEST 1 문장 어법훈련하기 p. 20

1 is 2 was 3 is 4 does 5 is 6 become
7 are

1 각 수업은 10명의 아동으로 제한된다.

▸ each는 단독으로 쓰여 「each+단수 명사+단수 동사」 형태로 쓴다. 따라서 is가 적절하다.

2 그는 이유 중 하나를 덧붙여 말했다, "저는 거짓말쟁이가 되고 싶지 않았어요."

▸ 「부분 표현+of」 뒤의 명사의 수와 동사를 일치시킨다. part of 뒤의 명사가 단수 motive이므로 단수 동사 was를 써야 한다.

3 무언가가 옳은지 또는 그른지를 판단하는 것은 개별 사회의 신념에 근거한다.

▸ whether something is right or wrong이 동명사 judging의 목적어로 쓰인 형태로, 핵심 주어는 동명사 judging이다. 동명사구 주어는 단수 취급하므로 동사는 is로 써야 한다.

4 전형적으로 단지 몇 개의 빛 파장만 있는 인공조명이 분위기에 미치는 효과는 햇빛이 미치는 효과와 같아 보이지 않는다.

▸ 주어는 artificial light이고 which ~ light은 관계대명사 삽입절로 artificial light을 수식하고 있다. 주어가 단수이므로 does가 적절하다.

5 해안을 향한 사람들의 이동의 가속화는 현대적인 현상이다.

▸ the acceleration of human migration toward the shores에서 핵심 주어는 the acceleration이고 of ~ 이하는 the acceleration을 수식하는 전치사구이다. 따라서 단수 동사 is가 적절하다.

6 어릴 적부터 여러분이 배워온 것들 중 일부는 또한 내재적 기억들이 된다.

▸ 「부분 표현+of」 뒤의 명사의 수와 동사를 일치시킨다. some of 뒤의 명사가 the things로 복수이므로 become을 써야 한다. things 뒤에 목적격 관계대명사 that이 생략되어 있으며 (that) you've learned since childhood가 the things를 수식하고 있다.

7 유럽을 통합하는 문제에 관한 최근의 의견 불일치는 유럽 분열의 전형이다.

▸ 핵심 주어는 the current disagreements이고 about the issue of unifying Europe은 주어를 수식하는 전치사구이다. 따라서 복수 동사 are가 와야 한다.

어법 TEST 2 | 짧은 지문 어법훈련하기 p. 21

1 (A) improves (B) are **2** (A) show (B) feels
3 ①

1 운동과 계절에 적절한 의류는 운동 경험을 향상시킨다. 따뜻한 환경에서는 수분을 흡수하거나 배출할 수 있는 기능을 가진 옷이 몸에서 열을 발산하는 데 도움이 된다.

▸ (A) 주어는 clothing이고 that is ~ the season은 clothing을 수식하는 관계대명사절이다. 따라서 단수 동사 improves가 적절하다.

(B) 주어는 clothes이고 that have ~ capacity는 주어를 수식하는 관계대명사절이다. 주어가 복수이므로 동사는 are가 와야 한다.

2 명도가 각각 0%와 100%인 검은색과 흰색은 인식된 무게의 가장 극적인 차이를 보여준다. 사실, 검은색은 흰색보다 두 배 무겁게 인식된다. 같은 상품을 흰색 쇼핑백보다 검은색 쇼핑백에 담아 드는 것이 더 무겁게 느껴진다.

▸ (A) black and white가 주어이고, 콤마 뒤의 관계대명사절 which ~ respectively가 삽입된 형태로, 주어를 수식한다. A and B 형태는 복수로 받으므로 동사는 show가 와야 한다.

(B) 주어는 carrying이고, 동명사의 목적어와 전치사구 the same product in a black shopping bag, 삽입구 versus a white one이 이어지는 문장이다. 동명사구 주어는 단수 취급하므로 feels가 적절하다.

3 노벨상을 수상한 생물학자 Peter Medawar는 과학에 들인 그의 시간 중 5분의 4 정도가 시간 낭비였다고 말하면서, "거의 모든 과학적 연구가 성과가 없다."고 애석해하며 덧붙였다. 상황이 악화되고 있을 때 이 모든 사람들을 계속하게 했던 것은 주제에 대한 그들의 열정이었다.

▸ ① 「부분 표현+of」 뒤의 명사의 수와 동사를 일치시킨다. four-fifths of 뒤의 명사가 셀 수 없는 명사 time이므로 단수 동사 was로 고쳐야 한다.

② 주어가 바로 앞의 research이므로 단수 동사 leads가 바르게 쓰였다.

③ 주어가 what kept all of these people going이고, when절은 부사절이다. what절은 단수 취급하므로 동사 was가 바르게 쓰였다.

어법 TEST 3 | 기출 유형 어법훈련하기 p. 22

구문분석 및 직독직해

❶ Plastic / is extremely slow to degrade / and tends to float, / which allows it to travel / in ocean currents / for thousands of miles.
플라스틱은 (주어) 매우 느리게 분해된다 (동사1, 형용사 ↩ to부정사) 그리고 물에 떠다니는 경향이 있다 (동사2)
(= plastic)
이는 그것이 돌아다니게 한다 해류를 따라 수천 마일을
계속적 용법의 관계대명사 allow A to부정사(5형식): A가 ~하게 하다

❷ Most plastics break down / into smaller and smaller pieces / when ∨exposed to ultraviolet (UV) light, / forming microplastics.
대부분의 플라스틱은 (most+복수 명사) 분해된다 (복수 동사) 점점 더 작은 조각으로 (비교급+and+비교급: 점점 더 ~한)
(they are)
자외선에 노출될 때 (시간의 부사절, 수동태(be동사+p.p.)) 형성하면서 (분사구문)
미세 플라스틱을

❸ These microplastics are very difficult to measure / once they are small enough / to pass through the nets / [∨typically used to collect them].
이러한 미세 플라스틱은 매우 어렵다 측정하기가 (형용사 ↩ to부정사)
일단 그것들이 충분히 작아지면 (일단 ~하면) 그물망을 통과할 만큼 (형용사+enough+to부정사: ~하기에 충분히 …한)
(which are) (=microplastics)
일반적으로 그것들을 수거하는 데 사용되는 (↩ 과거분사구, ~하는 데 사용되다(수동))

❹ Their impacts / on the marine environment and food webs / are still poorly understood.
(= microplastics)
그것의 영향은 (주어) 해양 환경과 먹이 그물에 미치는 (↩ 전치사구)
아직도 빈약하게 이해되고 있다 (동사, 수동태)

❺ These tiny particles / are known to be eaten / by various
이 작은 조각들은 / 먹히는 것으로 알려져 있다 / 다양한
be known to:~으로 알려지다〈수동태〉 by+행위자

(are known)
animals / and ∨ to get into the food chain.
동물들에게 / 먹이 사슬 속으로 들어간다고
병렬구조

❻ Because / most of the plastic particles / in the ocean / are
왜냐하면 ~이기 때문에 / 대부분의 플라스틱 조각들은 / 바다 속에 있는
most of+복수 명사 / 주어 / 전치사구 / 복수 동사

so small, / there is no practical way / to clean up the ocean.
매우 작다 / 실질적인 방법이 없다 / 바다를 청소할
there is+단수 명사 / to부정사의 형용사적 용법(앞의 명사 수식)

❼ One would have to filter / enormous amounts of water /
여과해야 할 수도 있다 / 엄청난 양의 물을
부정대명사(일반인)

to collect a relatively small amount of plastic.
비교적 적은 양의 플라스틱을 수거하기 위해
to부정사의 부사적 용법(목적)

정답 ③

해석 플라스틱은 매우 느리게 분해되고 물에 떠다니는 경향이 있으며, 이로 인해 해류를 따라 수천 마일을 돌아다닌다. 대부분의 플라스틱은 자외선에 노출될 때 점점 더 작은 조각으로 분해되어 미세 플라스틱을 형성한다. 이러한 미세 플라스틱은 일단 그것들을 수거하는 데 일반적으로 사용되는 그물망을 통과할 만큼 충분히 작아지면 측정하기가 매우 어렵다. 미세 플라스틱이 해양 환경과 먹이 그물에 미치는 영향은 아직도 빈약하게 이해되고 있다. 이 작은 조각들은 다양한 동물들에게 먹혀 먹이 사슬 속으로 들어간다고 알려져 있다. 바다 속에 있는 대부분의 플라스틱 조각들은 매우 작기 때문에 바다를 청소할 실질적인 방법은 없다. 비교적 적은 양의 플라스틱을 수거하기 위해 엄청난 양의 물을 여과해야 할 수도 있다.

구조 분석 + 어법 POINT 확인

(A) 정답 it
이유 [지시대명사의 수] 지시대명사가 가리키는 것은 '플라스틱(plastic)'이고 단수이므로 it이 적절하다.

(B) 정답 break down
이유 [「most+명사」의 수] most 뒤의 명사의 수에 동사를 일치시킨다. 주어가 plastics로 복수이므로 동사는 break down이 와야 한다.

(C) 정답 are
이유 [「most of+명사」의 수] 「부분 표현+of」 뒤의 명사의 수에 동사의 수를 일치시킨다. most of 뒤에 복수 명사 the plastic particles가 왔으므로 동사는 are가 적절하다. in the ocean은 앞의 명사를 수식하는 전치사구이므로, 주어의 수를 파악할 때 혼동하지 않도록 유의한다.

어법 TEST 4 서술형 내신 어법훈련하기 p. 23

구문분석 및 직독직해

A can do ~ as B can (do ~)의 구조
❶ Bad lighting can increase stress / on your eyes, / as can
나쁜 조명은 / 스트레스를 증가시킬 수 있다 / 여러분의 눈에 / 그런 것처럼
주어 / 동사

light [that is too bright], or light [that shines / directly into
너무 밝은 빛이나 / 또는 비추는 빛 / 눈에 직접적으로
주격 관계대명사 / 주격 관계대명사

your eyes].

❷ Fluorescent lighting / can also be tiring.
형광등은 / 또한 피로감을 줄 수 있다.
사물 주어: 감정의 현재분사

❸ [What you may not appreciate] is [that the quality of light /
여러분이 인식하지 못할 수도 있는 것은 / ~라는 것 / 빛의 질이
관계대명사절 주어 / 단수 동사 접속사(보어 역할)

may also be important].
또한 중요할 수 있다

❹ Most people are happiest / in bright sunshine — /
대부분의 사람들은 가장 행복하다 / 밝은 햇빛 속에서
최상급

this may cause / a release of chemicals in the body [that
이것은 아마 야기할 수도 있다 / 체내의 화학물질의 분비를
선행사 / 주격 관계대명사

bring a feeling of emotional well-being].
정서적인 행복감을 가져다 주는

❺ Artificial light, [which typically contains / only a few
인공조명은 / 전형적으로 가지고 있는 / 단지 몇 개의
주어 / 관계대명사절(삽입)

wavelengths of light], does not seem to have the same effect /
빛 파장만 / 똑같은 효과를 가지고 있지 않을 수 있다
동사 / seem+to부정사: ~하는 것 같다 / 선행사

on mood [that sunlight has].
분위기에 미치는 햇빛이 가진
목적격 관계대명사

전치사+동명사 / (with)
❻ Try experimenting / with working by a window / or∨using
실험해 보아라 / 창가에서 작업하거나 / 또는 사용하여
try+동명사: 시험 삼아 ~해 보다 / 병렬구조

full spectrum bulbs / in your desk lamp.
모든 스펙트럼이 있는 전구를 / 책상 전등에 있는

주어 / 동사 / 목적어
❼ You will probably find [that this improves / the quality of
여러분은 아마도 알게 될 것이다 / 이것이 향상시킨다는 것을 / 질을
접속사(find의 목적절)

your working environment].
여러분의 작업 환경의

해석 너무 밝은 빛이나 눈에 직접적으로 비추는 빛처럼 나쁜 조명은 여러분의 눈에 스트레스를 증가시킬 수 있다. 형광등 또한 피로감을 줄 수 있다. 여러분이 모를 수도 있는 것은 빛의 질 또한 중요할 수 있다는 것이다. 대부분의 사람들은 밝은 햇빛 속에서 가장 행복하다 — 이것은 아마 정서적인 행복감을 주는 체내의 화학물질을 분비시킬지도 모른다. 전형적으로 단지 몇 개의 빛 파장만 있는 인공조명이 분위기에 미치는 효과는 햇빛이 가진 것과 똑같지 않을 수 있다. 창가에서 작업하거나 책상 전등에 있는 모든 스펙트럼이 있는 전구를 사용하여 실험해 보아라. 이것이 여러분의 작업 환경의 질을 향상시킨다는 것을 아마도 알게 될 것이다.

학교시험 서술형 단골 문제 감 잡기

1 정답 is / what절이 주어로 쓰여 '~하는 것'이라는 의미가 될 때 단수 취급한다.
해설 관계대명사 what절은 선행사를 포함하여 명사처럼 쓰이는 명사절로, 대개 단수 취급하는데 문맥에 따라 복수형으로 받을 수도 있다.

2 정답 Most people are happiest in bright sunshine
해설 주어가 '대부분의 사람들(most people)'이므로 동사는 복수형 are로 써야 한다.

3 정답 do → does / 문장의 핵심 주어는 '인공조명(artificial light)'이고 단수이므로 동사는 3인칭 단수형 does가 되어야 한다.
해설 관계대명사 which가 이끄는 절(which ~ light)이 삽입되어 있는 구조이다.

Unit 02 동사의 시제

어법 기본 다지는 Basic Grammar p. 25

동사의 시제 1 drinks 2 will be 3 finished
4 are, doing

기출 문장으로 실전어법 개념잡기 1, 2 p. 27

1 rises 2 had 3 are, will be 4 was born, moved
5 survives 6 was wearing 7 seem 8 is coming

1 해가 서쪽으로 지면 그것은 언제나 다음 날 아침 또다시 동쪽에서 떠오른다.
▶ 일반적인 사실이나 불변의 진리를 나타낼 때는 현재시제를 사용한다.

2 오래전, 작은 마을에 한 농부가 사냥꾼인 이웃을 두었다.
▶ 과거를 나타내는 부사구 a long time ago가 있으므로 과거시제가 적절하다.

3 최신 Sunshine Stationery Store의 개점을 알리게 되어 기쁩니다. 개업 행사는 내일 오전 9시부터 오후 9시까지입니다.
▶ 내일 있을 개업 행사를 알리는 내용으로, 앞 문장은 현재의 감정 상태를 나타내므로 현재시제, 뒷 문장은 tomorrow가 있는 것으로 보아, 미래시제가 적절하다.

4 Jemison은 Alabama주의 Decatur에서 태어났고, 세 살 때 가족과 함께 Chicago로 이주했다.
▶ 태어난 것은 과거의 일이고, 정확한 때를 나타내는 when she was three years old로 보아, 과거시제로 써야 한다.

5 만약 그 개척자가 살아남으면, 다른 모두가 그대로 따를 것이다.
▶ 조건을 나타내는 if 부사절이 미래시제와 함께 쓰일 때는 현재시제가 미래를 대신하므로, 현재시제 survive의 3인칭 단수형인 survives가 와야 한다.

6 Rangan의 생각은 자전거를 가지고 자신의 가게를 향해 걸어오는 한 노인에 의해 방해 받았다. 그 노인은 머리에 낡은 터번을 쓰고 있었다.
▶ 앞 문장이 과거시제이므로 '(낡은 터번을 머리에) 쓰고 있었다'라는 뜻이 되도록, 과거진행 시제 was wearing이 적절하다.

7 당신의 행동은 로봇처럼 어색해 보인다; 당신의 몸짓언어 신호는 서로 단절된다.
▶ seem은 현재의 상태를 나타내는 동사로, 진행형으로 쓰지 않는다.

8 어느 정도의 반복은 우리가 다음에 무엇이 올지 안다는 점에서 안정감을 준다.
▶ 앞에 현재시제가 있고, 바로 뒤에 next가 있는 것으로 보아, 가까운 미래의 예정을 나타내는 현재진행 시제가 적절하다.

기출 문장으로 실전어법 개념잡기 3, 4 p. 29

1 have enjoyed 2 had tried 3 had lost
4 had moved 5 ○ 6 haven't already thought
7 dropped 8 ○

1 아내와 나는 60년 이상 Smalltown에서 살았고, 항상 Freer Park를 즐겨왔다.
▶ 앞에 현재완료 시제가 있고, 「for+기간」을 나타내는 for all that time으로 보아, 현재완료가 적절하다.

2 Serene의 어머니는 자기 자신이 Serene의 나이였을 때 성공하기 전에 여러 차례 시도했었다고 말했다.
▶ Serene's mother가 과거보다 더 이전에 있었던 일을 말했다고 했으므로, 대과거 즉, 「had+p.p.」의 과거완료가 와야 한다.

3 열 살짜리 한 소년은 끔찍한 자동차 사고로 왼쪽 팔을 잃은 사실에도 불구하고 유도를 배우기로 결심했다.
▶ 왼쪽 팔을 잃은 시점이 유도를 배우기로 결심한 시점보다 먼저이므로 대과거 「had+p.p.」가 와야 한다.

4 1906년 즈음에 그는 결혼을 한 채 New York으로 이사했고, 늘어나는 가족을 부양하기 위해 여러 가지 일을 했다.
▶ 결혼한 상태로 New York으로 이사한 후, 가족을 부양하기 위해 직업을 구한 것이므로 대과거가 적절하다.

5 수년 전, 전자 장비들이 도서관 환경의 아주 중요한 일부가 되기 전에는 사람들이 만들어내는 소음을 처리하기만 하면 되었다.
▶ years ago가 명확한 과거의 때를 나타내는 말이므로 과거시제 had가 바르게 쓰였다.

6 네가 아마도 나에게 말할 수 있는 것 중 내가 전에 이미 생각해 본 적이 없는 것은 없다.
▶ 과거의 경험이 현재까지 영향을 미치고 있으므로 already와 함께 쓰일 수 있는 현재완료로 고쳐야 한다.

7 흥미롭게도, 2016년 관광객의 수는 두 도시 모두 10만 명 미만으로 감소했다.
▶ 명확한 과거의 때를 나타내는 in 2016으로 보아, 현재완료 시제는 올 수 없다. 따라서 과거시제로 고쳐야 한다.

8 귀하는 영업부에서 3개월을 채웠으므로, 다음 부서로 옮겨야 할 때입니다.
▶ 과거부터 현재에 이르기까지 지속된 일을 나타내고 있으므로 현재완료가 바르게 쓰였다.

어법 TEST 1 문장 어법훈련하기 p. 30

1 had 2 are 3 is going to start 4 understand
5 begins 6 are 7 ○

1 내가 아주 어렸을 때, 나는 공룡과 용의 차이를 구별하는 데 어려움이 있었다.
▶ 시간의 부사절 'when I was ~'가 명확한 과거의 때를 나타내고 있으므로, 주절에 과거시제가 와야 한다.

2 예를 들면, 만약 좋은 차를 사고자 하는 동기가 있다면, 당신은 온라

인으로 차들을 검색하고, 광고를 보며, 대리점들을 방문하는 것 등을 할 것이다.

▶ 조건을 나타내는 if 부사절에서는 현재시제가 미래시제를 대신한다.

3 이것이 그녀의 코치로서의 첫 직업이고, 다음주부터 근무를 시작할 것이다.

▶ from next week로 보아, 미래의 일을 나타내고 있으므로 미래시제가 와야 한다. 「be going to+동사원형」 = 「will+동사원형」

4 오늘날, 전문가들은 근력 운동의 중요성을 이해하고 그것을 경기의 일부로 만들어 왔다.

▶ understand는 인식을 나타내는 동사로, 진행형으로 쓸 수 없다.

5 만약 어떤 사람이 그의 하루를 좋은 기분으로 시작한다면, 그는 직장에서 계속 행복하게 지낼 가능성이 있다.

▶ 조건을 나타내는 접속사 if가 이끄는 부사절에서는 미래시제 대신에 현재시제를 사용하므로 3인칭 단수형 begins로 고쳐야 한다.

6 Chuckwalla는 대개 길이가 20~25cm인 통통한 도마뱀인데, 45cm까지 자랄 수도 있다.

▶ 일반적인 사실을 나타낼 때는 현재시제를 사용한다.

7 마케팅 담당자들은 당신이 처음 보는 것을 산다는 것을 수십 년 동안 알고 있었다.

▶ for decades는 '수십 년 동안'이라는 의미로, 과거에 일어난 일이 현재 시점까지 계속되고 있음을 나타내는 현재완료 시제가 바르게 쓰였다.

어법 TEST 2 짧은 지문 어법훈련하기 p. 31

1 (A) had just come (B) was coming **2** (A) have enjoyed (B) would walk (C) are **3** ②

1 Kevin은 차를 닦으며 쇼핑몰 앞에 있었다. 그는 막 세차장에서 나와서 아내를 기다리고 있었다. 사회가 걸인이라고 여길 만한 한 노인이 주차장 건너편에서 그에게 다가오고 있었다.

▶ (A) '부인을 기다리고 있었던 것'보다 '세차장에서 나온 것'이 먼저 일어난 일이므로 과거완료 시제가 적절하다.

(B) 글 전체에 과거시제가 쓰였으므로 과거진행 시제가 적절하다.

2 아내와 나는 60년 이상 Smalltown에서 살았고, 항상 Freer Park를 즐겨왔다. 우리가 젊고 다른 어떤 곳으로도 갈 돈이 없었을 때, 거의 매일 그곳을 걷곤 했다. 이제 우리는 노인이고, 아내가 장시간 산책하기 위해서는 휠체어를 사용해야 한다.

▶ (A) for all that time과 앞 문장의 시제로 보아, 현재완료가 적절하다.

(B) when절에 과거시제가 쓰였으므로 will의 과거형 would가 적절하다. 여기서 조동사 would는 과거의 습관을 나타낸다.

(C) now로 보아, 현재 상황에 대한 내용이므로 are가 적절하다.

3 지구를 보호하고자 하는 노력으로, 우리는 새로운 정책을 채택했고 여러분의 도움을 필요로 합니다. 만약 여러분이 Eco 카드를 문에 걸어두시면, 우리는 여러분의 침대 시트와 베갯잇 그리고 잠옷을 교체하지 않을 것입니다. 또한, 컵을 씻을 필요가 없다면, 그대로 둘 것입니다.

▶ ② → hang / 조건의 부사절에서는 현재시제가 미래시제를 대신하므로 will hang을 hang으로 고쳐야 한다.

어법 TEST 3 기출 유형 어법훈련하기 p. 32

구문분석 및 직독직해

❶ We like to make a show of [how much / our decisions /
우리는 보여 주고 싶지만 얼마나 많이 우리의 결정이
간접의문문: 의문사+주어+동사

are based on rational considerations], but the truth is [that
이성적 고려에 근거하는지 하지만 진실은 ~이다
접속사(보어 역할)

we are largely governed / by our emotions], [which continually
우리는 주로 지배당하고 있다 우리의 감정에 의해 이것은 계속적으로
수동태 「by+행위자」 계속적 용법의 관계대명사

influence / our perceptions].
영향을 준다 우리의 인지에

❷ [What this means] is [that the people around you, /
이것이 의미하는 것은 ~이다 여러분의 주변 사람들이
선행사를 포함하는 관계대명사 접속사(보어 역할) 주어

constantly under the pull of their emotions, / change their
끊임없이 그들 감정의 끌어당김 아래에 있는 그들의 생각을 바꾼다는 것
동사

ideas / by the day or by the hour, / depending on their mood].
날마다 혹은 시간마다 그들의 기분에 따라
분사구문
선행사를 포함하는 관계대명사

❸ You must never assume [that {what people say or do /
여러분은 가정해서는 안 된다 사람들이 말하거나 행동하는 것이
주어 동사 접속사(assume의 목적절)

in a particular moment} is a statement / of their permanent
특정한 순간에 진술이라고 그들의 영구적인 바람에 대한
주어 { } 동사

desires].

❹ Yesterday / they were in love with your idea; / today they
어제 그들은 여러분의 생각에 완전히 빠져 있었지만 오늘 그들은
be in love with: ~와 사랑에 빠지다

seem cold.
냉담해 보인다

❺ This will confuse you / and if you are not careful, / you
이것이 여러분을 혼란스럽게 할 것이다 그리고 만약 여러분이 조심하지 않는다면
조건의 부사절(현재시제)

will waste / valuable mental space / trying to figure out / their
여러분은 허비할 것이다 소중한 정신적 공간을 알아내려고 노력하는 데 그들의
주절(미래시제) waste A (in) -ing: ~하는 데 A를 낭비하다 목적어1

real feelings, / their mood of the moment, / and their fleeting
실제 감정 그 순간 그들의 기분 그들의 빠르게 지나가는
목적어2 병렬구조 목적어3

motivations.
열의를

❻ It is best to cultivate / both distance and a degree of
기르는 것이 최선이다 거리감과 어느 정도의 분리감을
가주어 진주어(to부정사) both A and B: A, B 둘 다

detachment / from their shifting emotions / so that you are
그들의 변화하는 감정들로부터 여러분이 사로잡히지
목적

not caught up / in the process.
않도록 하기 위해서는 그 과정에
수동태

정답 ①

해석 우리는 우리의 결정이 얼마나 많이 이성적 고려에 근거하는지 보여 주고 싶지만, 진실은 우리는 우리의 감정에 의해 주로 지배당하고 있고, 이것은 계속적으로 우리의 인지에 영향을 준다. 이것이 의미하는 것은 끊임없이 그들 감정의 끌어당김 아래에 있는 여러분의 주변 사람들이 날마다 혹은 시간마다 그들의 기분에 따라 그들의 생각을 바꾼다는 것이다. 여러분은 사람들이 특정한 순간에 말하거나 행동하는 것이 그들의 영구적인 바람에 대한 진술이라고 가정해서는 안 된다. 어제 그들은 여러분의 생각에 완전히

빠져 있었지만, 오늘 그들은 냉담해 보인다. 이것이 여러분을 혼란스럽게 할 것이고, 만약 여러분이 조심하지 않는다면, 여러분은 그들의 실제 감정, 그 순간 그들의 기분, 그들의 빠르게 지나가는 열의를 알아내려고 노력하는 데 소중한 정신적 공간을 허비할 것이다. 여러분이 그 과정에 사로잡히지 않도록 하기 위해서는 그들의 변화하는 감정들로부터 거리감과 어느 정도의 분리감을 기르는 것이 최선이다.

구조 분석 + 어법 POINT 확인

(A) 정답 were
이유 [과거시제] 과거의 명확한 시점을 나타내는 yesterday가 있으므로 과거시제가 적절하다.

(B) 정답 seem
이유 [진행시제 불가 동사] seem(~처럼 보이다)은 상태를 나타내는 동사로, 진행형으로 쓰지 않는다.

(C) 정답 are
이유 [조건의 부사절] if가 이끄는 조건의 부사절에서는 현재시제가 미래시제를 대신한다.

어법 TEST 4 서술형 내신 어법훈련하기 p. 33

구문분석 및 직독직해

❶ Dear Mrs. Coling,
친애하는 Coling 씨께

❷ My name is Susan Harris / and I am writing / on behalf of the students at Lockwood High School.
제 이름은 Susan Harris입니다 / 그리고 글을 씁니다 / ~을 대신하여 / Lockwood 고등학교 학생들을 대신하여

❸ Many students at the school / have been working on a project / about the youth unemployment problem in Lockwood.
우리 학교의 많은 학생들은 / 프로젝트를 수행해 왔습니다 (현재완료진행 시제(have been+-ing)) / Lockwood 지역의 청년 실업 문제에 관한

❹ You are invited to attend / a special presentation [that will be held at our school auditorium / on April 16th].
귀하를 참석하시도록 초대합니다 (are invited: 수동태) / 특별 발표회에 (that: 주격 관계대명사) / 학교 강당에서 열리는 (will be held: 수동태 미래(will be+p.p.)) / 4월 16일에

❺ At the presentation, / students will propose [a variety of ideas / for developing employment opportunities / for the youth / within the community].
발표회에서 / 학생들은 제안할 것입니다 (students: 주어, will propose: 동사) / 다양한 의견을 (목적어 [ ]) / 고용 기회를 만들어내기 위한 (for: 전치사구) / 청년들을 위한 (for: 전치사구) / 우리 지역에 있는

❻ As one of the famous figures / in the community, / we would be honored / by your attendance.
저명인사 중 한 분으로서 (As: ~으로서(전치사)) / 지역 사회의 / 영광일 것입니다 (조동사 수동태) / 귀하께서 참석해 주신다면

❼ We look forward to seeing you there.
우리는 그곳에서 귀하를 뵐 수 있기를 기대합니다
look forward to -ing: ~을 기대하다

❽ Sincerely, Susan Harris
Susan Harris 드림

해석 친애하는 Coling 씨께,

제 이름은 Susan Harris이며 Lockwood 고등학교 학생들을 대신하여 글을 씁니다. 우리 학교의 많은 학생들은 Lockwood 지역의 청년 실업 문제에 관한 프로젝트를 수행해 왔습니다. 4월 16일에 학교 강당에서 열리는 특별 발표회에 귀하를 초대합니다. 발표회에서 학생들은 우리 지역에 있는 청년들을 위한 고용 기회를 만들어내기 위한 다양한 의견을 제안할 것입니다. 지역 사회의 저명인사 중 한 분으로서 귀하께서 참석해 주신다면 영광일 것입니다. 그곳에서 귀하를 뵐 수 있기를 기대합니다.

Susan Harris 드림

학교시험 서술형 단골 문제 감 잡기

1 정답 I am writing on behalf of the students at Lockwood High School
해설 현재진행 시제는 「am/are/is+-ing」형태로 쓴다. '~을 대표하여'는 on behalf of로 쓴다.

2 정답 have been working
해설 현재완료진행 시제는 「have been+-ing」 형태로 쓴다.

3 정답 당신은 4월 16일에 우리 학교 강당에서 열릴 특별 발표회에 참석하도록 초대받았습니다.
해설 수동태 현재 are invited와 수동태 미래 will be held의 쓰임과 의미를 파악하여 해석한다.

Unit 03 조동사

어법 기본 다지는 Basic Grammar

p. 35

본동사에 의미를 더하는 조동사

1 will / 우리의 삶이 변화함에 따라 많은 새로운 직업들이 생겨날 것이다.

2 should / 등록은 프로그램 시작 최소 2일 전까지 되어야 한다.

3 might / 때때로, 친구들이 당신에게 그들이 행복하거나 슬프다고 말할지도 모른다.

4 would, be able to / 당신은 그들이 어떤 기분을 느끼고 있는지에 대해 잘 추측할 수 있을 것이다.

기출 문장으로 실전어법 개념잡기 1, 2

p. 37

1 had better 2 could 3 have to 4 might
5 should 6 used to 7 would 8 used to

1 당신은 건강을 향상시키기 위해 그 가게로 걸어가는 것이 좋을 것 같다.
▶ 문맥상 '건강을 향상시키기 위해 걸어가는 것이 좋겠다'라는 의미가 되어야 자연스러우므로 had better가 적절하다.

2 그러나 온라인에서 웃는 얼굴 (이모티콘)은 당신의 경력에 심각한 손상을 입힐 수도 있다.
▶ 약한 추측을 나타내어 '~할 수도 있다'라는 의미의 could가 적절하다.

3 그러므로 서예는 연습을 필요로 하고, 당신은 스스로 연습해야 한다.
▶ 의무를 나타내는 조동사에는 must, have to 등이 있으며 조동사 두 개가 연속해서 올 수 없다.

4 망원경이 발명되기 수세기 전, 그들은 지구가 축을 중심으로 회전하거나 혹은 태양 주변을 돌지도 모른다고 제안했다.
▶ '~일지도 모른다'라는 뜻으로, 약한 추측을 나타낼 때 조동사 might를 쓸 수 있다.

5 이러한 문제를 피하기 위해서, 여러분은 정보 수집을 시작하기 전에 문제 해결 설계 계획을 세워야 한다.
▶ 문제를 피하기 위해 어떻게 해야 하는지 알려주는 내용으로, 조언, 충고에 해당하는 조동사 should가 적절하다.

6 하지만 사춘기가 닥치면, 때때로 이런 영원한 우정은 성장통을 겪는다. 여러분은 예전에 그러했던 것보다 공유하는 것이 더 적다는 것을 알게 된다.
▶ '사춘기가 닥치면 예전에 공유하곤 했던 것이 더 적어진다'는 내용이므로, 과거의 습관, 상태를 나타내는 used to가 적절하다.

7 그래서 의사들은 심장박동을 듣거나 잠정적 사망자의 호흡으로부터 나오는 입김의 흔적이 있는지를 알기 위해 이따금씩 유명한 거울 검사를 실시하곤 했다.
▶ 과거의 반복적인 습관을 나타낼 때는 조동사 would를 사용한다. 여기서는 would listen, (would) conduct의 형태로 쓰였다.

8 나는 내 눈높이에 짠 크래커와 칩이 줄지어 놓여 있는 선반을 가지고 있곤 했다. 이것들이 먼저 내게 눈에 띄는 것이었을 때, 그것들이 나의 주된 간식이었다.
▶ 과거의 습관이나 상태를 나타내어 '~하곤 했다'라는 의미로 쓰이는 것은 used to이다. 「be used to+동사원형」은 '~하기 위해 사용되다'라는 뜻이다.

기출 문장으로 실전어법 개념잡기 3, 4

p. 39

1 should 2 may 3 must 4 may 5 be
6 (should) get 7 (should) take 8 ○

1 나는 처음부터 도움을 요청했어야 했다. 나는 나를 도울 수 있는 반 친구를 찾으려고 노력할 것이다.
▶ '도움을 요청했어야 했다'라는 의미로, 과거의 사건에 대한 후회를 나타내는 should have p.p.가 적절하다.

2 그런 숙련된 직공들은 간단한 도구를 사용했을지도 모르지만, 그들의 전문화는 더 효율적이고 생산적인 작업의 결과를 가져왔다.
▶ '숙련된 직공들이 간단한 도구를 사용했을지도 모르지만, 전문화가 효율적이고 생산적인 직업의 결과를 가져왔다'라는 의미가 되어야 자연스럽다. 따라서 약한 추측의 may have p.p.가 와야 한다.

3 종종 학교 운동회를 돋보이게 하는 것이 바로 줄다리기이기 때문에 여러분 모두는 적어도 한번은 이 경기를 해 봤을 것임에 틀림없다.
▶ 문맥상 '~했음에 틀림없다'라는 뜻의 강한 추측을 나타내는 must have p.p.가 적절하다. cannot have p.p.는 '~했을 리가 없다'라는 뜻으로, 부정 추측을 나타낸다.

4 어쩌면 우리의 시야가 차단되어 있을 수도 있다. 흔히 다른 운전자들이 선글라스를 끼고 있거나 혹은 그들의 차가 색이 옅게 들어간 창문이 있을 수도 있다.
▶ '어쩌면 우리의 시야가 차단되어 있을 수도 있다'에 이어지는 내용으로, 약한 추측을 나타내는 may have p.p.가 적절하다.

5 Hike the Valley는 하이킹 프로그램입니다. 참가자는 10세 혹은 그 이상이어야 합니다.
▶ 참가자의 나이에 대한 제한을 하고 있는 내용이므로 당위성을 나타내는 「should+동사원형」이 적절하다.

6 Nielsen씨는 북극광 오로라는 어두워진 후 어느 때나 나타날 수 있다고 말하면서, 빨리 자리를 잡아야 한다고 주장했다.
▶ 주장을 나타내는 동사 insist의 목적어 역할을 하는 that절이 당위성을 나타낼 때, 동사는 '(should) 동사원형'으로 쓴다. 따라서 (should) get으로 고쳐야 한다.

7 그녀는 대부분의 사람들이 비행을 무서워하기 때문에 간호사가 비행 중에 승객들을 봐야 한다고 Boeing Air Transport에 제안했다.
▶ 제안하는 동사 suggest의 that 목적절이 당위성을 나타낼 때 동사는 '(should) 동사원형'이 오므로 should take, 혹은 take가 되어야 한다.

8 우리 호주 의회는 이 사과가 국가 치유의 일환으로 제공되는 정신으로 받아들여지기를 정중하게 요청합니다.
▶ 요청을 나타내는 동사 request의 목적어 역할을 하는 (that절)이 당위성을 나타낼 때, 동사는 '(should) 동사원형'으로 쓴다. 여기서는 should가 생략된 형태로, 동사원형 be가 바르게 쓰였다.

어법 TEST 1 문장 어법훈련하기 p. 40

1 would rather 2 had to 3 stop, start 4 should
5 will succeed 6 ○ 7 ○

1 반대로, "나는 요리하기보다는 차라리 청소를 하겠다."라고 말하는 사람들은 음식에 대한 이러한 광범위한 열정을 공유하지 않는다.
▸ 이어진 than make dishes로 보아, 「would rather+동사원형 A+than+동사원형B」 (B하느니 차라리 A하겠다) 형태가 와야 한다.

2 우리 아이들은 조부모의 문화로 되돌아가야 한다는 말을 들으면 겁이 날 것이다.
▸ 가정법 과거 문장으로, have to의 과거형 had to가 적절하다.

3 전문가들은 모든 학생이 불필요한 것에 돈을 낭비하기를 그만두고 저축을 시작해야 한다고 제안한다.
▸ 제안을 나타내는 동사 suggest의 목적절(that 이하)에서 동사는 '(should) 동사원형'으로 쓴다. 따라서 stop, start가 적절하다.

4 네가 지금까지 해 온 모든 것이 이 순간을 위해 너를 준비시켰어야 했다.
▸ '이 순간을 위해 너를 준비시켰어야 했다'라는 의미가 되어야 자연스러우므로 should have p.p.가 적절하다. cannot have p.p.는 '~했을 리가 없다'라는 뜻이다.

5 현실적인 낙천주의자들은 그들이 성공할 것이라고 믿을 뿐만 아니라, 그들이 성공이 일어날 수 있도록 만들어야 한다고 믿는다.
▸ 조동사 뒤에는 동사원형이 와야 하므로 will succeed로 고쳐야 한다.

6 어떠한 음식도 더운 날씨에 상할 수 있으므로 판매되지 않는다.
▸ '상할 수도 있다'라는 뜻으로, 약한 추측을 나타내는 「might+동사원형」이 바르게 쓰였다.

7 이 가수들은 사람들을 화합하게 하기 위해 기술이 어떻게 사용될 수 있는지를 다시금 보여 주었다.
▸ 의문사절의 주어는 technology이고, 동사는 「조동사 could+수동태 be used+to부정사(목적)」 형태로 쓰였다. '~하기 위해 사용될 수 있었다'라는 의미이다.

어법 TEST 2 짧은 지문 어법훈련하기 p. 41

1 (A) must (B) can 2 (A) might (B) may have worked
3 ①

1 광고는 매력적인 이미지를 만들어내야 하고, 지도는 분명한 이미지를 제공해야 하지만, 어느 것도 모든 것을 말하거나 보여 주는 것으로는 목적을 달성할 수 없다.
▸ (A) 광고와 지도가 가져야 할 속성을 설명하고 있으므로 문맥상 must(~해야 한다)가 적절하다.
(B) neither에 이미 부정의 의미가 있어 '어느 것도 목적을 달성할 수 없다'라는 의미가 되려면 can이 와야 한다.

2 어떤 상품이 시장에 출시된 이후에도 한동안 광고가 되지 않았다고 가정해 보자. 그렇다면 어떤 일이 일어날까? 소비자들은 상품이 존재한다는 것을 알지 못해서, 그 제품이 그들에게 유용하더라도 아마 사지 않을 것이다. 광고는 또한 사람들이 그들에게 최적의 상품을 찾을 수 있게 도와준다.
▸ (A) 문맥상 '어떤 일이 일어날까?'라는 의미가 되어야 자연스러우므로 불확실한 추측을 나타내는 조동사 might가 적절하다.
(B) '그 제품이 그들에게 유용했을지도 모른다'라는 의미가 되어야 자연스러우므로 약한 추측을 나타내는 may have worked가 shouldn't have worked는 '유용하지 않았어야 했다'라는 의미이므로 어색하다.

3 그는 미덕이 있다는 것은 균형을 찾는 것을 의미한다고 주장했다. 예를 들어, 사람들은 용감해야 하지만, 만약 어떤 사람이 너무 용감하다면 그 사람은 무모해진다. 사람들은 남을 믿어야 하지만, 만약 어떤 사람이 남을 너무 믿는다면 그들은 잘 속아 넘어가는 사람으로 여겨진다.
▸ ① → should be brave / should have p.p.는 과거에 대한 후회나 유감을 나타내어 '~했어야 했는데 (하지 않았다)'라는 의미이다. 여기서는 문맥상 '용감해야 한다'라는 뜻의 당위를 나타내므로 should be brave로 고쳐야 한다.

어법 TEST 3 기출 유형 어법훈련하기 p. 42

구문분석 및 직독직해

❶ On the walk back to their farm, / she wondered [why white people had all kinds of nice things] and [why, (above all,) they could read / while black people couldn't].
걸어서 농장으로 돌아가는 길에 / 그녀는 의아해했다 / 왜 백인들은 온갖 종류의 좋은 것들을 가지고 있는지 / 그리고 왜 / 무엇보다도 / 그들은 읽을 줄 아는데 / 흑인들은 읽을 줄 모르는지
의문사절1(의문사+주어+동사) / 주어 / 동사 / 의문사절 2 (삽입절) / 주어 / 동사 / 접속사(양보) / (read)

❷ She decided / to learn to read.
그녀는 결심했다 / 읽는 법을 배우기로
명사적 용법의 to부정사(목적어 역할) / 사역동사 let+목적어+목적격보어(동사원형)

❸ At home / the little girl asked her father / to let her go to school, / but he told her calmly, / "There isn't any school."
집에서 / 그 어린 소녀는 아버지에게 요청했다 / 학교에 다니게 해 달라고 / 그러나 그는 그녀에게 조용히 말했다 / "학교가 없단다"라고
ask+목적어+목적격보어(to부정사) / 유도부사 there+동사+주어

❹ One day, / however, / a black woman in city clothes / changed that.
어느 날 (과거) / 그런데 / 도시 사람들의 옷차림을 한 흑인 여성이 / ~한 옷을 입은 / 그것을 바꾸어 놓았다

❺ Emma Wilson came to the McLeod cabin, / explaining [that she would open a new school / in Mayesville / for black children].
Emma Wilson은 McLeod 가족의 오두막에 왔다 / 과거시제 / 설명하면서 / 분사구문 / 접속사 that(explaining의 목적절) / 자신이 새 학교를 열 것이라고 / 시제일치 / Mayesville에 / 흑인 아이들을 위한

❻ "The school will begin / after the cotton-picking season," / she said.
학교는 시작될 것입니다 / 목화를 따는 시기가 끝난 후에 / 그녀는 말했다

❼ Mary's parents nodded / in agreement.
Mary의 부모님은 고개를 끄덕였다 / 동의하며

❽ Mrs. McLeod also nodded / toward her daughter.
McLeod 부인은 또한 고개를 끄덕였다 / 딸을 향해서도

❾ Young Mary was very excited.
어린 Mary는 매우 신이 났다
감정의 수동 표현

⑩ "I am going to read? / Miss Wilson?"
제가 읽게 될 거라고요? Wilson 선생님?
be going to: ~할 것이다(미래)

⑪ She smiled at Mary.
그녀가 Mary를 향해 미소를 지었다.

정답 ③

해석 걸어서 농장으로 돌아가는 길에, Mary는 왜 백인들은 온갖 종류의 좋은 것들을 가지고 있으며, 무엇보다도, 왜 그들은 읽을 줄 아는데 흑인들은 읽을 줄 모르는지 의아해했다. 그녀는 읽는 법을 배우기로 결심했다. 집에서 그 어린 소녀는 아버지에게 학교에 다니게 해 달라고 요청했지만, 그는 그녀에게 "학교가 없단다."라고 조용히 말했다. 그런데 어느 날, 도시 사람들의 옷차림을 한 흑인 여성이 그것을 바꿔놓았다. Emma Wilson은 McLeod 가족의 오두막에 와서 자신이 흑인 아이들을 위한 새 학교를 Mayesville에 열 것이라고 설명했다. "학교는 목화를 따는 시기가 끝난 후에 시작될 것입니다."라고 그녀는 말했다. Mary의 부모님은 동의하며 고개를 끄덕였다. McLeod 부인은 또한 딸을 향해서도 고개를 끄덕였다. 어린 Mary는 매우 신이 났다. "제가 글을 읽게 될 거라고요? Wilson 선생님?" 그녀가 Mary를 향해 미소를 지었다.

구조 분석 + 어법 POINT 확인

(A) 정답 read
이유 [조동사+동사원형] 조동사 뒤에는 동사원형이 온다.

(B) 정답 would
이유 [조동사의 시제] 시제일치에 따라 will의 과거형 would가 적절하다.

(C) 정답 am going to
이유 [미래의 조동사 be going to] 흑인 아이들을 위한 학교를 세운다는 소식에 '제가 글을 읽게 될 거라고요?'라는 문맥으로 이어지는 것이 자연스럽다. 따라서 미래를 나타내는 조동사 be going to가 적절하다. ought to는 '~해야 한다'라는 뜻이다.

어법 TEST 4 | 서술형 내신 어법훈련하기 p. 43

구문분석 및 직독직해

① People have higher expectations / as their lives get better.
사람들은 더 높은 기대감을 지닌다 / 삶이 나아질수록
접속사 get+비교급

② However, / the higher the expectations, / the more difficult / it is to be satisfied.
하지만 기대감이 더 높아질수록 / 더욱 어려워진다 / 만족감을 느끼기는
the+비교급, the+비교급
to부정사 수동태(to be+p.p.)

③ We can increase / the satisfaction [(목적격 관계대명사 that) we feel in our lives] / by controlling our expectations.
우리들은 향상시킬 수 있다 / 만족감을 / 우리의 삶에서 느끼는 / 기대감을 통제함으로써
by -ing: ~함으로써(수단)

④ Adequate expectations leave room / for many experiences / to be pleasant surprises.
적절한 기대감은 여지를 남긴다 / 많은 경험들에 대해 / 즐거운 놀라움이 되도록 하는
leave room for: ~의 여지를 남기다
to부정사(수식)

⑤ The challenge is / to find a way / to have proper expectations.
문제는 / 방법을 찾는 것이다 / 적절한 기대감을 가지는
to부정사(보어 역할) to부정사(수식)

⑥ One way to do this / is by keeping wonderful experiences / rare.
이것을 하는 한 방법은 / 멋진 경험들을 유지하는 것이다 / 드문 상태로
to부정사(수식) keep+목적어+목적격보어(형용사): ~을 …한 상태로 유지하다

⑦ No matter what you can afford, / save great wine / for special occasions.
당신이 무엇이든 살 여유가 있더라도 / 훌륭한 와인을 아껴두어라 / 특별한 경우를 위해
무엇이 ~하더라도 명령문

⑧ Make / an elegantly styled silk blouse / a special treat.
되게 하라 / 품위 있게 스타일링한 실크 블라우스를 / 특별한 즐거움이
명령문 / 5형식: make+목적어+목적격보어

⑨ This may seem / like an act of denying your desires, / but I don't think / it is (an act of denying your desires).
이것은 보일 수도 있다 / 당신의 욕구를 부정하는 행동처럼 / 하지만 / 나는 그렇게 생각하지 않는다
2형식 자동사

⑩ On the contrary, / it's a way / to make sure [that you can continue to experience pleasure].
반대로 / 그것은 방법이다 보장해 주는 / 당신이 계속해서 즐거움을 경험할 수 있도록
to부정사(수식) 접속사(목적절)
to부정사(목적어 역할)

⑪ What's the point / of great wines and great blouses / if they don't make you feel great?
무슨 의미가 있겠는가 / 멋진 와인과 멋진 블라우스가 / 당신을 기분 좋게 만들지 못한다면
조건절
사역동사+목적어+목적격보어(동사원형)

해석 사람들은 삶이 나아질수록 더 높은 기대감을 지닌다. 하지만 기대감이 더 높아질수록 만족감을 느끼기는 더욱 어려워진다. 우리들은 기대감을 통제함으로써 삶에서 느끼는 만족감을 향상시킬 수 있다. 적절한 기대감은 많은 경험들을 즐거운 놀라움이 되도록 하는 여지를 남긴다. 문제는 적절한 기대감을 가지는 방법을 찾는 것이다. 이것을 위한 하나의 방법은 멋진 경험들을 드문 상태로 유지하는 것이다. 당신이 무엇이든 살 여유가 있더라도, 특별한 경우를 위해 훌륭한 와인을 아껴 두어라. 품위 있게 스타일링한 실크 블라우스를 특별한 즐거움이 되게 하라. 이것은 당신의 욕구를 부정하는 행동처럼 보일 수도 있지만, 내 생각은 그렇지 않다. 반대로, 그것은 당신이 계속해서 즐거움을 경험할 수 있도록 보장해 주는 방법이다. 멋진 와인과 멋진 블라우스가 당신을 기분 좋게 만들지 못한다면 무슨 의미가 있겠는가?

학교시험 서술형 단골 문제 감 잡기

1 정답 We can increase the satisfaction (that) we feel in our lives by controlling our expectations.
해설 먼저 「주어+동사」를 찾아 배치한 다음, 목적어와 수식어의 자리를 찾는다. 맨 앞에 '우리들은 ~을 향상시킬 수 있다'라는 뜻의 we can increase를 쓴다. '삶에서 느끼는 만족감'은 the satisfaction 뒤에 관계대명사절이 이어지도록 the satisfaction (that) we feel in our lives로 쓸 수 있다. '통제함으로써'는 「by+-ing」를 써서 by controlling으로 쓴다. 맨 마지막에 controlling의 목적어 our expectations를 쓴다.

2 정답 This may seem like an act of denying your desires
해설 조동사 may 뒤에는 동사원형이 와야 하므로 seems를 seem으로 고쳐 쓴다.

3 정답 당신은 계속해서 즐거움을 경험할 수 있다
해설 can은 '~할 수 있다'라는 뜻의 조동사이다. 「continue+to부정사」는 '계속해서 ~하다'라는 뜻이다.

Unit 04 가정법

어법 기본 다지는 Basic Grammar p. 45

조건문 vs. 가정법

1 가정법 과거 / 그가 키가 크다면, 모델이 될 텐데.

2 조건문 / 내일 그녀가 오면, 함께 스케이트 타러 갈 것이다.

3 가정법 과거완료 / 내가 좀 더 열심히 공부했더라면, 시험에 통과했을 텐데.

4 조건문 / 만약 우리가 당신을 위해 할 수 있는 그 밖의 어떤 일이 있다면, 주저하지 말고 요청하세요.

기출 문장으로 실전어법 개념잡기 1, 2 p. 47

1 would 2 asked 3 get 4 were 5 had
6 have been 7 have had 8 have ended

1 그 그림을 여러 번 베낀다면, 그때마다 여러분의 그림이 조금 더 나아지고 조금 더 정확해진다는 것을 알게 될 것이다.
▸ 현재 사실에 대한 가정을 하는 가정법 과거 문장이다. if절의 동사가 copied로 동사의 과거형이므로, 주절은 조동사의 과거형 「would+동사원형」이 적절하다.

2 내가 당신에게 달걀이 어디에 있는지 말하라고 요청한다면, 그렇게 할 수 있겠습니까?
▸ '만약 달걀이 어디 있는지 말해 달라고 요청한다면' 으로 가정하는 내용이므로 가정법 과거인 「if+주어+과거형」이 와야 한다. 뒤에는 의문문 형태가 왔다.

3 Carnegie는 자신이 그들에게 편지를 쓰면 즉각 답장을 받을 것이라고 그녀에게 말했다.
▸ 'Carnegie told her that ~'은 'Carnegie가 그녀에게 ~ 라고 말했다'의 간접화법이다. 이어지는 내용에서 현재 사실과 반대되는 가정을 하고 있으므로 가정법 과거를 쓸 수 있다.

4 우리 아이들은 조부모의 문화로 되돌아가야 한다는 말을 들으면 겁이 날 것이다.
▸ if절이 뒤에 오고, 수동태로 쓰인 문장이다. 가정법 과거는 if절에서 동사의 과거형, 주절에서 「조동사의 과거형+동사원형」이다.

5 배터리가 죽지 않았다면 더 일찍 너에게 전화했을 것이다.
▸ 주절에서 would have called로 쓰였으며 과거 사실에 반대되는 가정이므로, 가정법 과거완료가 적절하다.

6 만약 건물을 빠져나오라는 결정이 내려지지 않았다면, 그 팀 전체가 사망했을지도 모른다.
▸ if절의 동사가 hadn't been made로, 「had+not+been+p.p.」를 사용한 가정법 과거완료 수동태 문장이다. 과거 사실에 대해 반대되는 가정을 하고 있다.

7 밖에는 강한 바람이 불고 있었다. 바람이 그렇게 강하지 않았다면 우리는 밖에서 차를 마셨을 것이다.
▸ 과거 사실에 반대되는 일이므로, 가정법 과거완료가 적절하다.

8 Ernest Hamwi가 1904년 세계 박람회에서 페르시아의 아주 얇은 와플인 zalabia를 팔고 있었을 때, 그런 마음가짐을 가지고 있었더라면, 그는 노점상으로 생을 마감했을지도 모른다.
▸ if절의 동사가 had taken으로 쓰여 '그러한 태도를 취하고 있었다면'의 과거 사실에 대한 반대 가정이므로 이어서 「조동사의 과거형+have p.p.」가 오는 가정법 과거완료가 적절하다.

기출 문장으로 실전어법 개념잡기 3, 4 p. 49

1 were 2 could 3 were 4 had
5 ○ 6 were 7 had to 8 ○

1 "나는 내 삶이 영화 속처럼 됐으면 좋겠어." 하고 한숨을 쉬며 말했다.
▸ I wish로 시작하는 문장인데 '영화 속 삶처럼 된다면 좋으련만'하고 현재의 실현 불가능한 소망을 말하고 있으므로 가정법 과거인 were가 오는 것이 적절하다.

2 내가 당신처럼 우주 항공 기술자가 된다면 좋을 텐데.
▸ '우주 항공 기술자'가 되는 것은 현재 불가능한 소망이므로 I wish 가정법 과거가 필요하다. wish 뒤에 동사의 과거형이 와야 한다.

3 그럼에도 불구하고, 우리는 때때로 어떤 것에 대해 잘 알지 못하기를 소망한다.
▸ 주어가 I가 아닌 we도 wish와 함께 가정법으로 쓸 수 있다. 내용상 현재 사실에 대한 유감 표현인 '무언가에 대해 잘 알지 못하면 좋을 텐데'의 의미가 되려면 가정법 과거가 와야 하므로 동사는 were가 오는 것이 적절하다.

4 나는 요새 너무 바쁘다. 시간이 좀 더 있다면 좋을 텐데.
▸ 앞 문장에서 '최근 바쁘다'고 했으므로 현재 사실에 대한 유감인 가정법 과거가 오는 것이 적절하다.

5 너는 주연을 맡은 것처럼 그 역을 배워야 한다.
▸ 현재 사실에 대한 반대 내용으로 '주연을 맡은 것처럼'의 의미인 가정법 문장이 필요하므로 as if가 적절하다.

6 "멋진 아이들"과 친구가 되기 위해, 나는 종종 그들이 원하는 사람인 것처럼 행동했다.
▸ 주절과 같은 시간대의 사실에 반대되는 상황을 가정하려면 as if 다음에 가정법 과거가 와야 한다. 가정법 과거 형태가 되도록 am을 were로 고친다.

7 하지만 그가 스키를 발에 신자마자, 그것은 마치 그가 처음부터 다시 걷는 것을 배워야만 하는 것과 같다.
▸ 글의 시제가 현재형이고 주절과 같은 시간대가 필요하므로, as though 뒤에는 가정법 과거 문장이 와야 한다. 동사를 과거형 had to로 고친다.

8 마치 받아쓰기를 하고 있는 것처럼, 완전한 형태로 악상이 머릿속으로 흘러 들어왔다.
▸ '마치 그가 받아쓰기를 하고 있는 것처럼'의 가정이 필요하므로, as if 뒤에는 가정법 과거 문장이 와야 한다. be동사는 3인칭 주어라도 were가 온다.

어법 TEST 1 문장 어법훈련하기 p. 50

1 would never want 2 would die 3 were 4 were 5 would 6 had defined 7 ○

1 십 대 아이가 부모나 보호자에 대한 매우 심각한 불손과 갈등을 키우지 않는다면, 그들은 결코 떠나고 싶어 하지 않을 것이다.
▸ if절에서 「if+주어+동사의 과거형」이 이어지면서 현재 발생하지 않은 일을 가정하고 있으므로 가정법 과거 문장이다.

2 기체들이 교환되는 대신에 소모된다면, 생명체들은 죽을 것이다.
▸ '기체들이 소모된다면 ~할 것이다'의 현재 상황의 가정인 가정법 과거 문장이 필요하므로 주절의 동사는 「조동사의 과거+동사원형」이 와야 한다.

3 계곡 위의 밧줄로 된 다리를 건너고 있다면, 당신은 말하는 것을 아마 멈출 것이다.
▸ '밧줄로 된 다리를 건너고 있다면'하고 상상하고 있으므로 가정법 과거가 필요하다.

4 그러고 나서 천천히, 하나하나씩, 마치 누군가가 지붕에 동전을 떨어뜨리고 있는 것처럼 빗방울이 떨어졌다.
▸ '마치 누군가가 지붕 위에 동전을 떨어뜨리고 있는 것처럼'의 의미가 되도록, 「as if+S+(조)동사의 과거형 ~」 형태의 가정법 구문으로 써야 한다. 부사구 'Slowly ~'가 문장 앞에 쓰여 동사 came과 주어 the raindrops가 도치되었다.

5 그리고 우리가 만약 상황들이 임의적이거나 매우 복잡한 방식으로 변하는 예측할 수 없는 세상에 산다면, 우리는 그 상황들을 이해할 수 없을 것이다.
▸ '예측할 수 없는 세상에 산다면'하고 현재나 미래의 상황을 가정하고 있으므로, 가정법 과거형인 「조동사의 과거형+동사원형 ~」이 따라와야 한다.

6 만약에 그들이 자신들을 대량 운송 사업에 있는 것으로 규정했더라면 어떤 일이 발생했을까?
▸ 주절의 would have happened 즉, 「조동사의 과거형+have p.p. ~」가 쓰였으므로 if절의 내용은 과거 사실에 대한 반대 상황을 상상하는 가정법 과거완료 「If+주어+had p.p. ~」가 와야 한다.

7 그들은 친구들에게 이야기할 경우에 사용할 법한 말과는 다른 언어로 글을 쓴다.
▸ 「if+주어+동사의 과거형(과거진행형)」의 형태로 '친구들과 이야기를 나누고 있다면' 하고 상상하고 있으므로 주절에서 「주어+조동사의 과거형+동사원형」이 오는 것이 자연스럽다.

어법 TEST 2 짧은 지문 어법훈련하기 p. 51

1 (A) say (B) touch (C) might 2 (A) as if (B) were 3 ③

1 만약 여러분이 동물원에 있고, 동물 우리의 창살 사이로 손을 뻗어 동물을 만질 수 있다면 여러분은 그 동물이 '가까이'에 있다고 말할지도 모른다. 여기서 'near'이라는 단어는 팔 하나 만큼의 길이를 의미한다. 여러분이 누군가에게 동네 가게에 가는 방법을 말해 주고 있다면, 만약 그 거리가 걸어서 5분 거리라면 그것을 '가까이'라고 말할 수도 있을 것이다.
▸ (A) if절의 시제가 과거형이므로, 조동사 might 다음에 동사원형이 필요하다.
(B) if절에서 you could reach out과 and로 동사의 병렬구조를 이루고 있으므로, 동사원형 touch가 알맞다.
(C) 계속해서 가정법 과거로 현재 사실에 대한 내용을 가정하고 있으므로 「주어+조동사의 과거형+동사원형」이 이어져야 한다.

2 한 실험에서 연구자들은 사람들에게 과거에 힘들었던 일을 생각해 보게 하였다. 한 그룹의 사람들에게는 마치 그 일이 다시 일어나고 있는 것처럼 되살려 보도록 했고, 다른 그룹에게는 그 장면에서 뒤로 물러나 마치 비디오를 보듯이 그 기억을 회상해 보도록 지시했다.
▸ (A) 내용상 '마치 그 일이 다시 일어나고 있는 것처럼'의 가정이 와야 하므로 as if가 알맞다.
(B) as if 뒤에는 가정법이 사용되어 동사는 과거형이 온다.

3 만약 우리가 지구를 향해 있는 성능이 정말 좋은 망원경을 가지고 있다면, 공룡이 걸어 다니고 있는 것을 볼 것이다. 우주의 끝은 아마도 너무 오래되어서 만약 우리가 그러한 망원경을 가지고 있다면 우주의 시작을 볼 수 있을지도 모른다.
▸ ③ → had / 현재의 상상이므로 가정법 과거인 「if+주어+동사의 과거형 ~」이 와야 한다. have를 had로 고친다.

어법 TEST 3 기출 유형 어법훈련하기 p. 52

구문분석 및 직독직해

❶ Andrew Carnegie, [the great early-twentieth-century businessman], once heard his sister complain / about her two sons.
Andrew Carnegie가 / 20세기 초 대단한 경영인인 (삽입) / 한 번은 들었다 (지각동사) / 자신의 누이가 (O) / 불평하는 것을 (OC(동사원형)) / 두 아들에 대해

❷ They were away / at college / and rarely responded / to her letters.
그들은 집을 떠나 / 대학을 다니면서 / 좀처럼 답장을 하지 않았다 (부정의 부사: 좀처럼 ~않다) / 그녀의 편지에

❸ Carnegie told her [that if he wrote them / he would get an immediate response].
Carnegie는 그녀에게 말했다 / (that: 접속사) 자신이 그들에게 편지를 쓰면 / 즉각 답장을 받을 것이라고
가정법 과거: if+S+동사의 과거형, S+would+동사원형

❹ He sent off / two warm letters / to the boys, / and told them [that he was happy / to send each of them / a check for a hundred dollars / (a large sum in those days)].
그는 보냈다 / 두 통의 훈훈한 편지를 / 그 아이들에게 / 그리고 말했다 그들에게 / 그는 기쁘다고 / 각각에게 보내게 되어 / 100달러짜리 수표를 / (그 당시에는 큰 액수의 돈이었던)
3형식(S+send off+DO+전치사+IO) / 간접화법 / to부정사 / 4형식(send+IO+DO)

❺ Then / he mailed the letters, / but didn't enclose the checks.
그때 / 그는 편지들을 부쳤지만 / 수표들을 동봉하지는 않았다.

❻ Within days / he received / warm grateful letters / from both boys, / who noted / at the letters' end [that he had
며칠 이내에 / 그는 받았다 / 훈훈한 감사의 편지를 / 두 아이들로부터 / 그들은 적었다 (관계대명사 계속적 용법) / 편지의 말미에 / 그가 ((Carnegie)) / 접속사(noted의 목적절)

unfortunately forgotten / to include the check].
유감스럽게도 잊었다고 수표를 넣는 것을
대과거 to부정사(목적어)

수동태(be+p.p.)
❼ If the check / had been enclosed, / would they have
그 수표가 동봉되었다면, 그들은 답장을 보냈을까?
가정법 과거완료: If+S+had p.p., would+S+have p.p.~?
responded / so quickly?
그렇게 빨리

정답 ④

해석 20세기 초 대단한 경영인인 Andrew Carnegie가 언젠가 자신의 누이가 두 아들에 대해 불평하는 것을 들었다. 그들은 집을 떠나 대학을 다니면서 거의 그녀의 편지에 답장을 하지 않았다. Carnegie는 자신이 그들에게 편지를 쓰면 즉시 답장을 받을 것이라고 그녀에게 말했다. 그는 두 통의 훈훈한 편지를 그 아이들에게 보냈고, 그들 각각에게 (그 당시에는 큰 액수의 돈이었던) 100달러짜리 수표를 보내게 되어 기쁘다고 말했다. 그때 그는 편지들을 부쳤지만 수표들을 동봉하지는 않았다. 며칠 이내에 그는 두 아이들로부터 훈훈한 감사의 편지를 받았고, 그들은 편지의 말미에 Carnegie가 유감스럽게도 수표를 넣는 것을 잊었다고 말했다. 만약 그 수표가 동봉되었다면, 그들은 그렇게 빨리 답장을 보냈을까?

구조 분석 + 어법 POINT 확인

(A) 정답 would get
이유 [가정법 과거] 현재 사실과 다른 상황을 가정하는 가정법 과거 문장이므로 주절에 「조동사의 과거형+동사원형」이 와야 한다.

(B) 정답 had
이유 [가정법 과거완료] 동사 noted의 목적절 내용이 과거 시점보다 더 예전에 있었던 일이므로 대과거(had p.p.)가 적절하다.

(C) 정답 have responded
이유 [가정법 과거완료] 과거 사실과 다른 상황을 가정하는 가정법 과거완료 문장이므로 주절의 동사는 「조동사의 과거형+have p.p.」가 적절하다.

어법 TEST 4 서술형 내신 어법훈련하기 p. 53

구문분석 및 직독직해

과거동사1
❶ If you were / at a social gathering / in a large building /
만약 여러분이 사교 모임에 있고 큰 건물에서
가정법 과거(If+S+were~ (that) 접속사(say의 목적절)
and you overheard ∨[someone say {that "the roof is on fire}],"
우연히 듣게 된다면, 누군가가 말하는 것을 '지붕이 불타고 있어'라고
과거동사2
/ what would be your reaction?
여러분의 반응은 무엇일까?
S+would+동사원형)

❷ Until you knew / more information, / your first inclination
여러분이 알 때까지, 더 많은 정보를 여러분의 맨 처음 마음은
때의 접속사 주어
/ might be / toward safety and survival.
~ 것이다 안전과 생존을 향할
추측의 조동사+동사원형

접속사(find out의 목적절)
❸ But / if you were to find out [that this particular person /
그러나 여러분이 알게 된다면, 이 특정한 사람이
가정법 과거 (which is)
was talking about / a song ∨called "The Roof Is on Fire]," your
~에 관해 이야기하고 있다는 것을 '지붕이 불타고 있어'라고 불리는 노래 여러분의
과거분사 (주절) 주어
feelings / of threat and danger / would be diminished.
느낌은 우려와 위험의 줄어들 것이다.
전치사구 조동사의 과거형+동사원형(수동태)

❹ So / once the additional facts / are understood — [that
그러므로 일단 추가적인 사실이 이해되면,
부사: 일단 ~하면 삽입절
the person / was referring to / a song / and not a real fire] —
그 사람이 언급하고 있다 노래를 진짜 화재가 아니라
the context / is better understood / and you are / in a better
맥락이 더 잘 이해되고 여러분은 더 나은
수동태 (to)
position / to judge and ∨react.
위치에 있게 된다 판단하고 반응할
to부정사

❺ All too often / people react / far too quickly and emotionally
너무 자주 사람들은 반응한다 지나치게 성급하고 감정적으로
부사
/ over information / without establishing context.
정보에 대해 맥락을 규명하지 않은 채

(which is)
❻ It is / so important / for us / to identify context ∨related
그것은 매우 중요하다 우리가 맥락을 확인하는 것 정보와 관련된
가주어 의미상 주어 진주어(to부정사) 과거분사
to information / because if we fail to do so, / we may judge
왜냐하면 만약 우리가 그렇게 하지 않는다면 우리는 판단하고
if 조건문
and react / too quickly.
반응할 지도 모른다 너무 성급하게
부사

해석 여러분이 큰 건물에서 사교 모임에 있고 누군가가 '지붕이 불타고 있어'라고 말하는 것을 우연히 듣게 된다면, 여러분의 반응은 어떤 것일까? 여러분이 더 많은 정보를 알 때까지, 여러분의 처음 심정은 안전과 생존을 향할 것이다. 그러나 여러분이 이 특정한 사람이 '지붕이 불타고 있어'라고 불리는 노래에 관해 이야기하고 있다는 것을 알게 된다면, 여러분의 걱정과 위험의 느낌은 줄어들 것이다. 그러므로 그 사람이 진짜 화재가 아니라 노래를 언급하고 있다는 추가적인 사실이 일단 이해되면, 맥락이 더 잘 이해되고 여러분은 판단하고 반응할 더 나은 위치에 있게 된다. 너무 자주 사람들은 맥락을 규명하지 않은 채 정보에 대해 지나치게 성급하고 감정적으로 반응한다. 우리가 정보와 관련된 맥락을 확인하는 것이 매우 중요한데, 만약 우리가 그렇게 하지 않는다면 우리는 너무 성급하게 판단하고 반응할 수 있기 때문이다.

학교시험 서술형 단골 문제 감 잡기

1 정답 were / 현재시제에 일어나지 않은 일을 가정하는 상황이므로 가정법 과거 구문(if절에 동사의 과거형이 필요하다.)

2 정답 safety, survival
해설 safe는 형용사로 '안전한', survive는 동사로 '살아남다, 생존하다'의 의미이며, 각 단어의 파생어를 확인한다. '안전'은 safety, '생존'은 survival이다.

3 정답 will → would / 당신의 위협과 위험의 느낌은 줄어들 것이다.
해설 4행 'if you were to find ~'에 이어진 현재 사실의 반대 상황을 가정하는 가정법 과거 문장의 주절이므로, 「조동사 과거형+동사원형」이 와야 한다.

Unit 05 태

어법 기본 다지는 Basic Grammar p. 55

수동태의 다양한 형태 1 divided 2 were held 3 will be announced 4 not damaged 5 be sold 6 to be invited

기출 문장으로 실전어법 개념잡기 1, 2 p. 57

1 are provided 2 resolved 3 was born
4 allowed, accepting 5 was defeated
6 are called 7 were set up, considered 8 is given

1 물과 간식은 무료로 제공된다.
▶ 물과 간식이 '제공하는' 것이 아니라 '제공되는' 것이므로 수동태 are provided가 적절하다.

2 흔히 고전 동화에서 갈등은 영구적으로 해결된다.
▶ 주어가 the conflict(갈등)이므로 수동태 문장이 되어야 한다. 「be동사+p.p.」 사이에 동사를 수식하는 부사가 있는 문장이다.

3 Ellen Church는 1904년에 Iowa에서 태어났다.
▶ bear는 '낳다'라는 뜻으로, '태어났다'라는 의미는 수동태 과거로 표현한다.

4 애완동물은 허용되지 않습니다. 우리는 현재 가이드 투어를 위한 예약을 받고 있습니다.
▶ 주어가 No pets이므로 '허용되다'라는 의미의 수동태가 되어야 한다. 두 번째 문장은 bookings for guided tours(가이드 투어를 위한 예약)가 목적어로 쓰인 능동태 문장으로 현재진행 시제가 사용되었다.

5 Moinee라는 신이 하늘 위 별에서 벌어진 끔찍한 전투에서 경쟁하는 신 Dromerdeener에게 패배했다.
▶ defeat는 '패배시키다, 물리치다'라는 뜻으로, 문장에 목적어가 없고 뒤에 이어지는 by a rival god로 보아 수동태가 되어야 한다. 또한, called 앞에는 「관계대명사+be동사」인 who was가 생략된 형태로, 과거분사가 선행사 god를 수식하고 있다.)

6 이런 약은 '항생 물질'이라고 불리며, 이는 '박테리아의 생명에 대항하는 것'을 의미한다.
▶ 「call A B」 구조의 5형식 문장(They called these medicines "antibiotics.")의 수동태 문장으로, 「by+행위자」는 생략되었다. '~으로 불린다'라는 의미이므로 수동태가 되어야 한다.

7 두 그룹 사이에 일련의 운동 경기가 마련되었다. 곧, 각 그룹은 서로를 적으로 여겼다.
▶ 주어가 동작을 하는 주체인지, 동작을 받는 대상인지를 파악하고, 목적어가 있는지 없는지 확인한다. 두 번째 문장은 「consider A B(A를 B로 여기다)」 구조의 5형식 문장의 능동태이다.

8 구매 상황에서 같은 할인액이 주어질 때, 그 할인의 상대적인 가치가 사람들이 그 가치를 어떻게 인식하는지에 영향을 미친다.
▶ the same amount of discount가 주어이고 문장에 목적어가 없다. 따라서 동사는 '주어지다'라는 의미의 수동태가 되어야 한다.

기출 문장으로 실전어법 개념잡기 3, 4 p. 59

1 had been helped 2 being 3 was 4 been 5 ○
6 appear 7 remained 8 ○, is made up of

1 이전에 모르는 파트너에게 도움을 받은 적이 있는 쥐들은 다른 쥐들을 돕는 경향이 더 높았다.
▶ 과거완료 수동태 문장이다. 과거 시점보다 더 이전에 '도움을 받았었던'이라는 의미이므로 과거완료 수동태 had been helped가 적절하다.

2 1930년대에 호주로 유입된 외래침입종인 수수두꺼비에 의해 주머니고양이의 생존이 위협받고 있었다.
▶ 수수두꺼비에 의해 '위협받고 있었다'라는 의미의 수동태가 되어야 한다. 따라서 「(was/were)+being+p.p.」 형태의 과거 진행 수동태인 was being threatened가 적절하다.

3 어제 그는 고열로 몸져누워 있었기 때문에 가게에 나올 수 없었다.
▶ yesterday라는 과거의 명확한 때를 나타내는 표현이 있으므로 수동태 과거형이 적절하다. be laid up은 구동사의 수동태로, '몸져눕다, 아파 누워 있다'라는 뜻이다.

4 6세에서 24세의 젊은 사람들이 미국 전체 지출의 약 50%에 영향을 미치는 것으로 보고되어 왔다.
▶ it은 가주어, that 이하는 진주어이다. 문장의 목적어가 없고, '보고되어 왔다'라는 의미가 되어야 하므로 현재완료 수동태가 적절하다.

5 그녀는 대부분의 사람들이 비행을 무서워하기 때문에 간호사가 비행 중에 승객을 돌봐야 한다고 Boeing Air Transport에 제안했다.
▶ be frightened of는 '~을 두려워하다'의 뜻으로 감정을 나타내는 수동태이다.

6 그들은 다른 사람들보다 우월하게 보이거나 느끼려고 애쓰는 데 관심이 없다.
▶ appear는 '~처럼 보이다'라는 뜻의 자동사로, 수동태를 쓸 수 없다.

7 2014년에 신문을 이용한 영국 성인의 비율은 2013년과 동일했다.
▶ remain은 '~으로 남다, ~으로 남아 있다'라는 뜻의 자동사로, 수동태를 쓸 수 없다.

8 어떤 모래는 조개껍질이나 암초와 같은 것들로부터 바다에서 만들어지기도 하지만, 대부분의 모래는 완전히 산맥에서 온 암석의 작은 조각들로 이루어져 있다!
▶ '~으로 이루어져 있다'라는 뜻은 be made up of라는 수동태 표현을 쓴다.

어법 TEST 1 문장 어법훈련하기 p. 60

1 are unusually gifted, look 2 are motivated
3 consist, are believed 4 is perceived, sold
5 ○ 6 existed, ○ 7 ○, is required

1 특별하게 재능이 있는 것이 아니라면 여러분의 그림은 마음의 눈으로 보고 있는 것과 완전히 다르게 보일 것이다.
▶ 조건절의 주어는 you로 '재능을 받은' 것이므로 수동태가 적절하다. look은 '~처럼 보이다'라는 뜻의 자동사로, 수동태를 쓸 수 없다.

2 만약 좋은 차를 사고자 동기 부여가 되어 있다면, 당신은 온라인으로 차들을 검색하고, 광고를 자세히 보며, 자동차 대리점들을 방문하는 것 등을 할 것이다.
▶ motivate는 '동기를 부여하다'라는 뜻으로, '동기 부여가 되다'라는 의미가 되어야 하므로 수동태가 적절하다.

3 Nauru 원주민들은 12개의 부족으로 이루어져 있으며 이들은 Micronesia인, Polynesia인, Melanesia인이 혼합된 것으로 여겨진다.
▶ consist는 '~으로 구성되다'라는 뜻의 자동사로, 목적어를 취하지 않으므로 수동태를 쓸 수 없다. and로 연결된 병렬구조의 문장으로, 주어가 the motive people of Nauru이므로 '~로 여겨진다'라는 뜻의 수동태가 적절하다.

4 사실, 검은색은 흰색보다 두 배 더 무거운 것으로 인지된다. 따라서 넥타이와 액세서리와 같이 작지만 값비싼 상품들은 종종 어두운 색의 쇼핑백이나 케이스에 담겨 판매된다.
▶ 검은색이 '인지되는' 대상이므로 수동태가 적절하다. 또한, 넥타이와 액세서리 같은 귀중품은 '팔리는' 대상이므로 수동태가 적절하다.

5 일부 과학자들은 우리가 안정된 사회적 관계를 지속할 수 있는 사람들의 수는 우리의 두뇌에 의해 자연스럽게 제한될 수 있다고 믿는다.
▶ 주어는 the number이고, of ~ relationships는 수식어이다. 조동사의 수동태는 「조동사+be+p.p.」 형태로 쓴다.

6 그들은 2억 년 쯤 전에 존재했고, 그 뼈가 화석으로 보존되어 왔기 때문에 우리는 그들에 대해 알고 있다.
▶ exist는 '존재하다'라는 뜻의 자동사로, 수동태를 쓸 수 없다. 또한, 뼈가 '보존되어 온' 것이므로 현재완료 수동태가 바르게 쓰였다.

7 각 수업은 10명의 아이들로 제한된다. 적어도 열흘 전에 예약이 필요하다.
▶ 주어가 능동의 행위를 하는 것인지, 행위를 받는 것인지에 따라 능동태, 수동태 문장을 구분한다. 수업의 인원이 '제한되는' 것이므로 수동태가 바르게 쓰였다. 또한, 예약이 '요구되는' 것이므로, 수동태로 고쳐야 한다.

어법 TEST 2 짧은 지문 어법훈련하기 p. 61

1 (A) died (B) published (C) was published
2 (A) was forced (B) taught (C) was awarded **3** ②

1 그는 1923년 Chicago에서 심장병으로 사망했다. 그의 33년 경력 동안 Turner는 70편이 넘는 논문을 발표했다. 그의 마지막 과학 논문은 그의 사망 다음 해에 발표되었다.
▶ (A) '죽었다'라는 뜻으로 능동태인 died로 쓴다.
(B) 주어가 사람이고, 뒤에 목적어가 있으므로 능동태 문장이 되어야 한다.
(C) 주어가 His last scientific paper(그의 마지막 과학 논문)이므로 '출간되었다'라는 뜻의 수동태가 적절하다.

2 Boole은 아버지의 사업이 실패한 후 16세의 나이에 학교를 그만두게 되었다. 그는 수학, 자연 철학 및 여러 언어를 독학했다. 그는 독창적인 수학적 연구를 만들기 시작했고 수학 분야에서 중요한 공헌을 했다. 그러한 공헌으로, 1844년에 그는 Royal Society에서 수학으로 금메달을 받았다.
▶ (A) Boole이 학교를 그만두게 '강요한' 것이 아니라 '강요된' 것이므로 수동태가 적절하다.
(B) 동사 뒤에 재귀대명사 himself가 taught의 목적어로 쓰였으므로, 능동태가 적절하다.
(C) 그가 '상을 받게 된' 것이므로, 수동태 was awarded가 적절하다.

3 셰익스피어는, 당대 대부분의 극작가들과 마찬가지로 늘 혼자 작품을 썼던 것은 아니라고 흔히 믿어지며, 그의 희곡 중 다수가 협업을 한 것으로 여겨지거나 원본 창작 후에 개작되었다.
▶ ② → are considered / 문장의 주어 many of his plays(그의 희곡 중 다수)가 협업을 한 것으로 '여기지는' 것이므로 수동태로 고쳐야 한다. 내용상 작품의 성격에 대한 설명이므로 과거시제가 아닌 현재시제로 쓰였다.

어법 TEST 3 기출 유형 어법훈련하기 p. 62

구문분석 및 직독직해

❶ Some professionals argue [that many teenagers / can actually study productively / under less-than-ideal conditions / because they're been exposed repeatedly / to "background noise" / since early childhood].
일부 전문가들은 주장한다 / 많은 십 대들이 실제로 / 생산적으로 공부할 수 있다고 / 전혀 이상적이지 않은 상황에서 / 왜냐하면 그들은 반복적으로 노출되어 왔기 때문에 / '배경 소음'에 / 어린 시절부터
(명사절 접속사(argue의 목적절) / 부사 / 현재완료 수동태 / expose to: ~에 노출시키다 / 전치사)

❷ These educators argue [that children have become used / to the sounds of the TV, video games, and loud music].
이 교육 전문가들은 주장한다 / 아이들이 익숙해졌다고 / TV, 비디오 게임, 그리고 시끄러운 음악 소리에
(명사절 접속사(argue의 목적절) / be(become) used to: ~에 익숙해지다)

❸ They also argue [that insisting / ∨students∨turn off the TV or radio / when∨ doing homework / will not necessarily improve / their academic performance].
그들은 또한 주장한다 / 주장하는 것이 / 학생들이 TV나 라디오를 꺼야 한다고 / 숙제를 할 때 / 반드시 높이는 것은 아니라고 / 그들의 학업 성적을
(명사절 접속사(argue의 목적절) / 동명사 주어 / (that) 생략 / (should) 생략 / (they are) 생략 / 접속사+분사구문 / 동사 / 목적어)

❹ This position is certainly not generally shared, / however.
이 견해는 / 분명히 일반적으로 공유되는 것은 아니다 / 그러나
(수동태 현재)

❺ Many teachers and learning experts / are convinced / by their own experiences [that students {who study / in a noisy environment} often learn inefficiently].
많은 교사들과 학습 전문가들은 / 확신한다 / 그들 자신의 경험으로 / 학생들이 공부하는 시끄러운 환경에서 / 흔히 비효율적으로 학습한다는 것을
(수동태 현재 / by+행위자 / 명사절 접속사 / 관계사절)

정답 ②

해석 일부 전문가들은 많은 십 대들이 어린 시절부터 '배경 소음'에 반복적으로 노출되어 왔기 때문에 실제로 전혀 이상적이지 않은 상황에서 생산적으로 공부할 수 있다고 주장한다. 이 교육 전문가들은 아이들이 TV, 비디오 게임, 그리고 시끄러운 음악 소리에 익숙해졌다고 주장한다. 그들은 또한 숙제를 할 때 학생들이 TV나 라디오를 꺼야 한다고 주장하는 것이 반드시 그들의 학업 성적을 높이는 것은 아니라고 주장한다. 그러나 이러한 입장이 확실히 일반적으로 공유되는 것은 아니다. 많은 교사와 학습 전문가는 시끄러운 환경에서 공부하는 학생들이 흔히 비효율적으로 학습한다는 것을 그들 자신의 경험에 의해 확신한다.

구조 분석 + 어법 POINT 확인

(A) 정답 been exposed

이유 [완료시제의 수동태] '노출되어 온' 것이므로 수동태가 적절하다. 과거부터 현재까지 영향을 미치는 현재완료 수동태가 쓰인 문장이다.

(B) 정답 shared

이유 [능동태 vs. 수동태] 주어가 this position으로, 내용상 '공유하는' 것이 아니라 '공유되는' 것이므로 수동태가 적절하다.

(C) 정답 are convinced

이유 [능동태 vs. 수동태] convince는 '확신시키다, 납득시키다'라는 뜻의 타동사이고, 주어가 '확신하는' 것이므로 수동태가 적절하다.

어법 TEST 4 서술형 내신 어법훈련하기 p. 63

구문분석 및 직독직해

❶ A large American hardware manufacturer / was invited /
미국의 큰 하드웨어 제조업체가 / 초대를 받았다 (수동태 과거)

to introduce / its products / to a distributor with good
소개해달라는 / 자사의 제품을 / 평판이 좋은 배급 업체에 (전치사 to)

reputation / in Germany.
독일의

❷ Wanting to make the best possible impression, / the
가능한 한 가장 좋은 인상을 주고 싶었기 때문에 (분사구문)

American company sent / its most promising young
그 미국 회사는 보냈다 (주어, 동사) / 자사의 가장 유망한 젊은 임원인 (목적어) (its = the company's)

executive, / Fred Wagner, [who spoke fluent German].
Fred Wagner를 / 독일어를 유창하게 하는 (동격의 콤마(,) 삽입, 관계사절, 형용사)

❸ When Fred first met / his German hosts, / he shook hands
Fred가 처음 만났을 때 (시간의 접속사) / 자신을 초대한 독일인들을 / 그는 굳게 악수를 했고 (동사1)

firmly, / greeted everyone in German, / and even remembered
모두에게 독일어로 인사를 했으며 (동사2) / 심지어 잊지 않았다 (and 동사3)

to bow the head slightly / as is the German custom.
고개를 약간 숙여 인사하는 것을 / 그렇게 하는 것이 독일의 풍습이었다
remember+to부정사:~할 것을 잊지 않다

❹ Fred, / a very effective public speaker, / began his
Fred는 / 아주 뛰어난 대중 연설가인 (동격 삽입) / 자신의 발표를 시작했다

presentation / with a few humorous jokes / to set a relaxed
몇 가지 웃기는 농담으로 / 편안한 분위기를 만들기 위해 (to부정사(목적))

atmosphere.

❺ However, / he felt [that his presentation / was not very
그러나 / 그는 느꼈다 / 자신의 발표가 (명사절 접속사(felt의 목적절)) / 아주 잘

well received / by the German executives].
받아들여지지 않는 것을 (수동태 과거) / 독일의 임원들에게 「by+행위자」

❻ Even though Fred thought∨ [he had done / his cultural
비록 Fred는 생각했지만 (양보의 접속사+주어+동사) (접속사 that) / 다했다고 (대과거) / 그의 문화에 관한

homework], he made one particular error.
숙제를 / 그는 한 가지 특정한 실수를 저질렀다

❼ Fred did not win / any points / by telling a few jokes.
Fred는 얻지 못했다 / 아무 점수도 / 몇 가지 농담을 한 것으로 「by+-ing」: ~함으로써

❽ It was viewed / as too informal and unprofessional / in a
그것은 여겨졌다 (수동태 과거) / 너무 격식을 차리지 않고 비전문적인 것으로

German business setting.
독일의 비즈니스 상황에서는

해석 미국의 큰 하드웨어 제조업체가 독일의 평판이 좋은 배급 업체에 자사의 제품을 소개를 해달라고 초대를 받았다. 가능한 한 가장 좋은 인상을 주고 싶었기 때문에 그 미국 회사는 독일어를 유창하게 하는 자사의 가장 유망한 젊은 임원인 Fred Wagner를 보냈다. Fred가 자신을 초대한 독일인들을 처음 만났을 때, 그는 굳게 악수를 했고 모두에게 독일어로 인사를 했으며, 고개를 약간 숙여 인사하는 것까지도 잊지 않았는데, 그렇게 하는 것이 독일의 풍습이었다. 사람들 앞에서 아주 연설을 잘하는 Fred는 편안한 분위기를 만들려고 몇 가지 웃기는 농담으로 자신의 발표를 시작했다. 그러나 그는 자신의 발표가 독일의 임원들에게 썩 잘 받아들여지지 않는다고 느꼈다. 비록 Fred는 자신이 문화에 관해서 철저히 대비했다고 생각했지만, 한 가지 특정한 실수를 저질렀던 것이다. Fred는 몇 가지 농담을 한 것으로는 아무 점수도 얻지 못했다. 독일의 비즈니스 상황에서는 그것은 너무 격식을 차리지 않는 비전문적인 것으로 여겨졌다.

학교시험 서술형 단골 문제 감 잡기

1 정답 was invited / 목적어가 없고, 주어 manufacturer(제조업체)가 '초대된' 것이므로 수동태

해설 과거시제로 쓰인 글이므로 수동태 과거 「was/were+p.p.」가 왔다.

2 정답 sent

해설 주어가 the American company(그 미국 회사), 목적어가 its most promising young executive(가장 유망한 젊은 임원)인 능동태 문장이다. 전체적인 글의 시제가 과거이므로 send의 과거형 sent를 쓴다.

3 정답 그는 자신의 발표가 독일의 임원들에게 썩 잘 받아들여지지 않는다고 느꼈다

해설 felt 다음에 that은 명사절을 이끄는 접속사로, that 이하는 목적절이다. was received는 수동태로, '받아들여졌다'라고 해석한다.

Unit 06 to부정사와 동명사

어법 기본 다지는 Basic Grammar p. 67

준동사 1 to go 2 making 3 riding
to부정사 1 to go, 명사 역할(목적어) 2 to drink, 형용사 역할 (명사 수식) 3 to win, 부사 역할(목적: ~하기 위해)
동명사 1 Playing 2 meeting 3 smoking

기출 문장으로 실전어법 개념잡기 1, 2 p. 69

1 allowed 2 encouraged 3 To distinguish
4 to make 5 ○ 6 crashing 7 to follow
8 ○, caring

1 이것들은, 집안일에 필요한 일의 양을 크게 감소시킴으로써, 여성들이 노동시장에 진입할 수 있도록 했고 사실상 가사 노동과 같은 직업들을 없앴다.
▶ 문장의 서술어 역할을 하는 동사의 자리이므로 준동사가 아닌 일반동사가 알맞다.

2 그는 우주의 본질을 조사하기 위해 이성을 사용했고, 다른 이들도 그렇게 하도록 격려했다.
▶ 접속사 and 뒤에 나오는 절에서 서술어 역할을 하므로 준동사가 아닌 일반동사가 알맞다.

3 그들 스스로를 다른 평민들과 구분하기 위해, 이 사람들은 그들 자신을 분리하고 그들의 새롭고, 높은 사회적 지위를 보여 주기 위한 새로운 말하기 방식들을 개발했다.
▶ 문장의 서술어는 developed이므로, 목적을 나타내는 부사 역할을 하는 준동사인 To distinguish가 알맞다.

4 이 경우, 응답자의 68%가 5달러를 아끼기 위해 그 가게에 가기로 결심했다.
▶ decide가 to부정사를 목적어로 취하므로 to make가 알맞다.

5 그들은 자신들의 상사를 위해 몇 마일을 더 가는 것을 전혀 개의치 않는 직원들을 가지고 있다.
▶ mind는 목적어로 동명사만을 취하므로 going이 알맞다.

6 실험 대상자들은 게임 참가자가 도로에 경고 없이 나타나는 벽에 충돌하는 것을 피해야 하는 컴퓨터 운전 게임을 했다.
▶ avoid가 목적어로 동명사만을 취하므로 to crash가 아닌 crashing이 알맞다.

7 더 많은 수의 나라들이 자연의 권리를 인정하고 있으며 에콰도르의 선례를 따를 것으로 기대된다.
▶ expect가 to부정사를 목적어로 취하므로 to follow가 알맞다.

8 이런 상사들은 그들에게 무엇을 다르게 해야 할지를 말하는 것이 아니라, 배려하는 것으로 그들의 팀의 행동에 영향을 준다.
▶ 전치사 다음에는 동명사가 온다.

기출 문장으로 실전어법 개념잡기 3, 4 p. 71

1 wasting 2 to bow 3 to include 4 fixing up
5 to start 6 to go 7 to fall 8 pass

1 전문가들은 젊은이들이 불필요한 것에 돈을 낭비하는 것을 멈추고 저축을 하는 것을 제안한다.
▶ 문맥상 '돈을 낭비하는 것을 멈추다'이므로 동명사 wasting이 알맞다.

2 Fred가 자기를 초대한 독일인들을 처음 만났을 때, 그는 굳게 악수를 했고, 모두에게 독일어로 인사를 했으며, 독일의 풍습대로 고개를 약간 숙여 인사하는 것까지도 기억했다.
▶ 문맥상 '인사했던 것을' 기억한 것이 아니라 '인사하는 것을' 기억했다는 의미이므로 to bow가 알맞다.

3 며칠 내에 그는 두 아이들로부터 따뜻한 감사의 편지를 받았는데, 그들은 편지들의 끝에 그가 유감스럽게도 수표를 넣는 것을 잊었다고 썼다.
▶ 문맥상 '수표를 넣는 것을 잊었다'라는 뜻이므로 to include가 알맞다.

4 만약 그 노인이 돈을 가지고 돌아오지 않으면 어쩌지? 그는 그 노인의 자전거를 수리했던 것을 후회했다.
▶ 문맥상 '노인의 자전거를 수리했던 것을 후회했다'는 의미이므로 fixing up이 알맞다.

5 *Charlie Brown*과 *Blondie*는 내 아침 일과의 일부이고 내가 미소로 하루를 시작할 수 있도록 도와준다.
▶ 준사역동사 help는 목적격보어로 원형부정사(동사원형)나 to부정사를 취하므로 to start가 알맞다.

6 그 사람이 바로 평상시처럼 행동하는 것으로 돌아갈 것이라고 기대하지 마라.
▶ 5형식 동사 expect의 목적어는 the person, 목적격보어는 to부정사를 취하므로 to go가 알맞다.

7 암실에서 그는 가느다란 햇빛 한 줄기가 삼각 유리 프리즘 위에 떨어지게 하였다.
▶ allowed의 목적어는 a thin ray of sunlight이고, 목적격보어로 to부정사를 취하므로 to fall이 알맞다.

8 우리는 이것의 대부분이 최소의 기억 또는 반응과 함께 우리의 뇌를 빠져나가게 둔다.
▶ 사역동사 let은 목적어와 목적격보어의 관계가 능동일 때 목적격보어로 원형부정사(동사원형)를 취하므로 pass가 알맞다.

어법 TEST 1 문장 어법훈련하기 p. 72

1 to produce, producing 2 see, to see 3 advised
4 to also perform 5 ○ 6 enter 또는 entering
7 to acquire

1 그는 독창적인 수학적 연구를 만들어 내기 시작했다.
▶ began의 목적어로 준동사가 와야 하며, began은 to부정사와 동명사를 모두 취할 수 있다.

2 예를 들어, 화가 Pablo Picasso는 우리가 세상을 다르게 보도록 돕는 방법으로 큐비즘을 이용했다.

▶ help는 준사역동사로서 목적격보어로 원형부정사(동사원형)나 to부정사를 취할 수 있다.

3 그러고 나서 그는 운전 중 난폭 행동에 대한 그의 경험을 계속해서 열거했고, 나에게 매우 조심스럽게 운전하라고 충고했다.

▶ 접속사 and 뒤에 나오는 절의 서술어이므로 준동사가 아닌 일반동사 advised가 알맞다.

4 교육자들의 도전 과제는 기본적인 기술에서의 개별적인 능숙함을 보장하는 동시에 학생들이 팀에서 잘 수행할 수 있도록 하는 학습 기회를 더하는 것이다.

▶ enable은 목적격보어로 to부정사를 취하므로 to perform이 알맞다.

5 그러한 광고들은 꽤 전형적이고, 소비자로서 우리는 그저 스스로의 판단력을 사용해서 광고의 주장을 너무 진지하게 받아들이는 것을 피해야 한다.

▶ avoid는 목적어로 동명사를 취한다.

6 하지만, 갑자기 당신은 여섯 명의 무리가 그 중 하나로 들어가는 것을 본다.

▶ see는 목적격보어로 원형부정사(동사원형)나 현재분사 형태를 취한다. a group of six people은 see의 목적어이다.

7 결과적으로, 과거의 교사들은 그룹 활동을 덜 자주 마련하거나 학생들이 팀워크 기술을 습득하는 것을 덜 권장했다.

▶ encourage는 목적격보어로 to부정사를 취하므로 to acquire가 알맞다.

어법 TEST 2 | 짧은 지문 어법훈련하기 p. 73

1 (A) to forget (B) to control **2** (A) to find (B) to figure
3 ①

1 과거가 어땠는지에 당신의 결정의 기초를 두지 마라. 당신의 미래는 당신의 과거가 아니고 당신에게는 더 나은 미래가 있다. 당신은 과거를 잊고 놓아줄 것을 결심해야 한다. 과거의 경험이 여러분을 지배하도록 허용할 때만 그것이 현재의 꿈을 훔치는 도둑이 된다.

▶ (A) decide는 목적어로 to부정사가 오므로 to forget이 알맞다.
(B) allow는 목적격보어로 to부정사가 오므로 to control이 알맞다.

2 혼자 있는 시간은 사람들로 하여금 그들의 경험을 정리하고, 통찰하고, 미래를 계획하도록 한다. 나는 그것(혼자 있는 시간)이 당신의 삶을 바꿀 잠재력을 가지고 있기 때문에 여러분이 생각할 수 있는 장소를 찾고 잠시 멈추어 그것을 사용할 수 있도록 스스로를 훈련시킬 것을 강력히 권장한다. 그것은 당신이 무엇이 정말 중요하고 중요하지 않은지를 알아내는 것을 도울 수 있다.

▶ (A) encourage는 목적격보어로 to부정사를 취하므로 to find가 알맞다.
(B) 준사역동사 help는 목적격보어로 원형부정사나 to부정사를 취하므로 to figure가 알맞다.

3 그날 저녁 Toby가 캠프로 돌아왔을 때 그는 크고 슬픈 눈을 가진 그 어린 소년에 대해 생각하는 것을 멈출 수 없었다. 그 소년과 그 자신이 셔츠를 주는 것을 거부했던 일에 대해 생각하면서 Toby는 자신이 한 결정에 대해 울었다. 하지만 이내 Toby는 자신이 셔츠를 주기를 거부했던 그 소년에 대해 잊지 않기로 맹세했다. Toby가 Michigan에 있는 집으로 돌아왔을 때, 그는 그가 본 사람들의 삶을 변화시키기로 한 자신의 약속을 지키려고 노력했다.

▶ ① → thinking / 문맥상 '생각하는 것을 멈출 수 없었다'는 의미이므로 to부정사가 아닌 동명사가 와야 한다.

어법 TEST 3 | 기출 유형 어법훈련하기 p. 74

구문분석 및 직독직해

❶ Every event [that causes you to smile] makes you / feel happy / and produces feel-good chemicals / in your brain.
모든 사건들은 (당신을 미소 짓게 하는) 당신을 ~하게 만든다 행복하게 느끼도록 그리고 기분을 좋게 하는 화학물질을 생성한다 당신의 뇌 안에서
(동사1: causes / that: 주격 관계대명사, you: O, to smile: OC(to부정사) / makes: 사역동사, feel: OC(원형부정사) / produces: 동사2)

❷ Force your face / to smile even when you are stressed or feel unhappy.
당신의 얼굴을 강제하라 미소 짓도록 당신이 스트레스를 받았거나 불행함을 느낄 때도
(명령문 V, O, OC(to부정사), 부사절(시간))

❸ The facial muscular pattern / produced by the smile / is linked / to all the "happy networks" / in your brain / and will [in turn] naturally calm you down / and change your brain chemistry / by releasing the same feel-good chemicals.
얼굴 근육의 패턴은 미소에 의해 만들어진 연결되어 있다 '행복 연결망'과 당신의 뇌 안에 있는 그리고 결과적으로 자연스럽게 당신을 진정시킨다 그리고 당신의 뇌의 화학 작용을 변화시킨다 기분을 좋게 하는 동일한 화학물질을 내보냄으로써
(produced: 과거분사 / is linked: 동사1(수동태) / calm: 동사2 / change: 동사3 / releasing: 동명사(전치사의 목적어))

❹ Researchers / studied / the effects / of a genuine and forced smile on individuals / during a stressful event.
연구자들은 연구했다 효과들을 진짜 미소와 강제된 미소의 개인들에 있어서 스트레스를 받는 상황 동안
(S, V, O)

❺ The researchers / had participants / perform stressful tasks / while (they are) not smiling, smiling, or holding chopsticks crossways in their mouths / (to force the face / to form a smile).
연구자들은 참가자들을 ~하게 했다 스트레스를 받게 하는 임무를 수행하도록 미소 짓지 않거나, 미소 짓거나, 그들의 입에 젓가락을 옆으로 물고 있는 동안 / 얼굴을 강제하기 위해 미소를 만들도록
(had: 사역동사, perform: OC(원형부정사) / while ~: 분사구문 / to force: 부사적 용법(목적), V, O, to form: OC(to부정사))

❻ The results of the study / showed [that smiling, (forced or genuine), during stressful events / reduced / the intensity of the stress response / in the body / and lowered / heart rate levels / after recovering from the stress].
연구의 결과들은 보여주었다 미소 짓는 것이 강제되었든 진짜이든 스트레스 상황 동안 감소시켰다 스트레스 반응의 강도를 몸속의 그리고 낮추었다 심장 박동률을 스트레스에서 회복하고 난 후에
(주절주어, 동사, 명사절(목적어) 주어, 삽입어구 / reduced: 동사1 / lowered: 동사2 / recovering: 동명사(전치사의 목적어))

정답 ④

해석 당신을 미소 짓게 하는 모든 사건들은 당신을 행복하게 느끼도록 만들고 당신의 뇌 안에서 기분을 좋게 하는 화학물질을 생성한다. 당신이 스트레스를 받았거나 불행함을 느낄 때도 당신의 얼굴이 미소 짓도록 강제하라. 미소에 의해 만들어진 얼굴 근육의 패턴은 당신의 뇌 안에 있는 '행복 연결망'과 연결되어 있고, 결과적으로 당신을 진정시키며 기분을 좋게 하는 동일한 화학물질을 내보냄으로써 당신의 뇌의 화학 작용을 변화시킨다. 연구자들은 스트레스를 받는 상황 동안 개인들에 있어 진짜 미소와 강제된 미소의 효과들을 연구했다. 연구자들은 참가자들이 미소 짓지 않거나, 미소 짓거나, 미소를 만들도록 얼굴을 강제하기 위해 그들의 입에 젓가락을 옆으로 물고 있는 동안 스트레스를 받게 하는 임무를 수행하도록 했다. 연구의 결과들은 스트레스 상황 동안 미소 짓는 것이, 강제되었든 진짜이든, 몸속의 스트레스 반응의 강도를 감소시키고 스트레스에서 회복하고 난 후에 심장 박동률을 낮추었다는 것을 보여주었다.

구조 분석 + 어법 POINT 확인

(A) 정답 feel

이유 [사역동사의 목적격보어] 사역동사 make는 목적격보어로 원형부정사(동사원형)를 취한다.

(B) 정답 to smile

이유 [to부정사 목적격보어] force는 목적격보어로 to부정사를 취한다.

(C) 정답 perform

이유 [사역동사의 목적격보어] 사역동사 have는 목적격보어로 원형부정사(동사원형)를 취한다.

어법 TEST 4 서술형 내신 어법훈련하기 p. 75

구문분석 및 직독직해

❶ Serene tried to do / a pirouette / in front of her mother /
Serene은 하려고 노력했다 피루엣을 그녀의 엄마 앞에서
try+to부정사
but fell to the floor.
그러나 바닥에 넘어졌다

❷ Serene's mother helped her / off the floor.
Serene의 엄마가 그녀를 도왔다 바닥에서 일어서도록

❸ She told her [that she had to keep trying / if she wanted to succeed].
엄마가 그녀에게 말했다 그녀가 계속 노력해야 한다고 그녀가 성공하기를 바란다면
명사절(목적어) keep+동명사 부사절(조건) want+to부정사

❹ However, / Serene was almost in tears.
그러나 Serene은 거의 눈물이 날 지경이었다

❺ She had been practicing / very hard / the past week / but she did not seem / to improve.
그녀는 연습해 왔다 매우 열심히 지난주에 그러나 그녀는 보이지 않았다 향상되는 것처럼
과거완료진행(had been -ing) seem+to부정사

❻ Serene's mother said [that she herself had tried many times / before succeeding at Serene's age.
Serene의 엄마는 말했다 그녀 자신도 여러 번 노력했다고 Serene의 나이에 성공하기 전까지
명사절(목적어) 재귀대명사 재귀 용법 동명사(전치사의 목적어)

❼ She had fallen / so often that she sprained her ankle and / had to rest / for three months / before she was allowed / to dance again.
그녀는 넘어졌다 너무 자주 ~해서 ~했다 그녀는 발목을 삐었고 쉬어야 했다 세 달 동안 그녀가 허락되기 전에 다시 춤추도록
so ~ that ... 수동태 수동태의 목적격보어(to부정사)

❽ Serene was surprised.
Serene은 놀랐다
과거분사(사람의 감정 상태)

❾ Her mother was a famous ballerina / and to Serene, / her mother / had never fallen or (had) made a mistake / in any of her performances.
그녀의 엄마는 유명한 발레리나였다 Serene에게 그녀의 엄마는 넘어지거나 실수를 한 적이 없었다 그녀의 어떤 공연에서도
과거완료(had p.p.)

❿ Listening to her mother / made her realize [that she had to put in more effort / than {what she had been doing so far}].
그녀의 엄마의 말을 듣는 것은 그녀를 깨닫게 했다 그녀가 더 많은 노력을 기울여야 한다는 것을 그녀가 지금까지 해 온 것보다
동명사(주어 역할) 사역동사 O OC(원형부정사) 명사절(목적어) 관계대명사

해석 Serene은 그녀의 엄마 앞에서 피루엣을 하려고 노력했지만 바닥에 넘어졌다. Serene의 엄마가 그녀가 바닥에서 일어서도록 도왔다. 엄마는 그녀에게 그녀가 성공하기를 바란다면 계속 노력해야 한다고 말했다. 그러나 Serene은 거의 눈물이 날 지경이었다. 그녀는 지난주에 매우 열심히 연습해 왔지만 향상되는 것처럼 보이지 않았다. Serene의 엄마는 Serene의 나이에 성공하기 전까지 그녀 자신도 여러 번 노력했다고 말했다. 그녀는 너무 자주 넘어져서 발목을 삐었고 다시 춤추도록 허락되기 전에 세 달 동안 쉬어야 했다. Serene은 놀랐다. 그녀의 엄마는 유명한 발레리나였고 Serene에게 엄마는 그녀의 어떤 공연에서도 넘어지거나 실수를 한 적이 없었다. 그녀의 엄마의 말을 듣는 것은 그녀가 지금까지 해 온 것보다 더 많은 노력을 기울여야 한다는 것을 깨닫게 했다.

학교시험 서술형 단골 문제 감 잡기

1 정답 (a) trying (b) to succeed
해설 동사 keep은 목적어로 동명사를, want는 목적어로 to부정사를 취한다.

2 정답 before she was allowed to dance again
해설 5형식의 수동태이므로 was allowed 다음에 목적격보어 to dance가 온다.

3 정답 Listening to her made her realize
해설 made가 사역동사이므로 목적격보어로 원형부정사가 온다.

Unit 07 분사와 분사구문

어법 기본 다지는 Basic Grammar p. 77

분사 1 barking, 능동 2 fallen, 수동 3 boring, 능동
4 disappointing, 능동 5 broken, 수동 6 boiled, 수동
명사 수식과 보어 역할 1 showing, 명사 수식 2 confusing, 주격보어 역할 3 cleaned, 목적격보어 역할
분사구문 1 Cleaning her room 2 Injured badly

기출 문장으로 실전어법 개념잡기 1, 2 p. 79

1 named 2 involving 3 moving 4 shared
5 floating 6 ○ 7 ○ 8 continuing 또는 continue

1 19세기 초 London에서, Charles Dickens라는 이름이 붙여진 한 젊은이가 작가가 되고자 하는 강한 열망을 가지고 있었다.
▸ 수식을 받는 a young man이 '이름이 붙여진' 것이므로 수동의 과거분사가 알맞다.

2 고장 난 보일러를 고치려 노력하는 한 남자와 관련한 매우 오래된 이야기가 있다.
▸ 수식을 받는 a very old story가 남자를 '관련시키는' 것이므로 능동의 현재분사가 알맞다.

3 비전은 움직이는 목표를 향해 쏘는 것과 같다.
▸ target이 '움직이는' 것이므로 능동의 현재분사가 알맞다.

4 공유된 가정과 가치가 토론을 위한 기반의 역할을 한다.
▸ assumptions and values가 '공유된' 것이므로 수동의 과거분사가 알맞다.

5 좋은 생각들을 머릿속에 떠다니게 두는 것은 그것이 이루어지지 않도록 하는 확실한 방법이다.
▸ keeping의 목적어 good ideas를 설명하는 목적격보어이다. 생각들이 '떠다니게' 두는 것이므로 능동의 현재분사 floating이 알맞다.

6 조직 안이나 사건 속에서 무작위성은 우리 대부분에게 더 도전적이고 더 무섭다.
▸ frighten이 '겁먹게 하다'라는 뜻이고, 문맥상 주어 randomness가 '무섭게 하는' 것이므로 능동의 현재분사 frightening이 알맞다.

7 뇌우가 몰아치는 동안, 구름이 서로 맞비벼질 때 충전될 수 있다.
▸ charged는 주격보어이고, 문맥상 구름이 '충전되는' 것이므로 수동의 과거분사 charged 가 알맞다.

8 몇 분 후 승무원이 기차 차량의 앞쪽에서 돌아왔고 Einstein이 자신의 자리 밑에서 사라진 표를 계속해서 찾고 있는 것을 보았다.
▸ 지각동사 see의 목적격보어이다. Einstein이 표를 찾는 것을 '계속하고 있는' 것이므로 능동의 현재분사 continuing 또는 원형부정사 continue가 알맞다.

기출 문장으로 실전어법 개념잡기 3, 4 p. 81

1 feeling 2 increasing 3 leading 4 becoming
5 Born 6 Terrified 7 framed 8 Lying, surrounded

1 몇 분 내로, 비행기가 심하게 흔들리고, 나는 아무것도 통제할 수 없다는 것을 느끼며, 얼어붙는다.
▸ 주어 I가 '느끼고 있는' 것이므로 능동의 현재분사가 알맞다.

2 그것은 또한, 그 대가로, 친밀함과 신뢰를 증진시키며, 후자가 전자에게 부탁을 할 수 있다는 것을 의미했다.
▸ 주어는 the latter이고, 부탁을 함으로써 친밀함과 신뢰를 '증진시키는' 것이므로 능동의 현재분사가 알맞다.

3 그러나, 몇몇 야생 버섯은 위험해서, 버섯 중독으로 인해 사람들이 목숨을 잃게 한다.
▸ 주어인 some wild mushrooms가 목숨을 잃는 것에 '이르게 하는' 것이므로 능동의 현재분사가 알맞다.

4 사제가 된 후, 그는 스페인으로 돌아와 작곡가이자 오르간 연주자로 Madrid에서 평화롭게 여생을 보냈다.
▸ 주어인 he가 스스로 사제가 '된' 것이므로 능동의 현재분사가 알맞다. '~이 되다'라는 뜻의 동사 become은 능동의 형태로만 사용된다.

5 1867년에 Ohio의 Cincinnati에서 태어난 Charles Henry Turner는 곤충 행동 분야의 초기 개척자였다.
▸ '태어나는' 것은 의미상 수동이므로 과거분사가 알맞다.

6 여성 환자들에 대한 열악한 치료에 경악하여, 그녀는 Edinburgh에 여성을 위한 병원을 설립했다.
▸ terrify가 '겁먹게 하다'라는 뜻이고 주어인 she가 '겁에 질린' 것이므로 수동의 과거분사가 알맞다.

7 우리 대 그들이라는, 시대에 뒤처진 이원론의 틀에 갇힌 역사적 경향은, 많은 사람들이 현재의 상황에 매달리게 만들기에 충분히 강력하다.
▸ 주어인 the historical tendency가 '틀에 갇혀진' 것이므로 수동의 과거분사가 알맞다.

8 붐비는 대피소 구석의 바닥에 누워, 불쾌한 냄새에 둘러싸인 채, 나는 잠들 수가 없었다.
▸ 주어는 I이고, '누워 있는' 것은 능동이므로 현재분사, 냄새에 '둘러싸인' 것은 수동이므로 과거분사가 알맞다.

어법 TEST 1 문장 어법훈련하기 p. 82

1 Surprising 2 injured 3 Leaving 4 Armed
5 dancing 6 ○ 7 ○

1 그 스스로를 놀라게 하며, 그 소년은 쉽게 처음 두 경기를 이겼다.
▸ 주어 the boy가 스스로를 '놀라게 하는' 것이므로 능동의 현재분사가 알맞다.

2 상처를 받은 당사자가 완전히 떨쳐 버리고 당신을 완전히 다시 신뢰하기까지 시간이 걸릴 수 있고, 어쩌면 오래 걸릴 수도 있다.
▸ 수식을 받는 party가 '상처를 받은' 것이므로 수동의 과거분사가 알맞다.

3 가게를 나선 뒤, 나는 차로 돌아와 내가 차 안에 차 열쇠와 휴대 전화를 두고 문을 잠갔다는 것을 발견했다.
▸ 주어 I가 가게를 '나선' 것이므로 현재분사를 사용한 분사구문이 알맞다.

4 과학적 지식으로 무장되어, 사람들은 우리가 사는 방식을 변형시키는 도구와 기계를 만들어 우리의 삶을 훨씬 더 쉽고 더 낫게 한다.
▸ 주어 people이 과학적 지식으로 '무장된' 상태를 나타내므로 수동의 과거분사가 알맞다.

5 이 단계에서, 성공적이고 궁극적으로 행복하다고 느끼며, 우리는 그 산의 꼭대기에서 의기양양하게 춤을 추고 있는 우리 자신을 상상하기까지 한다.
▸ imagine의 목적어 ourselves를 설명하는 목적격보어이다. 목적어 ourselves가 '춤을 추고 있는' 것이므로 능동의 현재분사가 알맞다.

6 배송은 무료입니다. TV가 설치되는 것을 원한다면, 50달러의 추가 비용이 있습니다.
▸ want의 목적어가 the TV, 목적격보어는 installed이다. 목적어 TV가 '설치되는' 것이므로 수동의 과거분사가 알맞다.

7 병으로 고통 받는 군인과 민간인 모두를 돌보다, Inglis는 러시아에서 병에 걸려 영국으로 돌아와야 했고, 그녀는 그곳에서 1917년에 사망했다.
▸ 주절의 주어인 Inglis가 군인과 민간인을 '돌본' 것이므로 능동의 현재분사가 알맞다.

어법 TEST 2 | 짧은 지문 어법훈련하기 p. 83

1 (A) Assigned (B) fascinating 2 ① 3 ②

1 이 이론은 시간이 왜 아이들에게 더 느리게 느껴지는지를 부분적으로 설명할 수 있다. 그들 주변의 이 모든 새로운 인지적인 그리고 감각적인 정보를 흡수하고 처리하는 막대한 임무가 부여되어, 그들의(아이들의) 뇌는 계속적으로 기민하고 주의를 기울이는 상태가 된다. 왜 그럴까? 모든 것이 낯설기 때문이다. 아이의 마음을 잘 생각해 보라. 너무 적게 경험했기 때문에, 세상은 신비롭고 매혹적인 장소이다.
▸ (A) 주절의 주어는 their brains이고, 그들의 뇌가 막대한 임무를 '부여 받은' 것이므로 수동의 과거분사가 알맞다.
(B) place가 '매혹적인' 것이므로 능동의 현재분사가 알맞다.

2 집에서, Rangan은 혼란스러웠다. 자신의 기름투성이인 손을 씻을 때 그는 문을 두드리는 소리를 들었다. 그 노인과 차 심부름 소년이었다. 그 노인은 "제가 돌아왔을 때 당신의 가게가 닫혀 있었어요. 다행히, 저는 가게 앞에서 이 소년을 만났어요."라고 말했다. Rangan에게 돈을 건네며 "당신의 환대에 감사합니다."라고 그가 이어 말했다.
▸ ① → confused / Rangan이 '혼란을 주는' 것이 아니라 '혼란스러워 하는' 것이므로 수동의 과거분사 confused가 알맞다.

3 수천 개의 웹 사이트, 텔레비전 채널, 문자 메시지, 그리고 전화 통화로 인해 매체의 홍수에서 익사하기 쉽다. 우리는 노트북 컴퓨터로 누군가에게 이메일을 보내면서, 휴대 전화의 지속적인 메시지의 방해를 받으며, 음악도 즐기려고 하는 등, 흔히 너무 많은 방법으로 너무 많은 것들을 흡수하려고 노력한다.
▸ ② → e-mailing / 누군가에게 이메일을 '보내는' 것이므로 능동의 현재분사 e-mailing이 알맞다.

어법 TEST 3 | 기출 유형 어법훈련하기 p. 84

구문분석 및 직독직해

❶ The natural world / provides / a rich source of symbols [used in art and literature].
자연계는 / 제공한다 / 상징의 풍부한 원천을 / 미술과 문학에서 사용되는 (과거분사구)

❷ Plants and animals / are central / to mythology, dance, song, poetry, rituals, festivals, and holidays / around the world.
식물과 동물은 / 중심이다 / 신화, 춤, 노래, 시, 의식, 축제 그리고 기념일의 / 전 세계에 걸쳐서

❸ Different cultures / can exhibit / opposite attitudes / toward a given species.
다른 문화들은 / 보일 수 있다 / 상반된 태도를 / 주어진 종에 대해 (given: 과거분사)

❹ Snakes, / for example, / are honored / by some cultures / and (are) hated by others.
예를 들어, 뱀은 / 존경을 받는다 (수동태) / 일부 문화에서는 (「by+행위자」) / 그리고 다른 문화에서는 증오를 받는다. (수동태)

❺ Rats / are considered / pests / in much of Europe and North America / and (are) greatly respected in some parts of India.
쥐는 / 여겨진다 (수동태1) / 유해 동물로 (목적격보어) / 유럽과 북미의 많은 지역에서 / 그리고 인도의 일부 지역에서는 매우 존중 받는다 (수동태2)

❻ Of course, within cultures / individual attitudes / can vary dramatically.
물론, 같은 문화 내에서 / 개인의 태도는 / 다를 수 있다 / 극적으로

❼ For instance, in Britain / many people dislike rodents, / and yet / there are several associations [devoted to breeding them], including the National Mouse Club and the National Fancy Rat Club.
예를 들어, 영국에서는 / 많은 사람들이 설치류를 싫어한다 / 하지만 / 여러 협회들이 있다 / 설치류를 사육하는 데 열심인 (devoted: 과거분사구, to breeding: 전치사+동명사, them = rodents) / National Mouse Club과 National Fancy Rat Club을 포함해서 (including: 전치사)

정답 ②

해석 자연계는 미술과 문학에서 사용되는 상징의 풍부한 원천을 제공한다. 식물과 동물은 전 세계에 걸쳐서 신화, 춤, 노래, 시, 의식, 축제 그리고 기념일의 중심이다. 다른 문화들은 주어진 종에 대

해 상반된 태도를 보일 수 있다. 예를 들어 뱀은 일부 문화에서는 존경을 받고 다른 문화에서는 혐오를 받는다. 쥐는 유럽과 북미의 많은 지역에서 유해 동물로 여겨지고, 인도의 일부 지역에서는 매우 존중 받는다. 물론, 같은 문화 내에서 개인의 태도는 극적으로 다를 수 있다. 예를 들어, 영국에서는 많은 사람들이 설치류를 싫어하지만, National Mouse Club과 National Fancy Rat Club을 포함해서 설치류를 사육하는 데 열심인 여러 협회들이 있다.

구조 분석 + 어법 POINT 확인

(A) 정답 used
이유 [명사를 수식하는 과거분사] 상징의 풍부한 원천이 '사용되는' 것이므로 수동의 과거분사 used가 알맞다.

(B) 정답 given
이유 [명사를 수식하는 과거분사] '주어진' 종이라는 의미이므로 수동의 과거분사 given이 알맞다.

(C) 정답 considered
이유 [수동태에 쓰이는 과거분사] 주어인 rats가 유해 동물로 '여겨지는' 것이므로 수동의 과거분사 considered가 알맞다.

어법 TEST 4 서술형 내신 어법훈련하기 p.85

구문분석 및 직독직해

❶ Interestingly, in nature, / the more powerful species / have / a narrower field of vision.
흥미롭게도, 자연에서, / 더 강력한 종은 / 가지고 있다 / 더 좁은 시야를

❷ The distinction [between predator and prey] offers / a clarifying example of this.
포식자와 피식자 사이의 대비는 (전치사구) / 제공한다 / 이에 대한 명확한 예를 (현재분사)

❸ The key feature [that distinguishes predator species from prey species] isn't the presence / of claws or any other feature / related to biological weaponry.
주요 특성은 (선행사 ↔ 관계대명사) / 포식자 종과 피식자 종을 구별하는 / 존재 여부가 아니다 / 발톱이나 어떤 다른 특성의 / 생물학적 무기와 관련된 (과거분사)

❹ The key feature is / the position of their eyes.
주요한 특징은 ~이다 / 그들의 눈의 위치

❺ Predators evolved / with eyes facing forward — / which allows / for binocular vision [that offers accurate depth perception] when (they are) pursuing prey.
포식자는 진화하였다 / 앞쪽을 향하고 있는 눈을 가지도록 (전치사+명사+분사) / 이는 (계속적 용법의 관계대명사(앞 문장 전체)) / 허용한다 / 쌍안시(雙眼視)를 (선행사 ↔ 관계대명사) / 정확한 거리 감각을 제공하는 / 사냥감을 쫓을 때 (분사구문(접속사+분사))

❻ Prey, on the other hand, / often have eyes facing outward, / maximizing peripheral vision, [which allows / the hunted / to detect danger {that may be approaching / from any angle}].
피식자는 반대로 / 대체로 바깥쪽을 향하는 눈을 가지고 있다 (현재분사) / 주변부의 시야를 최대화하며 (분사구문) / 이것은 허용한다 (계속적 용법의 관계대명사 V) / 사냥당하는 대상이 (O) / 위험을 감지할 수 있게 (OC(to부정사)) / 접근하고 있을 수 있는 (↔ 관계대명사) / 어떤 각도에서든

❼ Consistent with / our place at the top of the food chain, / humans have eyes [that face forward].
일치하며 / 먹이사슬의 꼭대기에 있는 우리의 위치와 / 인간은 눈을 가지고 있다 (S V 선행사 ↔ 관계대명사) / 앞을 향하는

❽ We have the ability / to gauge depth and (to) pursue our goals, / but we can also miss / important action on our periphery.
우리는 능력을 가지고 있다 / 거리를 재고 목표들을 쫓아가는 (to부정사(형용사적 용법)) / 하지만 우리는 또한 놓칠 수도 있다 / 주변의 중요한 행동을

해석 흥미롭게도, 자연에서, 더 강력한 종은 더 좁은 시야를 가지고 있다. 포식자와 피식자 사이의 대비는 이에 대한 명확한 예를 제공한다. 포식자 종과 피식자 종을 구별하는 주요 특성은 발톱이나 생물학적 무기와 관련된 어떤 다른 특성의 존재여부가 아니다. 주요한 특징은 그들의 눈의 위치이다. 포식자는 앞쪽을 향하고 있는 눈을 가지도록 진화하였고, 이는 사냥감을 쫓을 때 정확한 거리 감각을 제공하는 쌍안시(雙眼視)를 허용한다. 피식자는 반대로 대체로 주변부의 시야를 최대화하며 바깥쪽을 향하는 눈을 가지고 있는데, 이것은 사냥당하는 대상이 어떤 각도에서든 접근하고 있을 수 있는 위험을 감지할 수 있게 한다. 먹이 사슬의 꼭대기에 있는 우리의 위치와 일치하게, 인간은 앞을 향하는 눈을 가지고 있다. 우리는 거리를 재고 목표들을 쫓아갈 수 있는 능력을 가지고 있지만, 우리는 또한 주변의 중요한 행동을 놓칠 수도 있다.

학교시험 서술형 단골 문제 감 잡기

1 정답 clarifying / example이 '명확히 하는' 것이므로 능동의 현재분사가 알맞다.

2 정답 Predators evolved with eyes facing forward
해설 facing forward가 eyes를 뒤에서 수식하는 형태가 알맞다.

3 정답 maximizing peripheral vision
해설 피식자가 밖을 향하는 눈을 가져서 주변부의 시야를 '최대화하는' 것이므로 능동의 현재분사 maximizing을 사용한다.

Unit 08 관계사

어법 기본 다지는 Basic Grammar p. 89

관계대명사 1 who, 제한적 용법 2 whose, 제한적 용법
3 which, 제한적 용법 4 who, 계속적 용법
관계부사 1 when 2 why 3 where

기출 문장으로 실전어법 개념잡기 1, 2 p. 91

1 that 2 which 3 who 4 whose 5 who
6 ○ 7 which 8 ○

1 어쩌면 당신은 거기서 전에 만난 적 없는 사람들을 마주칠 것이다.
▶ 선행사 people이 관계사절 안에서 동사 met의 목적어 역할을 하므로 목적격 관계대명사 that이 알맞다.

2 그것들은 긴 시간 동안 만들어져 오고 있는 기존의 맥락에 의존한다.
▶ 선행사 an existing context가 사물이고, 관계사절 안에서 주어 역할을 하므로 주격 관계대명사 which가 알맞다.

3 한 연구에서, 잠시 뜨거운 커피가 든 컵을 들고 있던 참가자들은 대상 인물을 '더 따뜻한' 성격을 가진 것으로 판단했다.
▶ 선행사 participants가 사람이고, 관계사절 안에서 주어 역할을 하므로 주격 관계대명사 who가 알맞다.

4 그런 다음 연구자들은 운동 시합을 멈추고 해결에 두 그룹 사이의 협력이 필요한 몇 가지 명백한 비상사태들을 만들었다.
▶ 관계사 다음에 「명사+동사 ~」 형태가 오고, 관계사절의 내용이 '(비상사태의) 해결에 협력이 필요한 ~'이므로 소유격 관계대명사 whose가 알맞다.

5 며칠 안에 그는 두 소년들로부터 따뜻한 감사의 편지를 받았고, 그 소년들은 편지의 끝에 그가 유감스럽게도 수표를 동봉하는 것을 잊었다고 언급했다.
▶ 계속적 용법이므로 that을 쓸 수 없고, 선행사 both boys가 사람이고 관계사절에서 주어 역할을 하므로 관계대명사 who가 알맞다.

6 또 한 번 10억 년을 빨리 감아 우리가 사는 세상으로 오면, 개미에서 늑대, 사람에 이르기까지 사회적 동물로 가득하다.
▶ 선행사는 our world(사물)이고, 관계사 앞에 콤마(,)가 있으므로 계속적 용법의 관계대명사 which가 알맞다.

7 우리는 스포츠 경기의 결과를 예상할 수 없는데, 이는 매주 달라진다.
▶ 선행사는 the outcomes of sporting contests(사물)이고, 관계사절에서 주어 역할을 한다. 관계대명사 앞에 콤마(,)가 있으므로 계속적 용법인데, 관계대명사 that은 계속적 용법으로 쓸 수 없으므로 which가 알맞다.

8 문어체는 더 복잡한데, 이는 읽는 것을 더욱 번거롭게 만든다.
▶ 앞 문장 전체를 부연 설명하는 계속적 용법이므로, 관계대명사 which가 알맞다.

기출 문장으로 실전어법 개념잡기 3, 4 p. 93

1 in which 2 that 3 that 4 with whom 5 what
6 what 7 that 8 that

1 그 교사는 그 질문들 중에서 열세 개를 다룬 긴 답장을 썼다.
▶ 선행사 a long reply를 관계사절로 넘기면 he dealt with thirteen of the questions in a long reply가 되므로 in which가 알맞다.

2 인간이 오늘날 대부분의 발전된 세상에서 즐기는 음식의 풍부함을 항상 가졌던 것은 아니다.
▶ 뒤에 바로 동사가 나오고 수동태 is enjoyed의 주어가 필요하므로 주격 관계대명사 that이 알맞다.

3 훌륭한 과학자가 되기 위해서 여러분은 수백, 어쩌면 심지어 수천 명의 사람들이 이미 보고 풀 수 없었던 문제를 볼 수 있어야 한다.
▶ 선행사 a problem이 관계사절의 'have looked at'과 'have been unable to solve'의 목적어이므로 목적격 관계대명사 that이 알맞다.

4 일본인들은 자신과 아주 가까운 소수의 사람들을 제외하고는 타인에게 자신에 관한 정보를 거의 공개하지 않는 경향이 있다.
▶ 선행사 the few people을 관계사절로 넘기면 they are very close with the few people의 형태가 되므로 with whom이 알맞다.

5 다른 관심을 가진 친구들을 갖는 것은 삶을 흥미롭게 하는데, 그저 서로에게서 배울 수 있는 것에 대해 생각해 보라.
▶ 관계대명사 앞에 선행사가 없고, 관계대명사를 the thing(s) which로 바꾸어 쓸 수 있으므로 what이 알맞다.

6 이제, 마음속에 그 그림을 둔 채, 당신의 마음이 보는 것을 그리려고 애써 보라.
▶ 관계대명사 앞에 선행사가 없고, the thing(s) which로 바꾸어 쓸 수 있으므로 what이 알맞다.

7 그는 이제 그의 길 위에 놓여있던 장애물들이 준비의 일부였다는 것을 알았다.
▶ 관계대명사 앞에 선행사 the obstacles가 있으므로 주격 관계대명사 that이 알맞다.

8 안전한 보도 혹은 표시된 자전거 도로가 없는 도로에서 걷거나 자전거를 타는 것을 선택하는 사람은 거의 없을 것이다.
▶ 관계대명사 앞에 선행사 roadways가 있으므로 주격 관계대명사 that이 알맞다.

기출 문장으로 실전어법 개념잡기 5, 6 p. 95

1 when 2 where 3 the way 4 why 5 where
6 which 7 where 8 that

1 어느 날 그 개들이 울타리를 뛰어넘었을 때, 그들은 새끼 양 중 여럿을 공격했고 심하게 다치게 했다.
▶ 선행사가 one day이므로 시간을 나타내는 관계부사 when이 알맞다.

2 우리가 만약 아무것도 전혀 변하지 않는 행성에 산다면, 할 것이 거의 없을 것이다.

▶ 선행사 a planet이 장소를 나타내므로 관계부사 where가 알맞다.

3 우리는 사람들이 행동하고 상황이 작동하는 방식에 관해 일반화를 형성하는 경향이 있다.

▶ 관계부사 how는 the way와 함께 쓰이지 않고, the way나 how 중 하나를 쓴다.

4 그것이 보통 상당히 협동적인 종인 인간이 도로에서 그렇게 비협조적이 될 수 있는 이유이다.

▶ 선행사가 the reason이므로 이유를 나타내는 관계부사 why가 알맞다.

5 우리는 사물이 변하지만, 법칙에 따라 변하는, 그 사이의 우주에 산다.

▶ 선행사 an in-between universe가 장소를 나타내고, 이어지는 절이 완전한 문장이므로 관계부사 where가 알맞다.

6 사람들은 보통 그들이 기다린 시간을 과장하고, 그들이 가장 성가신 것으로 여기는 것은 사용되지 않은 채로 보내진 시간이다.

▶ 관계사 뒤에 이어지는 절이 주어가 없는 불완전한 문장이므로 관계대명사 which가 알맞다.

7 당신이 편안함을 느끼는 구역 밖으로 나가고 나서야 자신에게 어떤 좋은 일이 일어날지 안다.

▶ 선행사 the zone이 장소를 나타내고, 관계사 뒤에 이어지는 절이 완전한 문장이므로 관계부사 where가 알맞다.

8 2013년에 더 높은 숫자의 관광객을 받은 도시는 Antalya였지만, 그 뒤 3년간은 Istanbul이 Antalya보다 많은 관광객을 받았다.

▶ 관계사 뒤에 이어지는 절이 주어가 없는 불완전한 문장이므로 관계대명사 that이 알맞다.

어법 TEST 1 문장 어법훈련하기 p. 96

1 who 2 where 3 from whom 4 that 5 which 6 ○ 7 in which

1 작가들로부터 조언을 얻어라, 그들은 생명력을 얻는 유일한 좋은 생각들은 적어둔 것들이라는 점을 안다.

▶ 관계대명사의 계속적 용법이므로 관계대명사 that을 사용할 수 없다.

2 아리스토텔레스의 제안은, 미덕은 중간점이며, 이는 너무 관대하지도 너무 인색하지도, 너무 두려워하지도 너무 무모하게 용감하지도 않은 것이다.

▶ 관계사 뒤에 완전한 문장이 나오므로 관계부사 where가 알맞다.

3 새 토스터를 받으시려면, 단순히 당신의 영수증과 고장 난 토스터를 당신이 그것을 구매했던 판매인에게 가져가세요.

▶ 선행사 the dealer를 관계사절로 넘기면 you bought it from the dealer가 되므로 from whom이 알맞다.

4 소비자들은 또한 자신들이 지난번에 샀던 같은 브랜드를 구매하여 불확실성을 줄인다.

▶ 선행사 the same brand가 있고, 관계사 뒤에 목적어가 없는 불완전한 문장이 오므로 관계대명사 that이 알맞다.

5 복잡한 호르몬 조절이 머리카락과 손톱의 성장을 총괄하는데, 일단 사람이 죽게 되면 이 중 어느 것도 가능하지 않다.

▶ 관계대명사 계속적 용법으로 앞 문장을 부연 설명하고 있으므로 whom은 which로 고쳐야 한다.

6 어머니의 말을 듣는 것은 그녀가 자신이 그동안 했던 것보다 더 많은 노력을 기울여야 한다는 것을 깨닫게 했다.

▶ 선행사가 없고, 이어지는 절이 목적어가 없는 불완전한 문장이므로 관계대명사 what이 알맞다.

7 소문이 나게 하는 한 가지 방법은 광고 교환을 통해서인데, 이는 광고주들이 서로의 웹사이트에 무료로 배너를 게시하는 것이다.

▶ 선행사 an advertising exchange를 관계사절로 넘기면 advertisers place banners on each other's websites for free in an advertising exchange가 되므로 in which가 알맞다.

어법 TEST 2 짧은 지문 어법훈련하기 p. 97

1 (A) whose (B) who 2 (A) which (B) which 3 ①

1 그래서 심장이 멈춘 환자는 더 이상 사망한 것으로 여겨질 수 없다. 그 대신, 그 환자는 '임상적으로 사망한' 것으로 말해진다. 임상적으로 사망한 것일 뿐인 사람은 종종 소생될 수 있다.

▶ (A) 선행사 a patient의 심장이 멈추었다는 의미이므로 소유격 관계대명사 whose가 알맞다.

(B) 선행사 someone이 관계사절에서 주어 역할을 하므로 주격 관계대명사 who가 알맞다.

2 여러 개의 생리학 연구로부터, 우리는 다른 민족적-인종적 범주의 구성원들과 마주치는 것이 스트레스 반응을 유발한다는 것을 안다. 소수 집단의 개인들은 다수 집단의 개인들과 많은 마주침을 가지며, 그 각각이 그러한 반응을 일으킬지도 모른다. 이러한 영향들이 아무리 작아도, 그것들의 빈도가 전체적인 스트레스를 증가시킬지도 모르며, 이는 소수 집단 개인들의 건강상의 불이익 일부를 설명할 것이다.

▶ (A) 선행사가 사물인 encounters이므로 관계대명사 which가 알맞다.

(B) 관계대명사의 계속적 용법이므로 관계대명사 that은 사용할 수 없다.

3 음악 팬들에게, 사람들이 그 속에서 의미를 찾는 장르, 예술가, 그리고 노래는 그것을 통해 자신의 정체성이 다른 사람들과 연관되어 자리 잡을 수 있는 잠재적인 '장소'의 기능을 한다. 즉, 그것은 사람들의 정체성의 적어도 일부분을 제자리에 묶어두는 사슬 역할을 한다.

▶ ① → where 또는 in which / 관계사 뒤에 「주어+동사+목적어」 형태의 완전한 문장이 오고, '~에서 의미를 찾다'라는 뜻이므로 관계부사 where 또는 in which가 알맞다.

어법 TEST 3 기출 유형 어법훈련하기 p. 98

구문분석 및 직독직해

❶ How does a leader / make people feel important?
리더는 어떻게 / 만드는가 사람들을 중요하다고 느끼도록
(사역동사 O OC(원형부정사))

❷ First, by listening to them.
첫째, 그들의 말을 듣는 것에 의해서이다.
(동명사(전치사의 목적어))

❸ Let them know [∨you respect their thinking], and let them voice / their opinions.
(∨ = (that))
그들이 알게 하라 / 당신이 그들의 생각을 존중한다는 것을 / 그리고 / 그들이 말하게 하라 / 그들의 의견을
(사역동사 O OC(원형부정사) 명사절(목적어 역할) / 사역동사 O OC(원형부정사))

❹ As an added bonus, / you might learn something!
더해지는 보너스로 당신은 무언가를 배울 수 있을지 모른다
전치사(~로서)

❺ A friend of mine / once told me / about the CEO of a large company [who told one of his managers, / "There's nothing / you could possibly tell me {that I haven't already thought about before.}]
내 친구가 나에게 말해준 적이 있었다 큰 회사의 CEO에 대해
선행사(사람)
그의 관리자 중 한 사람에게 말한 없어요
주격 관계대명사 간접목적어 직접목적어 선행사
당신이 내게 말할 수 있는 것이 내가 전에 이미 생각한 적이 없는 것은
목적격 관계대명사 생략 목적격 관계대명사(선행사 nothing)
관계대명사의 이중한정(관계사절이 2개)

❻ Don't ever tell me [what you think] unless I ask you. Is that understood?"
나에게 절대 말하지 마세요 당신이 생각하는 것을 내가 묻지 않으면
선행사 없음 관계대명사 ~하지 않으면
이해했습니까
수동태

❼ Imagine / the loss of self-esteem [that manager must have felt].
상상해 보라 자존감의 상실을 관리자가 느꼈음에 틀림없을
선행사 목적격 관계대명사
must have+p.p.: ~했음에 틀림없다

❽ It must have / discouraged him / and negatively affected / his performance.
그것은 틀림없다 그를 낙담하게 했다 그리고 부정적으로 영향을 미쳤음에
과거분사1 과거분사2
그의 업무 수행에

정답 ④

해석 리더는 어떻게 사람들이 (스스로가) 중요하다고 느끼도록 만드는가? 첫째, 그들의 말을 듣는 것에 의해서이다. 당신이 그들의 생각을 존중한다는 것을 그들이 알게 하라. 그리고 그들이 그들의 의견을 말하게 하라. 더해지는 보너스로 당신은 무언가를 배울 수 있을지 모른다! 내 친구가 "당신이 내게 말할 수 있는 것에 내가 전에 이미 생각한 적이 없는 것은 없어요. 내가 묻지 않으면 당신이 생각하는 것을 나에게 절대 말하지 마세요. 이해했습니까?"라고 그의 관리자 중 한 사람에게 말한 큰 회사의 CEO에 대해 말해 준 적이 있었다. 관리자가 느꼈음에 틀림없을 자존감의 상실을 상상해 보라. 그것은 그를 낙담하게 했고 그의 업무 수행에 부정적으로 영향을 미쳤음에 틀림없다.

구조 분석 + 어법 POINT 확인

(A) 정답 who
이유 [관계대명사의 격] 선행사가 사람인 the CEO of a large company이므로 주격 관계대명사 who가 알맞다.

(B) 정답 what
이유 [관계대명사 that/what] 선행사가 없으므로 관계대명사 what이 알맞다.

(C) 정답 that
이유 [관계대명사/관계부사] 관계사 뒤에 목적어가 없는 불완전한 문장이 오므로 목적격 관계대명사 that이 알맞다.

어법 TEST 4 서술형 내신 어법훈련하기 p. 99

구문분석 및 직독직해

❶ If you walk into a room [which smells of freshly baked bread], you quickly detect / the rather pleasant smell.
당신이 방으로 걸어 들어가면 갓 구운 빵 냄새가 나는
선행사 주격 관계대명사 과거분사
당신은 재빨리 감지한다 꽤 기분 좋은 냄새를

❷ However, / stay in the room / for a few minutes, / and the smell will seem to disappear.
그러나, 방에 머물러라 몇 분 동안
명령문+and: ~해라, 그러면 …할 것이다
그러면 그 냄새는 없어지는 것처럼 보일 것이다

❸ In fact, the only way to reawaken it / is to walk out of the room / and come back in again.
사실 그것을 다시 일깨우는 유일한 방법은 방 밖으로 나갔다가
(to) 형용사적 용법 명사적 용법(보어)
다시 들어오는 것이다

❹ The exact same concept / applies to many areas of our lives, / including happiness.
정확한 같은 개념이 우리의 인생의 많은 영역에 적용된다
행복을 포함한
전치사

❺ Everyone has something / to be happy about.
모든 사람은 무언가를 가지고 있다 행복해 할
형용사적 용법

❻ Perhaps they have / a loving partner, good health, a satisfying job, a roof over their heads, or enough food to eat.
아마도 그들은 가지고 있을 것이다 사랑하는 배우자, 좋은 건강,
만족스러운 직업, 그들 머리 위의 지붕, 혹은 먹기에 충분한 음식을
현재분사 형용사적 용법

❼ As time passes, however, / they get used to [what they have] and, just like the smell of fresh bread, / these wonderful assets disappear / from their consciousness.
그러나 시간이 지나면서 그들은 익숙해진다 그들이 가지고 있는 것
~에 익숙해지다 관계대명사
그리고 갓 구운 빵의 냄새처럼 이 놀라운 자산들은
사라진다 그들의 의식에서

❽ As the old proverb goes, / you never miss the water / till the well runs dry.
오래된 격언이 말하듯이 당신은 물을 그리워하지 않는다
never A till B: B하기 전까지 A하지 않다(B해서야 비로소 A하다)
우물이 마를 때까지(당신은 우물이 마르고 나서야 비로소 물을 그리워한다)

해석 당신이 갓 구운 빵 냄새가 나는 방으로 걸어 들어가면 당신은 꽤 기분 좋은 냄새를 재빨리 감지한다. 그러나, 몇 분 동안 방에 머물면 그 냄새는 없어지는 것처럼 보일 것이다. 사실, 그것을 다시 일깨우는 유일한 방법은 방 밖으로 나갔다가 다시 들어오는 것이다. 정확한 같은 개념이 행복을 포함한 우리의 인생의 많은 영역에 적용된다. 모든 사람은 행복해 할 무언가를 가지고 있다. 아마도 그들은 사랑하는 배우자, 좋은 건강, 만족스러운 직업, 그들 머리 위의 지붕, 혹은 먹기에 충분한 음식을 가지고 있을 것이다. 그러나 시간이 지나면서 그들은 그들이 가지고 있는 것에 익숙해진다. 그리고, 갓 구운 빵의 냄새처럼, 이 놀라운 자산들은 그들의 의식에서 사라진다. 오래된 격언이 말하듯이, 당신은 우물이 마르고 나서야 물을 그리워한다.

학교시험 서술형 단골 문제 감 잡기

1 정답 which 또는 that / 관계사 뒤에 주어가 없는 불완전한 문장이 이어지므로 주격 관계대명사가 필요하다.

2 정답 satisfying / 수식을 받는 job이 사람을 '만족시키는' 것이므로 능동의 현재분사가 와야 한다.

3 정답 they get used to what they have
해설 '그들이 가지고 있는 것'은 선행사가 없는 관계대명사 what을 사용하여 what they have로 쓴다.

Unit 09 접속사

어법 기본 다지는 Basic Grammar p. 101

접속사 1 not only, but also 2 When 3 or 4 until
접속사가 이끄는 절 1 That he wrote this story 2 while she was driving 3 If you have a toothache 4 whether Jimmy will show up or not

기출 문장으로 실전어법 개념잡기 1, 2 p. 103

1 that 2 what 3 that 4 What 5 even if
6 as 7 Because 8 if

1 위험을 감수한다는 것은 언젠가 성공할 것이라는 것을 의미하지만 전혀 위험을 무릅쓰지 않는 것은 결코 성공하지 못할 것이라는 것을 의미한다.
▸ 뒤에 완전한 형태의 문장(you will never succeed)이 오므로 means의 목적어 역할을 하는 명사절을 이끄는 접속사 that이 적절하다.

2 누가 당신에게 무엇을 요청하더라도, 그것이 당신에게 아무리 많은 불편함을 주더라도, 당신은 그들이 요청하는 것을 한다.
▸ 뒤에 동사 request의 목적어가 없는 불완전한 문장이 오므로 관계대명사 what이 적절하다.

3 현실은 대부분의 사람들은 평생 동안 충분한 교육을 받지 못할 것이라는 점이다.
▸ 뒤에 완전한 형태의 문장이 오므로 문장의 보어 역할을 하는 명사절을 이끄는 접속사 that이 적절하다.

4 이 두 가지 상황 모두에서 차이가 있었던 것은 구매의 가격 맥락이었다.
▸ 뒤에 differed가 바로 나오면서 주어가 없는 불완전한 문장이 오므로 관계대명사 what이 적절하다.

5 그러나 비록 당신이 그것들의 정확한 맥락을 생각해내지 못하더라도, 당신은 그 사건으로부터의 이야기들, 일화들, 그리고 예시들을 기억할 가능성이 높다.
▸ 종속절이 '~할지라도'라는 뜻의 양보를 나타내야 자연스러우므로 even if가 적절하다.

6 어제 그는 고열로 누워 있었기 때문에 가게에 나올 수 없었지만, 오늘 그는 자신의 가족을 위하여 돈을 벌기 위해 가게에 나갔다.
▸ 종속절이 주절의 주어 he가 가게에 나오지 못한 이유를 설명하므로 as가 적절하다.

7 나무들이 비와 온도와 같은, 지역의 기후 조건에 민감하기 때문에, 그것은 과학자들에게 과거의 지역 기후에 대한 약간의 정보를 준다.
▸ 종속절이 나무가 과학자들에게 과거의 지역 기후에 대한 정보를 주는 이유를 설명하므로 because가 적절하다.

8 당신은 먹, 화선지, 붓을 살 수 있지만, 당신이 서예 기술을 연마하지 않는다면 진정으로 서예를 할 수 없다.
▸ 종속절에 부정어 don't가 있으므로 부정어를 포함하는 unless가 아닌 if가 적절하다.

기출 문장으로 실전어법 개념잡기 3, 4 p. 105

1 during 2 because of 3 While 4 Though
5 using 6 ○ 7 because we belong 8 ○

1 연구자들은 스트레스를 받는 상황에서 진짜 미소와 강요된 미소가 개인들에게 미치는 영향을 연구했다.
▸ 뒤에 a stressful event가 명사구이므로 전치사 during이 적절하다.

2 소비자들은 그것의 감촉 때문에 어떤 제품들을 좋아한다.
▸ 뒤에 their feel이 명사구이므로 전치사구 because of가 적절하다.

3 우리가 의식을 완성하고 두 발로 걷는 것을 배우는 동안, 그것들은 광합성을 발명하고 유기 화학을 완성하고 있었다.
▸ 뒤에 'we were ~'가 「주어+동사 ~」 형태의 절이므로 접속사 While이 적절하다. and 뒤에 were가 생략된 병렬구조로, 현재분사가 이어지고 있다.

4 비록 우리가 공룡들에 대해 많이 알고 있지는 않지만, 우리가 아는 것은 모든 연령의 아이들에게 매력적이다.
▸ 뒤에 오는 'we don't know ~'가 「주어+동사 ~」 형태의 절이므로 접속사 though가 적절하다.

5 창가에서 일을 하거나 책상 전등에 모든 파장이 있는 전구를 사용하는 것을 실험해 보라.
▸ 등위접속사 or에 의해 병렬구조를 이루도록 with 다음의 동명사 working과 같은 형태인 using으로 고쳐야 한다.

6 대부분의 과학자들이 창의적이지 않은 단순한 이유는 그들이 생각하는 방법을 몰라서가 아니라 그들이 생각을 멈추는 방법을 모르기 때문이다!
▸ 상관접속사 not A but B는 병렬구조를 이루므로 but because they가 바르게 쓰였다.

7 우리가 인류의 구성원이기 때문에 혹은 특정한 문화와 사회에 속해 있기 때문에 많은 요소들이 우리가 무엇을 해야 할지를 결정한다.
▸ 상관접속사 either A or B는 병렬구조를 이룬다. either 다음에 「because+주어+동사 ~」 형태가 왔으므로 같은 형태인 because we belong으로 고쳐야 한다.

8 그러한 비판자들은 보통 사회 과학의 진정한 본질과 그것의 특수한 문제들 그리고 기본적인 한계를 알지 못한다.
▸ 등위접속사 and에 의해 병렬구조를 이루도록 be unaware 뒤에 of the real nature와 같은 형태인 of its special problems가 바르게 쓰였다. of social science는 앞의 the real nature를 수식한다.

어법 TEST 1 문장 어법훈련하기 p. 106

1 that **2** during **3** Although **4** that **5** what
6 ○ **7** abandoning

1 그 결과는 바라던 미래에 대한 공상에 몰두했던 사람들은 세 가지 조건 모두에서 더 성과가 좋지 않았다는 것을 보여 주었다.
▸ 뒤에 완전한 형태의 문장이 오므로 revealed의 목적어 역할을 하는 절을 이끄는 접속사 that이 적절하다. that절이 이끄는 문장의 주어는 those who ~ future(바라던 미래에 대한 공상에 몰두했던 사람들)이고 동사는 did이다.

2 이 나이테들은 그 나무가 몇 살인지, 그 나무가 살았던 매해에 날씨가 어땠는지를 우리에게 말해 줄 수 있다.
▸ 뒤에 「주어+동사 ~」 형태의 절이 아닌 명사구가 오므로 전치사 during이 적절하다.

3 개인의 선호가 다르더라도, 촉감은 많은 제품들의 중요한 측면이다.
▸ '개인의 선호가 다르더라도'라는 의미가 되어야 자연스러우므로 양보의 접속사 although가 적절하다.

4 당신이 인식하지 못할지도 모르는 것은 빛의 질 또한 중요할 수 있다는 것이다.
▸ 뒤에 완전한 형태의 문장이 오므로 보어 역할을 하는 명사절을 이끄는 접속사 that이 적절하다.

5 이제, 그 그림을 마음속에 두고, 당신의 마음이 보는 것을 그리려고 해 보라.
▸ 뒤에 오는 문장이 동사 sees의 목적어가 없는 불완전한 형태이므로 관계대명사 what으로 고쳐야 한다.

6 수개월에 걸친 노력에도 불구하고, 그는 그것을 할 수 없다.
▸ 뒤에 명사구 'his best efforts ~'가 이어지므로, 전치사 despite가 바르게 쓰였다.

7 필요에 따라, 당신의 비전을 수정하거나 심지어 그것을 버리는 것조차도 잘못된 것이 아니다.
▸ 등위접속사 or로 병렬구조를 이뤄야 하므로 앞의 modifying과 같은 형태인 abandoning으로 고쳐야 한다.

어법 TEST 2 짧은 지문 어법훈련하기 p. 107

1 (A) silence (B) that **2** (A) Though (B) during
3 ②

1 자신에 대해 더욱 좋게 느끼고자 하는 갈망을 충족시켜 주거나, 혹은 그들의 불만을 잠재워 줄 것이라고 믿는 다음번 승진, 다음번 고액 월급을 받는 날을 필사적으로 추구하는 수백만의 사람들이 여전히 있다. 하지만 서구와 신흥 경제 국가들 모두에서, 이러한 것들은 모두 막다른 길이라는 것, 즉 그들이 부서진 꿈을 좇는 것임을 인식하는 사람들이 매일 늘어나고 있다.
▸ (A) 등위접속사 or에 의해 병렬 구조가 되어야 하므로 앞의 satisfy와 같은 형태인 동사 silence(침묵하게 하다)가 적절하다.
(B) 뒤에 these are all dead ends로 구가 아닌 완전한 형태의 문장이 오므로 recognize의 목적어 명사절을 이끄는 접속사 that이 적절하다.

2 그녀는 Edgar Degas의 작품을 동경했고 파리에서 그를 만날 수 있었다. 비록 자신의 아이들은 없었지만, 그녀는 아이들을 사랑했고 그녀의 친구들과 가족의 아이들의 초상화를 그렸다. Cassatt은 70세에 시력을 잃었고, 슬프게도, 그녀 인생의 후반부에는 그림을 그릴 수 없었다.
▸ (A) 뒤에 「주어+동사 ~」 형태의 절이 오므로 접속사 Though가 적절하다.
(B) 뒤에 기간을 나타내는 명사구가 오므로 전치사 during이 적절하다.

3 그러므로, 소음에의 지속적인 노출은, 특히 읽는 것과 읽는 것을 배우는 것에 있어 소음의 부정적인 영향 면에서, 아이들의 학업 성취와 관계가 있다는 것은 놀랍지 않다. 몇몇 연구자들은, 유치원 교실이 소음 수준을 낮추도록 바뀌었을 때, 아이들이 서로에게 더 자주 말을 하고 더 완전한 문장으로 말한다는 것을 발견했다.
▸ ② → learning / 등위접속사 and에 의해 병렬구조를 이루도록 on 뒤의 reading과 같은 형태인 learning으로 고쳐야 한다.

어법 TEST 3 기출 유형 어법훈련하기 p. 108

구문분석 및 직독직해

❶ Imagine in your mind / one of / your favorite paintings, drawings, cartoon characters / or something equally complex.
마음속으로 상상하라(명령문) / ~ 중 하나를(one of+복수 명사) / 당신이 좋아하는 회화, 소묘, 만화의 등장인물들 / 또는 똑같이 복잡한 어떤 것(등위접속사, something을 뒤에서 수식)

❷ Now, / with that picture in your mind, / try to draw [what your mind sees].
이제 / 그 그림을 마음속에 두고 / 그려 보라 / 당신의 마음이 보는 것을(선행사를 포함하는 관계대명사 what, 불완전한 형태의 문장(목적어 없음))

❸ Unless you are unusually gifted, / your drawing will look completely different from [what you are seeing with your mind's eye].
당신이 특별하게 재능이 있는 것이 아니라면(부사절 접속사(= If ~ not)) / 당신의 그림은 ~와 완전히 다르게 보일 것이다 / 당신이 마음의 눈으로 보고 있는 것과(선행사를 포함하는 관계대명사 what + 불완전한 문장)

❹ However, / if you tried to copy the original / rather than your imaginary drawing, / you might find / your drawing now was a little better.
하지만 / 원본을 베끼려 한다면(if+주어+동사의 과거형) / 당신의 상상 속의 그림보다 / 당신은 발견할 것이다(주어+조동사의 과거형+동사원형) / 당신의 그림이 이제 약간 더 나아진 것을

❺ Furthermore, / if you copied the picture many times, / you would find / that each time your drawing would get a little better, / a little more accurate.
게다가 / 그 그림을 여러 번 베낀다면(가정법 과거, if+주어+동사의 과거형) / 당신은 알게 될 것이다(주어+조동사의 과거형+동사원형) / 매번 당신의 그림이 좀 더 나아지고(완전한 형태의 문장: 주어, 동사, 보어) / 좀 더 정확해지는 것을

❻ Practice makes perfect.
연습하면 완전해진다.

❼ This is [because you are developing / the skills of
이것은 / 발달되고 있기 때문이다(보어절) / 조화시키는(전치사+)

coordinating {what your mind perceives / with the
능력이 마음이 인식한 것과
동명사 선행사 포함 관계대명사+S+V(불완전한 문장)

movement of your body parts}].
신체 부위의 움직임을

정답 ④

해석 당신이 좋아하는 회화, 소묘, 만화의 등장인물들이나 똑같이 복잡한 어떤 것 중 하나를 마음속으로 상상하라. 이제 그 그림을 마음속에 두고 당신의 마음이 보는 것을 그려 보라. 당신이 특별하게 재능이 있는 것이 아니라면, 당신이 그린 그림은 당신이 마음의 눈으로 보고 있는 것과 완전히 다르게 보일 것이다. 하지만 당신의 상상 속의 그림보다 원본을 베끼려고 애쓴다면, 당신은 이제 당신의 그림이 약간 더 나아진 것을 발견할지도 모른다. 게다가 그 그림을 여러 번 베낀다면, 매번 당신 그림이 좀 더 나아지고 좀 더 정확해지는 것을 알게 될 것이다. 연습하면 완전해진다. 이것은 마음이 인식한 것과 신체 부위의 움직임을 조화시키는 능력이 발달되고 있기 때문이다.

구조 분석 + 어법 POINT 확인

(A) 정답 Unless

이유 [부사절 접속사 (조건)] '당신이 특별하게 재능이 있는 것이 아니라면'이라는 의미가 되어야 자연스러우므로 부정어를 포함하는 접속사 Unless가 적절하다.

(B) 정답 that

이유 [명사절 접속사 (목적어)] 뒤에 「주어+동사+보어」의 완전한 형태의 문장이 오므로, 목적어 역할을 하는 절을 이끄는 접속사 that이 적절하다.

(C) 정답 what

이유 [접속사 that / 관계대명사 what] 앞에는 선행사에 해당하는 명사가 없고 뒤에는 목적어가 없는 불완전한 문장이 오므로, 관계대명사 what이 알맞다.

어법 TEST 4 서술형 내신 어법훈련하기 p. 109

구문분석 및 직독직해

❶ Bad lighting can increase stress / on your eyes, / as can
나쁜 조명은 스트레스를 증가시킬 수 있다 여러분의 눈에
as+V+S: ~처럼(도치)

light [that is too bright], or light [that shines directly into your
너무 밝은 빛처럼 또는 눈에 직접적으로 비추는 빛
선행사 주격 관계대명사 등위접속사 주격 관계대명사

eyes].

❷ Fluorescent lighting can also be tiring.
형광등 조명 또한 피로감을 줄 수 있다
현재분사

❸ [What you may not appreciate] is [that the quality of light
당신이 인식하지 못할 수 있는 것은 빛의 질
관계대명사 불완전한 문장 보어 역할 명사절 접속사

may also be important].
또한 중요할 수 있다는 것이다

❹ Most people are happiest / in bright sunshine / — this may
대부분의 사람들은 가장 행복하다 밝은 햇빛 속에서

cause a release of chemicals in the body [that bring / a feeling
이것은 체내 화학물질 분비를 일으킬 수 있다 가져오는
선행사 주격 관계대명사

of emotional well-being].
감정적인 행복감의 느낌을

❺ Artificial light, (which typically contains only a few
인공조명은 전형적으로 단지 몇 개의 빛의 파장만을 포함한다
계속적 용법의 관계대명사절(삽입)

wavelengths of light), does not seem to have the same effect
기분에 미치는 똑같은 효과를 가지고 있는 것 같지 않다
선행사

on mood [that sunlight has].
햇빛이 가지고 있는
목적격 관계대명사

❻ Try experimenting with / working by a window / or using
~으로 실험해 보라 창가에서 일을 하는 것 또는
명령문 동명사1 등위접속사 (with) (병렬구조) 동명사2

full spectrum bulbs in your desk lamp.
책상 전등에 모든 파장이 있는 전구를 사용하는 것

❼ You will probably find [that this improves / the quality of
당신은 아마도 발견할 것이다 이것이 향상시킨다는 것을
명사절 접속사 → 완전한 형태의 문장

your working environment].
당신의 작업 환경의 질을

해석 나쁜 조명은, 너무 밝은 빛, 또는 눈에 직접적으로 비추는 빛처럼, 여러분의 눈에 스트레스를 증가시킬 수 있다. 형광등 조명 또한 피로감을 줄 수 있다. 당신이 인식하지 못할 수 있는 것은 빛의 질 또한 중요할 수 있다는 것이다. 대부분의 사람들은 밝은 햇빛 속에서 가장 행복하다 — 이것은 감정적인 행복감의 느낌을 가져오는 체내 화학물질의 분비를 일으킬 수 있다. 인공조명은 전형적으로 단지 몇 개의 빛의 파장만을 포함하고 있는데, 이는 햇빛이 가지고 있는 기분에 미치는 똑같은 효과를 가지고 있는 것 같지 않다. 창가에서 일을 하거나 책상 전등에 모든 파장이 있는 전구를 사용하는 것을 실험해 보라. 당신은 아마도 이것이 당신의 작업 환경의 질을 향상시킨다는 것을 발견할 것이다.

학교시험 서술형 단골 문제 감 잡기

1 정답 What / 뒤에 목적어가 없는 불완전한 문장이 오므로 선행사를 포함하는 관계대명사 what이 적절하다.

해설 '인식하지 않을 수도 있는 것'이라는 의미로 what절이 문장의 주어로 쓰인 구조이다.

2 정답 창가에서 일을 하거나 책상 전등에 모든 파장이 있는 전구를 사용하는 것을 실험해 보라.

해설 등위접속사 or로 연결되어 working과 using이 병렬구조로 같은 문법적 형태로 쓰인 것에 주의한다.

3 정답 You will probably find that this improves the quality of your working environment.

해설 먼저 주절 You will probably find를 쓰고, 목적어를 이끄는 접속사 that이 오게 한다. 명사절을 이끄는 접속사 that 뒤에는 완전한 형태의 문장이 온다.

Unit 10 명사와 대명사

어법 기본 다지는 Basic Grammar p. 113

셀 수 있는 명사 vs. 셀 수 없는 명사 **1** some **2** A few **3** little
대명사 it의 여러 가지 쓰임 **1** 비인칭 주어 **2** 가주어 **3** 가목적어 **4** 강조구문

기출 문장으로 실전어법 개념잡기 1, 2 p. 115

1 a few **2** a great deal **3** many, decisions **4** people **5** ○, it **6** ○, them **7** them **8** ○

1 몇 분 동안 방에 머무르면 그 냄새는 사라지는 것처럼 보인다.
▶ a few는 셀 수 있는 명사, a little는 셀 수 없는 명사를 수식한다. minutes가 복수 명사이므로 셀 수 있는 명사의 수식어 a few가 적절하다.

2 매일 반복되는 많은 학업이 지루하고 반복적이기 때문에, 당신은 그것을 계속할 수 있도록 잘 동기 부여 되어야 한다.
▶ 명사의 종류에 따라 수식어가 다르게 쓰인다. academic work (셀 수 없는 명사)+is(단수 동사)로 보아 a great deal (of)이 적절하다.

3 사람들은 근본적인 욕구를 채우기 위해 다른 사람들과의 관계를 추구하며, 이 욕구는 일생에 걸쳐 많은 감정, 행동, 그리고 결정들의 기저를 이룬다.
▶ emotions, actions가 셀 수 있는 명사의 복수형이므로 many로 수식하는 것이 알맞고, and로 연결된 명사도 복수형이 되어야 한다.

4 많은 사람들은 자신의 환경에서 그러한 선택을 가로막는 장벽을 마주한다.
▶ many는 셀 수 있는 명사의 복수형을 수식하므로 '사람들'이라는 뜻의 people이 알맞다.

5 전문가들은 젊은이들이 불필요한 것에 돈을 낭비하는 것을 그만두고 저축을 시작하라고 제안한다.
▶ their는 young people을 대신하는 소유격 대명사로 적절하게 쓰였다. / them은 money를 대신하는 대명사로 적절하지 않다. money는 셀 수 없는 명사이므로 it으로 고쳐야 적절하다.

6 오늘날 만들어진 제조 식품 중 많은 수가 너무 많은 화학 물질과 인공적인 재료를 함유하고 있어서 때로는 그 안에 정확히 무엇이 들어 있는지 알기 어렵다.
▶ it은 진주어인 'to know ~'를 대신하는 가주어로 적절하게 쓰였다. / it은 many of the manufactured products를 대신하는 대명사이므로 복수형인 them으로 고쳐야 한다.

7 농장과 산업의 일자리들이 천천히 고갈되었고, 무엇도 그것들을 대체하지 못했다.
▶ farm and industrial jobs를 대신하는 대명사가 필요하므로 복수 대명사 them으로 고쳐야 한다.

8 저는 사냥꾼을 처벌하고 그에게 개들을 사슬로 묶거나 가두라고 지시할 수도 있습니다.
▶ them은 his dogs를 대신하는 대명사로 적절하게 쓰였다.

기출 문장으로 실전어법 개념잡기 3, 4 p. 117

1 it **2** that **3** one **4** others **5** all **6** her **7** itself **8** yourself

1 세상은 재미있는 장소이고 그 속에서 당신의 존재는 아마도 더 재미있는 일일 것이다.
▶ the world를 지칭하므로 지시대명사 it이 적절하다. 지시대명사 it은 앞에 나온 단순 사물 명사를 지칭하거나 특정 부분, 혹은 문장 전체를 지칭할 때도 사용한다.

2 영어 원어민 수는 스페인어의 그것(수)보다 더 적다.
▶ the number of native speakers를 받는 지시대명사 자리로, 뒤에 수식어구가 있을 경우 지시대명사 that을 쓴다.

3 예를 들어, 한 사람은 남성용 신발을 만들고, 또 다른 사람은 여성용 신발을 만든다.
▶ one은 '하나', another는 '또 다른 하나'를 의미하는 부정대명사이다. 뒤에 나오는 man이 단수 명사이므로 one이 알맞다.

4 누군가가 발견을 하면, 다른 사람들은 자신들의 연구에서 그 정보를 사용하기 전에 그것을 신중하게 검토한다.
▶ '누군가(somebody)가 발견을 하면 다른 사람들(others)은 그것을 검토한다'라는 의미가 되는 것이 자연스럽고, 동사 review가 복수형이므로 others가 적절하다.

5 과보호하는 부모들은 아이들이 모든 자연스런 결과를 경험하지 못하도록 한다.
▶ every와 all은 둘 다 '모든'으로 해석되는 부정형용사이지만, every 뒤에는 단수 명사가 오고, all 뒤에는 복수 명사가 온다.

6 1949년에, 그녀는 그녀의 동료들과 페니실린의 구조를 연구했다.
▶ 뒤에 명사가 이어지므로 소유격 대명사가 적절하다. 재귀대명사는 목적어가 주어와 동일한 경우에 쓴다.

7 감정 자체는 그것이 비롯되는 상황과 관련이 있다.
▶ the emotion을 강조하는 재귀대명사의 강조 용법이 적절하다.

8 당신이 편안한 지역에 머무르고 있고, 그 똑같은 해묵은 기운을 벗어나도록 당신 자신을 밀어붙이지 않는다면, 당신은 당신의 길에서 앞으로 나아가지 못할 것이다.
▶ '자기 자신을 밀어붙이다'라는 의미가 되어야 하므로 재귀대명사의 재귀 용법이 적절하다.

어법 TEST 1 문장 어법훈련하기 p. 118

1 each, every 2 ourselves, our 3 their, others
4 those 5 one 6 The other 7 himself

1 이러한 장려책은 쿠폰 또는 광고를 볼 때마다 유선 방송 수신료를 할인하는 형태를 띨 것이다.
▸ each와 every 뒤에는 셀 수 있는 단수 명사가 오고, all 뒤에는 셀 수 있는 복수 명사나 셀 수 없는 명사가 온다.

2 의심이 들 때, 우리는 이야기들을 스스로 교차 확인할 필요가 있다. 사실 확인이라는 간단한 행위가 잘못된 정보가 우리의 생각을 형성하는 것을 막아준다.
▸ 생략이 가능하므로 강조 용법으로 쓰인 재귀대명사가 적절하다. / 뒤에 명사가 이어지므로 소유격 대명사가 적절하다.

3 사람들은 그들의 역할과 다른 사람들의 역할 사이의 관계에 기초하여 전형적인 양식의 상호 작용에 참여한다.
▸ 뒤에 명사가 이어지므로 소유격 대명사가 적절하다. / '다른 사람들의 역할'이라는 의미가 되어야 하므로 others가 적절하다.

4 읽기와 수학 시험에서, 시끄러운 학교나 교실의 초등학생과 고등학생은 더 조용한 환경의 그들(학생들)보다 일관되게 성취도가 낮다.
▸ 지시대명사 that은 단수 명사, those는 복수 명사를 대신한다. 여기서는 복수 명사 students를 대신하는 지시대명사이므로 those가 적절하다.

5 의료적 혹은 행동적인 도움이 필요한 반려동물이나, 심지어 나이 든 반려동물들을 입양하는 것을 고려하라.
▸ 같은 종류의 불특정한 명사를 대신할 때 단수이면 one, 복수이면 ones를 쓴다. 앞에 a가 있으므로 one을 쓰는 것이 적절하다.

6 띠의 한쪽 끝을 입술 가까이에 잡고, 종이 위로 천천히 균등하게 바람을 불어 준다. 띠의 다른 쪽 끝이 올라갈 것이다.
▸ 둘 중에 '하나'는 one, '나머지 하나'는 the other로 표현한다.

7 "그것들은 나를 늦추기 위해 그곳에 있었을 뿐이야."라고 그는 속으로 생각했다.
▸ 목적어가 주어와 동일한 경우에 재귀대명사를 쓴다. 재귀대명사의 관용 표현으로 think to oneself는 '마음속으로 생각하다'라는 의미를 나타낸다.

어법 TEST 2 짧은 지문 어법훈련하기 p. 119

1 (A) it (B) decreases 2 (A) themselves (B) others
3 ①

1 사람들은 그것이 그들의 손에 닿지 않기 때문에 원하는 물건에 더 이끌린다. 바라는 물건이 마침내 얻어지면, 그 물건에 대한 이끌림은 빠르게 감소한다.
▸ (A) a desired object를 대신하는 지시대명사 it이 적절하다.
(B) 주절의 주어가 단수 명사인 the attraction (for the object)이므로, 3인칭 단수 동사가 적절하다.

2 반면, 일본인들은 자신들과 매우 가까운 소수의 사람들을 제외하고는 다른 사람들에게 자신에 관한 정보를 거의 공개하지 않는 경향이 있다. 일반적으로, 아시아인들은 낯선 이들에게 다가가지 않는다.
▸ (A) 인칭대명사 목적격과 재귀대명사의 구분은 글의 내용에서 주어와 목적어의 대상이 같은지 먼저 파악해야 한다. 여기서는 내용상 about의 목적어가 주어와 동일하므로 재귀대명사 themselves가 적절하다.
(B) '다른 사람들'은 others로 표현한다.

3 인터넷은 어느 문제에 대해서도 너무 많은 무료 정보를 이용할 수 있게 만들어서 우리는 결정을 하기 위해 그 모든 정보를 고려해야 한다고 생각한다. 그래서 우리는 계속 인터넷에서 답을 찾는다. 이것은 우리가 개인적, 사업적, 혹은 다른 결정을 하려고 할 때, 전조등 불빛 속의 사슴처럼, 우리를 정보로 눈멀게 만든다.
▸ ① → much / 수식을 받는 명사가 information(정보)으로 셀 수 없는 명사이므로 many는 much 등으로 고쳐야 한다.

어법 TEST 3 기출 유형 어법훈련하기 p. 120

구문분석 및 직독직해

❶ We are more likely / to eat / in a restaurant / if we know /
우리는 가능성이 더 많다 / 식사할 / 그 식당에서 / 우리가 알게 되면
~할 가능성이 많다 / 접속사(부사절-조건)
that it is usually busy.
어떤 그 식당이 대체로 붐빈다는 것을
= a restaurant

❷ Even when nobody tells us / a restaurant is good, / our herd behavior determines / our decision-making.
아무도 우리에게 말하지 않을 때조차도 / 어떤 식당이 좋다고
~조차 접속사(부사절)
우리의 무리 행동은 결정한다 / 우리의 의사를

(접속사 that 생략)
❸ Let's suppose [you walk / toward two empty restaurants].
당신이 걸어가고 있다고 가정하자 / 두 개의 텅 빈 식당 쪽으로

❹ You do not know / which one to enter.
당신은 모른다 / 어느 곳에 들어가야 할지
의문사+to부정사

❺ However, / you suddenly see / a group of six people enter / one of them.
하지만 / 당신은 갑자기 보게 된다 / 여섯 명의 무리가 들어가는 것을
지각동사+목적어+목적격 보어(동사원형)
둘 중 하나의 식당으로.
one of+복수 명사: ~ 중 하나

❻ Which one / are you more likely / to enter, / the empty one / or the other one?
어느 곳에 / 가능성이 더 많을까 / 들어갈 / 텅 빈 식당
Which (= restaurant) ~ A or B?(선택의문문) / (둘 중) 하나
혹은 나머지 식당
(둘 중) 나머지 하나

❼ Most people / would go into the restaurant / with people in it.
대부분의 사람들은 / 식당에 들어갈 것이다 / 안에 사람들이 있는
형 대부분의

❽ Let's suppose [you and a friend go into that restaurants].
가정하자 / 당신과 친구가 그 식당 안에 들어간다고
(접속사 that 생략)

❾ Now, / it has eight people / in it.
이제 / 여덟 명이 있다 / 그 식당 안에는

❿ Others see [that one restaurant is empty / and the other has eight people / in it].
다른 사람들은 보게 된다 / 한 식당은 비어 있고 / 다른 식당은
부정대명사 / 접속사(명사절)
여덟 명이 있는 것을 / 그 안에
one ~, the other ...: 하나는 ~, 나머지 하나는 …

⓫ So, / they decide / to do the same / as the other eight.
그래서 그들은 결정한다 / 같은 행동을 하기로 / 다른 여덟 명과
~와 같은 것을

정답 ③

해석 어떤 식당이 대체로 붐빈다는 것을 알게 되면 우리가 그 식당에서 식사할 가능성이 더 많다. 아무도 우리에게 어떤 식당이 좋다고 말하지 않을 때조차도, 우리의 무리 행동은 우리의 의사를 결정한다. 당신이 두 개의 텅 빈 식당 쪽으로 걸어가고 있다고 가정하자. 당신은 어느 곳에 들어가야 할지 모른다. 하지만, 갑자기 당신은 여섯 명의 무리가 둘 중 하나의 식당으로 들어가는 것을 보게 된다. 당신은 텅 빈 식당 혹은 나머지 식당 중, 어느 곳에 들어갈 가능성이 더 많을까? 대부분의 사람들은 안에 사람들이 있는 식당에 들어갈 것이다. 당신과 친구가 그 식당에 들어간다고 가정하자. 이제, 그 식당 안에는 여덟 명이 있다. 다른 사람들은 한 식당은 텅 비어 있고 다른 식당은 그 안에 여덟 명이 있는 것을 보게 된다. 그래서, 그들도 다른 여덟 명과 같은 행동을 하기로 결정한다.

구조 분석 + 어법 POINT 확인

(A) 정답 it
이유 [지시대명사/부정대명사] 앞에 나온 명사 a restaurant을 지칭하므로 지시대명사 it이 알맞다.

(B) 정답 the other
이유 [부정대명사] '나머지 하나는 ...'의 의미이므로 the other가 적절하다.

(C) 정답 Others
이유 [대명사의 수 일치] 동사의 형태가 sees가 아니라 see인 것으로 보아 주어가 복수이므로 others가 적절하다.

어법 TEST 4 서술형 내신 어법훈련하기 p. 121

구문분석 및 직독직해

❶ No one likes to think / they're average, / least of all below average.
누구도 생각하기를 좋아하지 않는다 자신이 평균이라고 특히 평균 이하라고 생각하지 않는다
아무도 ~ 않다: 단수 취급 특히 ~하지 않다

❷ When asked by psychologists, / most people / rate themselves / above average / on all manner of measures / including intelligence, looks, health, and so on.
심리학자들에게 질문을 받았을 때 대부분의 사람들은 스스로를 평가한다 평균 이상이라고 모든 척도들에서 지능, 외모, 건강 등을 포함한
= When (they are) asked 분사구문
rate의 목적어가 주어와 일치하므로 재귀대명사

❸ Self-control is no different: / people consistently overestimate / their ability to control themselves.
자기 통제 또한 다르지 않다, 즉 사람들은 지속적으로 과대평가한다 자기 자신을 통제할 수 있는 능력을
형용사적 용법 재귀대명사(재귀 용법)

❹ This overconfidence in self-control / can lead people to assume / they will be able to control themselves / in situations / in which, it turns out, they can't.
자기 통제에 대한 이러한 과신은 사람들을 가정하도록 이끌 수 있다 그들이 스스로를 통제할 수 있다고 상황에서 그들이 통제할 수 없다고 밝혀지는
lead+목적어+to부정사: ~가 …하게 하다
조동사는 두 개가 연달아 나올 수 없음 재귀대명사(재귀 용법) 삽입어구

❺ This is why / trying to stop an unwanted habit / can be / an extremely frustrating task.
이러한 이유로 원하지 않는 습관을 멈추려 노력하는 것은 될 수 있다 매우 좌절감을 주는 일이
try+to부정사: ~하려고 노력하다

❻ Over the days and weeks / from our resolution to change, / we start to notice / it popping up / again and again.
며칠과 몇 주에 걸쳐 변화하고자 결심한 순간부터 우리는 알아채기 시작한다 그것이 불쑥 나타나는 것을 반복적으로
형용사적 용법
= an unwanted habit

❼ The old habit's well-practiced performance / is beating / our conscious desire for change / into submission.
그 오래된 습관의 길들여진 행동은 굴복시키고 있다 우리의 변화하고자 하는 의식적인 욕구를 복종으로
beat ~ into submission: ~을 때려서 굴복시키다

해석 누구도 자신이 평균이라고 생각하기를 좋아하지 않으며, 특히 평균 이하라고 생각하지 않는다. 심리학자들에게 질문을 받았을 때, 대부분의 사람들은 지능, 외모, 건강 등을 포함한 모든 척도들에서 자신들이 평균 이상이라고 평가한다. 자기 통제 또한 다르지 않다. 사람들은 자기 자신을 통제할 수 있는 능력을 지속적으로 과대평가한다. 자기 통제에 대한 이러한 과신은 그들이 통제할 수 없다고 밝혀지는 상황에서 스스로를 통제할 수 있다고 가정하도록 이끌 수 있다. 이러한 이유로 원하지 않는 습관을 멈추려 노력하는 것은 매우 좌절감을 주는 일이 될 수 있다. 변화하고자 결심한 순간부터 며칠과 몇 주에 걸쳐, 우리는 그것(원하지 않는 습관)이 반복적으로 불쑥 나타나는 것을 알아채기 시작한다. 그 오래된 습관의 길들여진 행동은 우리가 변화하고자 하는 의식적인 욕구를 복종으로 굴복시키고 있다.

학교시험 서술형 단골 문제 감 잡기

1 정답 No one likes to think they're average
해설 부정대명사 one은 단수 취급한다.

2 정답 themselves / '자기 자신을 평가한다'는 의미이므로 재귀대명사를 쓴다.
해설 목적어가 주어와 일치하면 목적어 자리에 재귀대명사를 쓴다.

3 정답 they will be able to control themselves
해설 조동사는 두 개가 연달아 나올 수 없으므로 can 대신 be able to를 사용한다. 목적어인 재귀 용법으로 쓰인 재귀대명사는 생략할 수 없다.

Unit 11 형용사와 부사

어법 기본 다지는 Basic Grammar p. 123

형용사 1 doubtful 2 cold 3 salty 4 wonderful, sick
부사 1 very, unkind, cruel 2 accidentally, dropped
3 so, fast, so, embarrassed 4 Finally, he asked the US Food and Relief Administration for help

기출 문장으로 실전어법 개념잡기 1, 2 p. 125

1 fundamental 2 anything alive 3 wider
4 previous 5 positively 6 ○ 7 exactly
8 unusually, ○

1 정직은 모든 굳건한 관계의 근본적인 부분이다.
▶ 뒤에 오는 명사 part를 수식하는 형용사가 적절하다.

2 아이들이 공룡을 그렇게 많이 좋아하는 이유는 공룡이 크고, 오늘날 살아 있는 그 어떤 것과도 다르고 멸종되었기 때문이라고 생각한다.
▶ -thing으로 끝나는 명사는 형용사가 뒤에서 수식하므로 anything alive가 적절하다.

3 예를 들어, 나이테는 온화하고 습한 해에는 대개 (폭이) 더 넓어지고, 춥고 건조한 해에는 더 좁아진다.
▶ 주어 tree rings를 보충 설명하는 보어가 필요하다. grow는 '자라다'는 뜻의 자동사이며 부사는 보어 자리에 올 수 없다.

4 우리는 약간의 변화를 만들어 보지만, 그 결과는 결코 빨리 오지 않는 것 같고 그래서 우리는 이전의 일상으로 다시 빠져든다.
▶ 명사 routines를 수식하는 형용사가 적절하다.

5 만약 당신이 어떤 일이 불가능하다고 느낀다면, 당신은 당신이 단지 충분히 긍정적으로 생각하고 있지 않다는 말을 들을 것이다.
▶ 동사 are thinking을 수식하는 부사 positively로 고쳐야 한다.

6 분명히, 그 수업은 가르칠 교사와 수업을 들을 학생을 필요로 한다.
▶ 문장 전체를 수식하는 부사가 적절하게 쓰였다.

7 아마, 그 사람은 여러분이 어떤 별을 보고 있는지를 정확하게 알기 어려울 것이다.
▶ 동명사 knowing의 동사 기능을 수식하는 부사 exactly로 고쳐야 한다.

8 특별하게 재능이 있는 게 아니라면, 여러분이 그린 그림은 여러분이 마음의 눈으로 보고 있는 것과 완전히 다르게 보일 것이다.
▶ 뒤에 오는 형용사 gifted를 수식하는 부사 unusually로 고쳐야 한다. / 뒤에 오는 형용사 different를 수식하는 부사 completely가 바르게 쓰였다.

기출 문장으로 실전어법 개념잡기 3, 4 p. 127

1 late, late 2 mostly 3 nearly 4 highly 5 is
6 no 7 × 8 hardly

1 나의 아버지는 음악가로 매우 늦게, 대략 새벽 3시까지 일했고, 그래서 아버지는 주말마다 늦잠을 잤다.
▶ late 형 늦은 부 늦게 / lately 부 최근에
명사 hours를 수식하는 형용사 late가 적절하다. / 동사 slept를 수식하는 부사 late가 적절하다.

2 브라질은 다섯 개 국가 중에서 주로 소셜 네트워크를 통해 뉴스 영상을 시청하는 사람들의 가장 높은 비율을 보여 준다.
▶ most 형 가장, 대부분의 / mostly 부 주로, 대개
동사 watch를 수식하는 부사 mostly가 적절하다.

3 왼쪽 엔진은 동력을 잃기 시작하고, 오른쪽 엔진은 이제 거의 멈췄다.
▶ near 형 가까운 부 가까이에 / nearly 부 거의
형용사 dead을 수식하는 부사 nearly가 적절하다. '거의 멈췄다'라는 의미이다.

4 나는 Ashley가 귀교의 매우 성공적인 구성원이 될 것이라 믿으며 그녀의 귀교 입학을 추천합니다.
▶ high 형 높은 부 높이 / highly 부 높이; 매우
형용사 successful을 수식하는 부사 highly가 적절하다. '매우 성공적인'이라는 의미이다.

5 모든 것을 다 학교에서 가르쳐 주는 것은 아니다!
▶ 부정어 not이 쓰였으므로 다른 부정어를 중복하여 사용하지 않는다. 「not+every ~」는 '모든 것이 ~은 아니다'라는 뜻으로, 부분부정 표현이다.

6 브라질에 사는 Amondawa 부족에게는 측정되거나 셀 수 있는 시간의 개념이 없다. 연구자들은 또한 나이가 있는 사람이 아무도 없다는 것을 알아냈다.
▶ 문맥상 앞 문장의 내용과 연결되려면 부정의 의미가 되어야 한다. 「no+명사」로 완전부정의 의미를 표현한다.

7 우리는 우리에게 실제로 중요한 것이라기보다 우리가 해야만 하는 것에 기초하여 결심을 하게 된다. 이것은 목표를 고수하는 것을 거의 불가능하게 만든다.
▶ 앞 문장의 내용으로 보아, '불가능하게 만든다'라는 의미가 되어야 자연스럽다. seldom은 '좀처럼 ~ 않는'이라는 뜻이며 이중으로 부정이 되므로 필요하지 않다.

8 만약 나무가 가뭄과 같은 힘든 기후 조건을 경험하게 되면, 그러한 기간에는 나무가 거의 성장하지 못할 수도 있다.
▶ hard 형 어려운; 딱딱한 부 열심히 / hardly 부 거의 ~ 않다
동사 grow를 수식하는 부사 hardly가 적절하다. 문맥상 '거의 성장하지 못할 수도 있다'라는 의미이다.

어법 TEST 1 문장 어법훈련하기 p. 128

1 could 2 rare 3 alone 4 independently
5 emotional, ○ 6 relatively 7 ○, nearly

1 그녀의 부모님은 오두막에 성경을 가지고 있었지만, 아무도 그것을 읽지 못했다.

▸ no는 부정의 의미를 가진 한정사로, 다른 부정어를 중복하여 사용하지 않는다. 따라서 could가 적절하다.

2 이것을 하기 위한 한 방법은 멋진 경험들을 드문 상태로 유지하는 것이다.

▸ '멋진 경험을 드문 상태로 유지하는 것'이라는 의미가 되어야 하므로, '드문'이라는 뜻의 형용사 rare가 적절하다.
rare 형 드문 / 부 rarely 거의 ~ 않는

3 학교 과제들을 전형적으로 혼자서 하도록 요구해 왔다.

▸ 문맥상 '혼자' 하는 것을 요구하는 것이므로 alone이 적절하다.
lonely 형 외로운 / alone 형 혼자 있는

4 학생들에게 어려운 텍스트를 혼자 읽고, 그것에 관해 생각해 보고, 그것에 관한 글을 쓰게 과제를 주는 것 또한 충분하지 않다.

▸ 동사 read를 수식하는 부사 independently(독자적으로)가 적절하다.

5 그 책의 감정적 효과를 더 깊이 즐김으로써, 사람들은 자신의 감정과 더욱 가까워진다.

▸ 명사 effects를 수식하는 형용사가 와야 하므로 emotional(감정적인)으로 고쳐야 한다. 동명사 enjoying의 동사 기능을 수식하는 부사가 필요하므로 deeply(깊이)가 바르게 쓰였다. more는 부사 deeply의 비교급 표현이다.

6 비교적 적은 양의 플라스틱을 수거하기 위해 엄청난 양의 물을 여과해야 할 수도 있다.

▸ 형용사 small을 수식하는 부사가 와야 하므로 relatively(비교적)로 고쳐야 한다.

7 노벨상을 수상한 생물학자 Peter Medawar는 과학에 들인 그의 시간 중 5분의 4 정도가 헛되었다고 말하면서, "거의 모든 과학적 연구가 성과를 내지 못한다."고 애석해하며 덧붙여 말했다.

▸ 현재분사 adding을 수식하는 부사 sadly(애석해하며)가 바르게 쓰였다. / 형용사구 all scientific을 수식하는 말로, '거의 모든 과학적인'이라는 뜻이 되도록 부사 nearly(거의)로 고쳐야 한다.

어법 TEST 2 짧은 지문 어법훈련하기 p. 129

1 (A) alone (B) terrible (C) hardly (D) a little
2 (A) particularly (B) few (C) close **3** ①

1 40피트 정도의 물속에서 홀로 잠수하고 있었을 때, 나는 배가 몹시 아팠다. 나는 가라앉고 있었고 거의 움직일 수가 없었다. 나는 시계를 볼 수 있었고 공기가 떨어지기 전까지 (산소) 탱크 잔여 시간이 조금밖에 없다는 것을 알았다.

▸ (A) '홀로' 잠수하고 있었다는 의미가 되어야 자연스럽다. 따라서 부사 alone이 적절하다.
lonely 형 외로운, 고독한 alone 형 혼자 있는 부 홀로
(B) 뒤에 명사 stomachache가 있는 것으로 보아, 형용사 terrible이 적절하다.
(C) 문맥상 '거의 ~할 수 없었다'라는 의미가 되도록 준부정을 나타내는 부사 hardly가 적절하다.
(D) 명사 time이 불가산 명사이므로 a little이 적절하다.

2 이것은 왜 미국인들은 만나기가 특히 쉬워 보이는지와 그들이 칵테일 파티에서의 대화에 능숙한지를 설명할 수 있다. 반면에, 일본인들은 자신과 매우 친한 소수의 사람들을 제외하고는 타인에게 자신에 대해 거의 공개하지 않는 경향이 있다. 일반적으로, 아시아인들은 낯선 이에게 관심을 내보이지 않는다.

▸ (A) 뒤에 형용사 easy가 있는 것으로 보아, 부사가 적절하다.
(B) 명사 people은 복수 취급하는 명사로, few, a few 등으로 수식한다.
(C) '매우 친한'이라는 의미가 되도록 형용사 close가 적절하다.
close 형 가까운 부 가깝게 / closely 부 엄밀히, 꼭

3 우리는 우리가 오랫동안 이야기하지 못했던 사람들에게 전화하면서, 작은 노력 하나가 우리가 만들어 낸 몇 달과 몇 년의 거리를 지우길 바란다. 그러나 이것은 거의 효과가 없다. 왜냐하면 관계들은 커다란 일회성의 해결책들로 지속되지 않기 때문이다. 그것들은 자동차처럼 정기적인 정비로 유지된다. 말하자면, 우리의 관계들에서 우리가 (엔진) 오일 교환 사이에 너무 많은 시간이 흘러가지 않도록 확실히 해야 한다.

▸ ① → rarely / 문맥상 '이것은 거의 효과가 없다'라는 의미가 되어야 하므로 rarely(거의 ~ 않는)로 고쳐야 한다.

어법 TEST 3 기출 유형 어법훈련하기 p. 130

구문분석 및 직독직해

❶ Bad lighting can increase stress / on your eyes, / as can light [that is too bright], or light [that shines directly / into your eyes].
나쁜 조명은 스트레스를 증가시킬 수 있다 / 여러분의 눈에 / 접속사 / 너무 밝은 빛처럼 / 도치 구문 / 주격 관계대명사 / 또는 직접적으로 비추는 빛 / 주격 관계대명사 / 여러분의 눈에
부 직접적으로 (*cf.* direct 형 직접적인)

❷ Fluorescent lighting can also be tiring.
형광등 또한 피로감을 줄 수 있다 / 현재분사(보어)

❸ [What you may not appreciate] is [that the quality of light / may also be important].
여러분이 모를 수도 있는 것은 / 관계대명사(~한 것) / ~이다 빛의 질 / 명사절을 이끄는 접속사(보어절) / 또한 중요할 수 있다는 것

❹ Most people are happiest / in bright sunshine — / this may cause / a release of chemicals / in the body [that bring / a feeling of emotional well-being].
대부분의 사람들은 가장 행복하다 / 밝은 햇빛 속에서 / 형 대부분의 (*cf.* almost 부 거의) / 이것은 야기할지도 모른다 / 화학물질의 분비를 / 체내에서 / ~을 가져오는 / 정서적인 행복감 / 주격 관계대명사 / 형용사

❺ Artificial light, / which typically contains / only a few wavelengths of light, / does not seem to have the same effect / on mood [that sunlight has].
인공조명은 / 전형적으로 포함하는 / 관계대명사절 삽입 / 부 전형적으로 (*cf.* typical 형 전형적인) / 단지 몇 개의 빛 파장만을 / 셀 수 있는 명사 수식 / 똑같은 효과를 갖지 않을 수 있다 / 선행사 / 분위기에 미치는 / 햇빛이 갖는 / 목적격 관계대명사

❻ Try experimenting / with working by a window / or using full spectrum bulbs / in your desk lamp.
실험해 보아라 / try -ing: ~을 시도해 보다 / 창가에서 작업하거나 / 또는 모든 파장이 있는 전구를 사용하여 / 책상 전등에 있는 / 병렬구조

❼ You will probably find [that this improves / the quality of
여러분은 아마도 알게 될 것이다 / 이것이 향상시킨다는 것을 /
명사절 접속사(find의 목적절)
your working environment].
여러분의 작업 환경의 질을

정답 ⑤

해석 너무 밝은 빛이나 눈에 직접적으로 비추는 빛처럼, 나쁜 조명은 여러분의 눈에 스트레스를 증가시킬 수 있다. 형광등 또한 피로감을 줄 수 있다. 여러분이 모를 수도 있는 것은 빛의 질 또한 중요할 수 있다는 것이다. 대부분의 사람들은 밝은 햇빛 속에서 가장 행복하다 — 이것은 아마 정서적인 행복감을 주는 체내의 화학물질을 분비시킬지도 모른다. 전형적으로 단지 몇 개의 빛 파장만 있는 인공조명이 분위기에 미치는 효과는 햇빛(이 미치는 효과)과 똑같지 않을 수 있다. 창가에서 작업하거나 책상 전등에 있는 모든 파장이 있는 전구를 사용하여 실험해 보아라. 이것이 여러분의 작업 환경의 질을 향상시킨다는 것을 아마도 알게 될 것이다.

구조 분석 + 어법 POINT 확인

(A) 정답 directly
이유 [형용사/부사] 동사 shines를 수식하는 부사 directly(직접적으로)가 적절하다. / direct 형 직접적인

(B) 정답 Most
이유 [형용사/부사] 뒤의 명사 people를 수식하는 형용사 most(대부분의)가 적절하다. / almost 부 거의

(C) 정답 typically
이유 [형용사/부사] 동사 contains를 수식하는 부사 typically(전형적으로)가 적절하다. / typical 형 전형적인

어법 TEST 4 서술형 내신 어법훈련하기 p. 131

구문분석 및 직독직해

❶ Clothing doesn't have to be expensive / to provide
의류가 비쌀 필요는 없다 / 편안함을 제공하기 위해
don't have to: ~할 필요가 없다 / to부정사(목적)
comfort / during exercise.
운동하는 동안
전치사+명사

❷ Select clothing / appropriate / for the temperature
의류를 선택하라 / 적절한 / 기온과
형용사 수치 수식
and environmental conditions / in which you will be doing
환경 조건에 / 운동을 하고 있을
선행사 / 전치사+목적격 관계대명사
exercise.

❸ Clothing [that is appropriate / for exercise and the season]
의류는 / 적절한 / 운동과 계절에
주격 관계대명사
can improve / your exercise experience.
향상시킬 수 있다 / 당신의 운동 경험을

❹ In warm environments, / clothes [that have a wicking
따뜻한 환경에서는 / 옷이 / 수분 배출 기능을 가진
주격 관계대명사
capacity] are helpful / in dissipating heat / from the body.
도움이 된다 / 열을 발산하는 데 / 몸에서
전치사+동명사

❹ In warm environments, / clothes [that have a wicking
따뜻한 환경에서는 / 옷이 / 수분 배출 기능을 가진
주격 관계대명사
capacity] are helpful / in dissipating heat / from the body.
도움이 된다 / 열을 발산하는 데 / 몸에서
전치사+동명사

❺ In contrast, / it is best / to face cold environments /
반면 / ~이 최선이다 / 추운 환경에 대처하는 것
가주어 / 진주어(to부정사구)
with layers / so you can adjust your body temperature /
겹겹이 입어서 / 체온을 조절할 수 있으려면
so+주어+can+동사원형: ~할 수 있도록 (목적)
avoid+동명사: ~을 피하다
to avoid sweating / and remain comfortable.
땀을 흘리는 것을 피하기 위해 / 그리고 쾌적한 상태를 유지하기 위해
to부정사(목적) / 불완전 자동사+형용사

해석 운동하는 동안 편안함을 제공하기 위해 의류가 비쌀 필요는 없다. 기온과 운동하고 있을 환경 조건에 적절한 의류를 선택하라. 운동과 계절에 적절한 의류는 운동 경험을 향상시킬 수 있다. 따뜻한 환경에서는 수분을 흡수하거나 배출할 수 있는 기능을 가진 옷이 몸에서 열을 발산하는 데 도움이 된다. 반면, 땀을 흘리는 것을 피하고 쾌적한 상태를 유지하기 위해 체온을 조절하려면 겹겹이 입어서 추운 환경에 대처하는 것이 최선이다.

학교시험 서술형 단골 문제 감 잡기

1 정답 environmental
해설 명사 conditions를 수식하는 형용사로 고쳐야 한다.

2 정답 are helpful in dissipating heat from the body
해설 '도움이 된다'는 are helpful, '열을 발산하는 데'는 in dissipating heat, '몸에서'는 from the body로 쓴다.

3 정답 comfortable / 동사 remain(~한 상태로 남아 있다) 뒤의 주격보어이므로 부사가 아닌 형용사가 온다.
해설 remain은 불완전 자동사로, 「주어+동사+보어」의 2형식으로 쓰였다.

Unit 12 비교

어법 기본 다지는 Basic Grammar p. 135

비교구문 1 as 2 quickly
비교급/최상급 불규칙 변화 1 less 2 more comfortable

기출 문장으로 실전어법 개념잡기 1, 2, 3 p. 137

1 fast 2 not as 3 as 4 more 5 less 6 slower
7 most 8 least

1 그는 가능한 한 빠르게 달렸고 자신을 공중으로 내던졌다.
▸ as+부사의 원급+as: ~만큼 …하게

2 그것은 여러분의 목표로 향하는 길, 계획의 이행이 그 계획만큼 매력적이지 않기 때문이다.
▸ not as+형용사의 원급+as: ~만큼 …하지 않은

3 학교 도서관에서의 소리에 대한 염려들은 과거에 그것들이 그러했던 다른 어떤 것 못지 않게 오늘날 중요하고 복잡하다.
▸ as+형용사의 원급+as anything else: 다른 어떤 것 못지않게 ~한

4 우선, 문자 채팅은 노력과 집중을 덜 필요로 했고 음성 채팅보다 더 재미있었다.
▸ 대부분의 2음절 이상의 형용사/부사의 비교급은 「more+원급」 형태이다.

5 하지만, 대부분의 사람들은 그들의 최선보다 덜한 것에 안주하는데 그들이 하루를 제대로 시작하지 못하기 때문이다.
▸ 불규칙 변화 형용사 little – less – least

6 본질적으로, 우리가 더 많은 새로운 정보를 받아들일수록, 시간은 더 천천히 느껴진다.
▸ the+비교급 ~, the+비교급 …: ~하면 할수록, 더욱 …하다

7 위 도표는 2014년과 2016년에 영국인들이 인터넷 접속을 할 때 어떤 장비들이 가장 중요하다고 생각했는지를 보여준다.
▸ 대부분의 2음절 이상의 형용사/부사의 최상급은 「most+원급」 형태이다.

8 프랑스어는 원어민 수의 측면에서 다섯 개 언어 중 가장 적게 사용되는 언어이다.
▸ 문맥상 '가장 적게 사용되는 언어'라는 뜻이 되어야 하므로 little의 최상급인 least가 알맞다.

기출 문장으로 실전어법 개념잡기 4, 5 p. 139

1 even 2 much 3 far 4 that 5 ○ 6 telling
7 ○ 8 others

1 그의 다음 도전은 티셔츠만큼 크거나 훨씬 더 큰 것이었다.
▸ 형용사의 비교급을 강조하는 수식어로 much, even, still, far, a lot 등이 있다. very는 원급을 수식한다.

2 "당신은 지금 몇 년 전보다 훨씬 더 나이 들어 보입니다."
▸ 형용사의 비교급을 강조하는 수식어로 much가 적절하다.

3 도시 생활의 광경을 가장 잘 볼 수 있는 자리가 다른 사람들의 광경을 볼 수 없는 자리보다 훨씬 더 자주 이용된다.
▸ 부사의 비교급을 강조하는 수식어로 far가 적절하다.

4 2014년에 잡지를 이용한 영국 성인의 비율은 2013년의 그것(비율)보다 더 낮았다.
▸ 비교되는 두 대상의 수 일치가 되어야 하므로 the percentage를 받는 단수형 that으로 고쳐야 적절하다.

5 우리는 종종 말보다 행동에 더 많은 가치를 두도록 배우고, 그럴 만한 이유가 있다.
▸ actions와 비교되는 대상으로 명사의 복수형이 적절하게 쓰였다.

6 장기적으로, 선의의 거짓말은 진실을 말하는 것보다 사람들에게 훨씬 더 많이 상처를 준다.
▸ 비교 대상이 명사 lies이므로, 명사 형태인 동명사 telling으로 고쳐야 적절하다.

7 금메달의 경우, 영국이 중국보다 더 많이 획득하였다.
▸ 비교 대상이 「주어+과거 동사」 형태인 Great Britain won이므로, China did가 적절하게 쓰였다. 동사의 반복을 피하기 위해 대동사 did를 쓸 수 있다.

8 그것이 올바른 습관을 가진 사람들이 다른 사람들보다 더 뛰어나 보이는 이유이다.
▸ 비교되는 두 대상의 수 일치가 되어야 하므로 those와 수 일치를 위해 복수형 others로 고쳐야 적절하다.

어법 TEST 1 문장 어법훈련하기 p. 140

1 throws 2 more 3 much 4 twice 5 quickly
6 are를 삭제 7 ○, less

1 첫 번째, 너는 유도에서 가장 어려운 던지기 동작 중 하나를 숙달했다.
▸ one of the+최상급+복수 명사: 가장 ~한 것들 중 하나

2 당신의 몸이 배터리이고, 이 배터리가 더 많은 에너지를 저장할수록, 하루 안에 더 많은 에너지를 가질 수 있다고 상상해 보라.
▸ the+비교급 ~, the+비교급 …: ~하면 할수록, 더욱 …하다

3 과학적 지식으로 무장하여, 사람들은 우리가 사는 방식을 변화시키는 도구와 기기를 만들고, 그것은 우리의 삶을 훨씬 더 쉽고 나아지게 한다.
▸ 비교급을 강조할 때 much, even, still, far, a lot 등의 수식어가 온다.

4 어린 청소년들의 운전은 다른 어린 십대들이 주위에 있을 때 두 배 더 무모했다.

▶ 비교구문의 배수 표현으로 '두 배'는 twice, 그 이상은 「숫자+times」로 표현한다.

5 패스트 패션은 극도로 낮은 가격에 가능한 한 빠르게 디자인되고, 만들어지고, 소비자에게 팔리는 유행 의류를 말한다.
▶ 원급 관용 표현인 「as+원급+as possible」이 와야 한다.

6 뉴스 영상 사이트에서 뉴스 영상을 소비하는 것은 네 개 국가에서 소셜 네트워크를 통한 것보다 더 인기가 있다.
▶ on news sites와 via social networks가 비교 대상이므로 are는 삭제해야 한다.

7 고효율 식기 세척기는 훨씬 더 많은 물을 절약한다. 이런 기계들은 오래된 모델보다 물을 50퍼센트까지 덜 사용한다.
▶ 비교급을 강조하는 수식어로 even이 적절하게 쓰였다. / 뒤에 이어지는 than으로 보아 비교급인 less로 고쳐야 적절하다.

어법 TEST 2 | 짧은 지문 어법훈련하기 p. 141

1 (A) much (B) than (C) nerves **2** (A) more (B) less (C) latter **3** ②

1 당신의 머리는 아직 이 비교적 새로운 발전에 적응하지 못했다. 이미지가 말보다 뇌에 훨씬 더 커다란 영향을 주는데, 눈에서 뇌로 이어지는 신경은 귀에서 뇌로 이어지는 신경보다 25배 더 크다.
▶ (A) 비교급 강조 수식어로 much가 적절하다.
(B) 배수사 + 비교급 + than: ~의 보다 몇 배 더 …한/하게
(C) 비교구문에서 비교 대상은 문법적 형태가 같아야 하므로, 앞에 나온 the nerves와 수 일치가 되어야 한다.

2 우리가 수를 읽을 때, 우리는 가장 오른쪽보다 가장 왼쪽 숫자에 의해 더 영향을 받는데, 그것이 우리가 그것들을 읽고 처리하는 순서이기 때문이다. 수 799가 800보다 상당히 더 적게 느껴지는 것은 우리가 전자를 7로 시작하는 어떤 것으로, 후자를 8로 시작하는 어떤 것으로 보기 때문인데, 반면에 798은 799와 꽤 비슷하게 느껴진다.
▶ (A) 「비교급+형용사구+than」 구문으로, more가 알맞다.
(B) 문맥상 799가 800보다 '더 적게 느껴진다'는 것이 알맞다.
(C) 순서를 나타내는 late는 불규칙 변화하는 형용사로 late – latter – last로 변화한다.

3 2013년에 더 많은 수의 관광객을 받은 도시는 Antalya였으나, 이후 3년 동안은 Istanbul이 Antalya보다 더 많은 관광객을 받았다. Istanbul을 찾은 관광객 수가 2013년부터 2015년까지 꾸준히 증가한 반면, Antalya는 2015년에 전년도에 비해 적은 수의 관광객을 받았다. 흥미롭게도, 2016년에, 관광객의 수는 두 도시 모두 10만 명 미만으로 감소했다.
▶ ② 비교 대상이 「주어+과거 동사」이므로 does는 did로 고쳐야 한다.

어법 TEST 3 | 기출 유형 어법훈련하기 p. 142

구문분석 및 직독직해

❶ The above graph shows [how people in five countries / consume news videos: / on news sites versus via social networks].
(위 도표는 보여 준다 / 다섯 개 국가에서 사람들이 (간접의문문(의문사+주어+동사)) / 뉴스 영상을 소비하는 방식을 / 뉴스 사이트에서 대 소셜 네트워크를 통해)

❷ Consuming news videos / on news sites / is more popular / than via social networks / in four countries.
(뉴스 영상 소비는 (동명사(주어)) / 뉴스 영상 사이트에서의 / 더 인기가 있다 (단수 동사; 비교급+than: ~보다 더 …한[하게]) / 소셜 네트워크를 통한 것보다 (on news sites에 대응) / 네 개 국가에서)

❸ As for people [who mostly watch news videos / on news sites], Finland shows [the highest percentage / among the five countries].
(사람들에 있어서는 / 주로 뉴스 영상을 시청하는 (주격 관계대명사) / 뉴스 사이트에서 / 핀란드가 보여 준다 / 가장 높은 비율을 (the+최상급+단수 명사) / 다섯 개 국가 중에서 (among+복수 명사))

❹ The percentage of people [who mostly watch news videos / on news sites / in France] is higher than that in Germany.
(사람들의 비율은 / 주로 뉴스 영상을 시청하는 (주격 관계대명사) / 뉴스 사이트에서 / 프랑스에서 / 독일에서의 그것(비율)보다 더 높다 (= the percentage))

❺ As for people [who mostly watch news videos / via social networks], Japan shows [the lowest percentage / among the five countries].
(사람들에 있어서는 / 주로 뉴스 영상을 시청하는 (주격 관계대명사) / 소셜 네트워크를 통해 / 일본이 보여준다 / 가장 낮은 비율을 (the+최상급+단수 명사) / 다섯 개 국가 중에서)

❻ Brazil shows [the highest percentage of people {who mostly watch news videos / via social networks} among the five countries].
(브라질은 보여 준다 / 사람들의 가장 높은 비율을 (the+최상급+단수 명사) / 주로 뉴스 영상을 시청하는 (주격 관계대명사) / 소셜 네트워크를 통해 / 다섯 개 국가 중에서)

정답 ④

해석 위 도표는 다섯 개 국가에서 사람들이 뉴스 영상을 소비하는 방식을 보여 주는데, 뉴스 사이트에서의 뉴스 영상 소비 대 소셜 네트워크를 통한 뉴스 영상 소비이다. 뉴스 영상 사이트에서의 뉴스 영상 소비는 네 개 국가에서 소셜 네트워크를 통한 것보다 더 인기가 있다. 주로 뉴스 사이트에서 뉴스 영상을 시청하는 사람들에 있어서는, 핀란드가 다섯 개 국가 중에서 가장 높은 비율을 보여 준다. 프랑스에서 주로 뉴스 사이트를 통해 뉴스 영상을 시청하는 사람들의 비율은 독일에서의 그것(비율)보다 더 높다. 주로 소셜 네트워크를 통해 뉴스 영상을 시청하는 사람들에 있어서는, 다섯 개 국가 중에서 일본이 가장 낮은 비율을 보여 준다. 브라질은 다섯 개 국가 중에서 주로 소셜 네트워크를 통해 뉴스 영상을 시청하는 사람들의 가장 높은 비율을 보여 준다.

구조 분석 + 어법 POINT 확인

(A) 정답 more
이유 [형용사의 비교급] 「형용사 비교급+than」 비교구문인데, popular가 3음절이므로 앞에 more가 와야 한다.

(B) 정답 highest
이유 [the+최상급+단수 명사] 앞에 the가 오므로 최상급 highest가 알맞다.

(C) 정답 that

이유 [비교구문의 병렬구조] 단수인 the percentage에 대응되므로 that으로 일치시킨다.

어법 TEST 4 서술형 내신 어법훈련하기 p. 143

구문분석 및 직독직해

❶ Imagine [that your body is a battery / and the more energy / this battery can store, / the more energy / you will be able to have / within a day].
상상해 보라 여러분의 몸이 배터리이고 더 많은 에너지를 이 배터리가 저장할수록 더 많은 에너지를 당신이 가질 수 있다고 하루 안에
접속사(명사절) / the+비교급 ~, the+비교급 …: ~하면 할수록, 더욱 …하다 / 조동사는 연이어 두 개를 쓸 수 없음

❷ Every night [when you sleep], / this battery is recharged with / as much energy as you spent / during the previous day.
매일 밤 당신이 잘 때 이 배터리는 재충전된다 당신이 소비했던 에너지만큼 그 전날 동안
관계부사 / 수동태 / as+much+명사+as: ~만큼 많은 …

❸ If you want to have / a lot of energy / tomorrow, / you need to spend / a lot of energy / today.
당신이 갖기를 원한다면 많은 에너지를 내일 당신은 소비할 필요가 있다 많은 에너지를 오늘
접속사(부사절-조건) / need+to부정사: ~할 필요가 있다

❹ Our brain consumes / only 20% of our energy, / so it's a must / to supplement thinking activities / with walking and exercises [that spend a lot of energy] so that your internal battery / has more energy / tomorrow than today.
우리의 뇌는 소비한다 우리 에너지의 겨우 20퍼센트만을 그래서 반드시 필요하다 사고 활동을 보충하는 것이 걷기와 운동으로 많은 에너지를 소비하는 그러면 당신의 내부 배터리는 더 많은 에너지를 가지게 된다 오늘보다 내일
it's a must to+동사원형: ~하는 것이 필수다 / 주격 관계대명사 / 목적: ~하도록 / 비교급+than

❺ Your body stores / as much energy as you need: for thinking, / for moving, / for doing exercises.
당신의 몸은 저장한다 당신이 필요한 만큼의 (많은) 에너지를, 즉 사고하기 위해 움직이기 위해 운동하기 위해
as+much+명사+as: ~만큼 많은 …

❻ The more active you are today, / the more energy you spend today / and the more energy / you will have / to burn tomorrow.
당신이 오늘 더 활동적일수록 오늘 더 많은 에너지를 소비하고 그러면 더 많은 에너지를 당신은 가지게 될 것이다 내일 소모할
the+비교급 ~, the+비교급 …: ~하면 할수록, 더욱 …하다 / 형용사적 용법(energy 수식)

❼ Exercising gives you more energy / and keeps you / from feeling exhausted.
신체 활동은 준다 당신에게 더 많은 에너지를 당신을 막아 준다 지치는 것으로부터
동명사(주어)+단수 동사 / 4형식(give+IO+DO) / keep ~ from -ing: ~가 -하는 것을 막다

해석 당신의 몸이 배터리이고, 이 배터리가 더 많은 에너지를 저장할수록, 하루 안에 더 많은 에너지를 당신이 가질 수 있다고 상상해 보라. 매일 밤 당신이 잠잘 때, 이 배터리는 그 전날 동안 당신이 소비했던 에너지만큼 재충전된다. 당신이 내일 많은 에너지를 갖기를 원한다면, 오늘 많은 에너지를 소비할 필요가 있다. 우리의 뇌는 우리 에너지의 겨우 20퍼센트만을 소비하므로 많은 에너지를 소비하는 걷기와 운동으로 사고 활동을 보충하는 것이 반드시 필요하고, 그러면 당신의 내부 배터리는 오늘보다 내일 더 많은 에너지를 가지게 된다. 당신의 몸은 여러분이 사고하기 위해, 움직이기 위해, 운동하기 위해 필요한 만큼의 에너지를 저장한다. 당신이 오늘 더 활동적일수록, 오늘 더 많은 에너지를 소비하고 그러면 내일 소모할 더 많은 에너지를 가지게 될 것이다. 신체 활동은 당신에게 더 많은 에너지를 주고 당신이 지치는 것을 막아 준다.

학교시험 서술형 단골 문제 감 잡기

1 정답 as much energy as you spent

해설 '~만큼 많은 …'은 「as+much 명사+as」로 표현한다.

2 정답 as → than / 비교급이므로 than을 사용한다.

3 정답 The more active you are today, the more energy you spend today

해설 '~하면 할수록, 더욱 …하다'라는 의미는 「the+비교급+주어+동사, the+비교급+주어+동사」 형태로 쓴다.

Unit 13 특수구문

어법 기본 다지는 Basic Grammar p. 145

강조, 도치, 부정, 간접의문문 1 was, that 2 do 3 what, you

기출 문장으로 실전어법 개념잡기 1, 2 p. 147

1 that 2 did 3 result 4 it is 5 are social scientists 6 come chemical compounds 7 ○ 8 not only does it become easier

1 Newton이 새로운 것을 발견한 것은 스펙트럼의 경로에 두 번째 프리즘을 놓았을 때였다.
▸「It ~ that」 강조구문이고, that은 강조되는 어구에 따라 who, whom, which, when, where 등으로 바꾸어 쓸 수 있는데, 이 문장에서 강조하는 어구는 사람이 아니기 때문에 who를 쓸 수 없다.

2 몇몇 역사적 증거는 커피가 정말 에티오피아의 고산지에서 유래했다는 것을 보여 준다.
▸동사 originate를 강조하는 자리로, 문맥상 '유래했다'라는 의미가 되기 위해 과거형 did가 알맞다.

3 그런 숙련된 직공들은 간단한 도구를 사용했을지도 모르지만, 그들의 전문화는 더 효율적이고 생산적인 작업을 정말로 초래했다.
▸did가 이어지는 동사를 강조하는 조동사로 쓰였으므로 동사원형 result가 알맞다.

4 여러분은 모두 적어도 한 번은 이 경기를 해 보았을 것입니다. 왜냐하면 학교 운동회에서 흔히 절정을 이루는 것이 바로 줄다리기이기 때문입니다.
▸「It ~ that」 강조구문이므로 「It+be동사」가 알맞다.

5 사회과학자들은 좀처럼 사회적 행동을 통제할 위치에 있지 않다.
▸부정어가 앞으로 나와 강조되었으므로 도치구문의 어순에 따라 「동사+주어」로 고쳐야 적절하다.

6 영양분을 공급하고 치료하고 감각을 즐겁게 하는 화합물들이 식물들로부터 나온다.
▸부사구 from plants가 앞으로 나와 강조되었으므로 도치구문의 어순에 따라 「동사+주어」로 고쳐야 적절하다.

7 사실, 역사적으로 음식이 꽤 부족했던 수많은 시기가 있었다.
▸there 도치구문의 어순은 「there+동사+주어」이므로 적절하게 쓰였다.

8 계속하여 하나의 습관을 충분히 오래 들이려고 노력해라, 그러면 그 습관이 더 쉬워질 뿐만 아니라 다른 일들 또한 더 쉬워진다.
▸부정어구가 앞으로 나와 강조되었으므로 도치구문의 어순에 따라 「부정어구+조동사+주어+본동사」가 알맞다.

기출 문장으로 실전어법 개념잡기 3, 4 p. 149

1 not always 2 none 3 never, never 4 no 5 ○ 6 how much you bring 7 whether a company was 8 ○

1 사람들이 항상 그들의 행동으로 정의되는 것은 아니다.
▸부분부정은 「not+always」로 나타낸다.

2 복잡한 호르몬 조절 시스템은 머리카락과 손톱의 성장을 지휘하지만, 일단 사람이 죽게 되면 이 중 무엇도 가능하지 않다.
▸전체부정 no 뒤에는 명사가 오므로 명사 없이 단독으로 쓰이거나 of를 붙여 쓸 수 있는 none이 알맞다.

3 거절당할 위험을 절대 무릅쓰지 않는다면, 친구나 동반자를 결코 얻을 수 없다.
▸never와 neither 둘 다 전체부정 표현이지만 neither은 '둘 다 아니다'라는 뜻이므로 never가 알맞다.

4 연구자들은 또한 나이가 있는 사람이 아무도 없다는 것을 알아냈다.
▸뒤에 one이 와서 no one의 부정대명사가 되었다.

5 내가 당신에게 달걀들이 어디 있는지 말해 달라고 한다면, 그렇게 할 수 있겠는가?
▸간접의문문의 어순은 「의문사+주어+동사」이므로 적절하게 쓰였다.

6 여러분이 얼마나 많이 가져오는지에 따라 쿠폰을 받게 될 것입니다.
▸의문사 how 뒤에 형용사/부사가 오는 경우 한 덩어리로 취급한다.

7 나는 글로벌 매니지먼트 자문위원인 Kenichi Ohmae에게 한 회사가 성공할지에 대해 그가 알아차릴 수 있는지 물었다.
▸의문사가 없는 간접의문문의 어순은 「whether+주어+동사」이다.

8 판매원은 여러분에게 (동물들에게) 잔인함을 가하지 않은 어느 화장품을 그들의 매장에서 사는 것에 여러분이 관심이 있는지를 물어본다.
▸의문사가 없는 간접의문문의 어순은 「if+주어+동사」이므로 적절하게 쓰였다.

어법 TEST 1 문장 어법훈련하기 p. 150

1 that 2 not always 3 why navigating it is 4 ○ 5 ○ 6 whether you are 7 Nor do we

1 그가 추구하는 것이 무엇이든 그것을 성취할 수 있게 해 준 것은 바로 그의 새로 발견된 자신감이었다.
▸「It+be동사」와 that 사이에 주어인 his newfound self-confidence가 강조되었다. that은 강조되는 어구에 따라 who, whom, which, when, where 등으로 바꾸어 쓸 수 있는데 강조하는 어구가 사람이 아니기 때문에 that이 알맞다.

2 셰익스피어는, 그의 시대의 대부분의 극작가들처럼, 항상 혼자 작품을 썼던 것은 아니라고 흔히 믿어진다.
▸ always가 부정어와 쓰이면 부분부정을 나타내는데, 부분부정의 형태는 「not+all/every/always/both ...」이다.

3 뉴스 생태계가 너무나 붐비고 복잡해져서 나는 그곳을 항해하는 것이 어려운 이유를 이해할 수 있다.
▸ 간접의문문의 어순은 「의문사+주어+동사」이다. 동명사가 주어로 쓰였다.

4 그들은 조화를 관계 발전에 필수적이라고 간주하기 때문에, 서로를 매우 배려하는 모습을 보인다.
▸ 동사 show를 강조하고 있고 문장의 시제가 현재이므로 do show가 알맞다.

5 아리스토텔레스의 제안은 미덕은 중간 지점인데, 이는 누군가가 너무 관대하지도 너무 인색하지도, 너무 두려워하지도 너무 무모하게 용감하지도 않은 것이다.
▸ neither는 주로 nor와 함께 전체부정을 나타낸다.

6 주저함을 버리고 당신이 음악적으로 재능이 있는지에 대한 걱정들을 모두 잊어라.
▸ 의문사가 없는 간접의문문의 어순은 「whether+주어+동사」이다.

7 또한 우리는 왜 학교와 대학이 세상 물정에 밝은 사람들의 지적 잠재력을 간과하는지에 대한 주요한 이유 중 하나를 고려하지 않는다.
▸ 부정어 nor가 앞으로 나와 강조되었으므로 도치구문의 어순에 따라 「부정어+(조)동사+주어」로 고쳐야 적절하다.

어법 TEST 2 짧은 지문 어법훈련하기 p. 151

1 (A) never (B) had these subjects **2** ③ **3** ③

1 대중들은 이전에 그렇게 '형식에 구애받지 않는' 그림을 본 적이 결코 없었다. 캔버스의 가장자리는 마치 카메라로 스냅 사진을 찍는 것처럼, 임의적인 방식으로 장면을 잘랐다. 그 소재는 기찻길과 공장과 같은 풍경의 현대화를 포함했다. 이전에는 이러한 대상이 결코 화가들에게 적절하다고 여겨지지 않았다.
▸ (A) never와 no 둘 다 전체부정 표현이지만 no는 뒤에 명사가 오므로 never가 알맞다.
(B) 부정어구가 앞으로 나와 강조되었으므로 도치구문의 어순에 따라 「부정어구+조동사+주어」가 알맞다.

2 포유류는 다른 동물 집단에 비해 색이 덜 화려한 경향이 있지만, 얼룩말은 두드러지게 흑백의 모습을 하고 있다. 이렇게 대비가 큰 무늬가 무슨 목적을 수행할까? 색의 역할이 항상 명확한 것은 아니다. 줄무늬를 가짐으로써 얼룩말이 얻을 수 있는 것이 무엇인지에 대한 질문은 과학자들을 1세기가 넘도록 곤혹스럽게 했다.
▸ ③ 간접의문문의 어순은 「의문사+주어+동사」이므로 what zebras can gain으로 고쳐야 한다.

3 투표 결과가 발표되었을 때, 나의 머리는 우리가 필요한 3분의 2의 득표수를 얻게 되었는지를 알아내기 위해 정확한 비율을 계산하지 못했다. 그때 기술자 중에 한 명이 그의 얼굴에 큰 웃음을 머금은 채 나에게 몸을 돌렸고, "당신이 해냈어요!"라고 말했다. 그 순간, 밖에 있던 카메라가 이어받았고, 바깥뜰에는 거의 믿을 수 없을 정도의 기쁨의 장면이 있었다.
▸ ③ there 도치구문의 어순은 「there+동사+주어」이므로 there was a scene of joy가 알맞다.

어법 TEST 3 기출 유형 어법훈련하기 p. 152

구문분석 및 직독직해

❶ We notice repetition / among confusion, / and the opposite: / we notice a break / in a repetitive pattern.
우리는 반복을 알아차린다 / 혼돈 속에서 / 그리고 그 반대, 즉 / 단절을 알아차린다 / 반복적인 패턴에서의

❷ But / how do / these arrangements / make us feel?
그러나 / 어떻게 / 이러한 배열들이 / 우리로 하여금 느끼도록 만들까
make(사역동사)+목적어+동사원형

❸ And what about / "perfect" regularity and "perfect" chaos?
그리고 ~은 어떨까 / '완전한' 규칙성과 '완전한' 무질서는

❹ Some repetition / gives us a sense of security, / in that / we know / what is coming / next.
어느 정도의 반복은 / 우리에게 안정감을 준다 / ~라는 점에서 / 우리가 안다는 / 무엇이 올지 / 다음에
give(수여동사)+IO+DO
간접의문문: 의문사(주어)+동사

❺ We like / some predictability.
우리는 좋아한다 / 어느 정도의 예측 가능성을

❻ We do arrange / our lives / in largely repetitive schedules.
우리는 정말로 배열한다 / 우리 생활을 / 대체로 반복적인 스케줄 속에
동사를 강조하는 조동사

❼ With "perfect" chaos / we are frustrated / by having to (to) adapt and react / again and again.
'완전한' 무질서로 인해 / 우리는 좌절한다 / 적응하고 대응해야만 하는 것에 / 계속해서
주어
have to+동사원형: ~해야만 한다

❽ But "perfect" regularity / is perhaps even more horrifying / in its monotony / than randomness is.
그러나 '완전한' 규칙성은 / 아마도 훨씬 더 끔찍할 것이다 / 그것의 단조로움에 있어서 / 임의성보다
비교급 강조 / 비교급
~보다

❾ It implies / a cold, unfeeling, mechanical quality.
그것은 의미한다 / 차갑고, 냉혹하며, 기계적인 특성을

❿ Such perfect order / does not exist / in nature; / there are too many forces / working against each other.
그러한 완전한 질서가 / 존재하지 않는다 / 자연에는 / 힘이 너무 많다 / 서로 대항하여 작용하는
도치구문: there+동사+주어 / 현재분사

⓫ Either extreme, / therefore, / feels threatening.
어느 한쪽의 극단은 / 그러므로 / 위협적으로 느껴진다
feel+형용사 보어

정답 ⑤

해석 우리는 혼돈 속에서 반복을 알아차리고 그 반대, 즉 반복적인 패턴에서의 단절을 알아차린다. 그러나 이러한 배열들이 우리로 하여금 어떻게 느끼도록 만들까? 그리고 '완전한' 규칙성과 '완전한' 무질서는 어떨까? 어느 정도의 반복은 우리가 다음에 무엇이 올지 안다는 점에서 우리에게 안정감을 준다. 우리는 어느 정도의 예측 가능성을 좋아한다. 우리는 대체로 반복적인 스케줄 속에 우리 생활을 배열한다. '완전한' 무질서로 인해 우리는 계속해서 적응하고 대응해야만 하는 것에 좌절한다. 그러나 '완전한' 규칙성은 아마도 그것의 단조로움에 있어서 임의성보다 훨씬 더 끔찍할 것이다. 그것은 차갑고 냉혹하며 기계 같은 특성을 의미한다. 그러한 완전한 질서가 자연에는 존재하지 않으며 서로 대항하여 작용하는 힘이 너무 많다. 그러므로 어느 한쪽의 극단은 위협적으로 느껴진다.

구조 분석 + 어법 POINT 확인

(A) 정답 what is
이유 [간접의문문] 간접의문문의 어순은 「의문사(주어)+동사」이다.

(B) 정답 do
이유 [강조] 동사 arrange를 강조하는 조동사 do로, 전체적인 글의 시제에 맞춰 현재형인 do가 알맞다.

(C) 정답 there are too many forces
이유 [도치] there ~ 도치구문의 어순은 「there+동사+주어」이다.

어법 TEST 4 서술형 내신 어법훈련하기 p. 153

구문분석 및 직독직해

❶ Music connects people / to one another / not only
음악은 사람들을 연결시킨다 서로 (셋 이상의) 서로서로

through a shared interest or hobby, / but also through
공통의 관심사나 취미를 통해서뿐만 아니라
not only A but also B: A뿐만 아니라 B도

emotional connections / to particular songs, communities,
감정적 연결을 통해서도 특정한 노래, 공동체, 그리고 예술가에 대한

and artists.

❷ [The significance of others / in the search for the self] is
다른 사람들의 중요성은 자신을 찾아가는 과정 속에서
주어 동사

meaningful; / as Agger, a sociology professor, states,
의미가 있다 사회학 교수인 Agger가 진술한 것처럼
접속사(~처럼) 동격의 , (콤마)

"identities are largely social products, / formed in relation to
"정체성은 주로 사회적 산물이다 다른 사람들과의 관계에서 형성되는
분사구문1

(to) 삽입절
others / and [how we think / they view us]."
그리고 우리 생각에 그들이 우리를 어떻게 보느냐
간접의문문: 의문사+주어+동사

❸ And Frith, a socio-musicologist, / argues [that popular
그리고 사회음악학자인 Frith는 주장한다
접속사(명사절)

music has / such connections].
대중음악이 가지고 있다고 그러한 연결을

❹ For music fans, / the genres, artists, and songs /
음악 팬들에게 장르, 예술가, 그리고 노래는

in which / people find meaning, / thus, / function /
그 속에서 사람들이 의미를 찾는 그러므로 기능을 한다
전치사+목적격 관계대명사

as potential "places" / through which / one's identity
잠재적인 '장소'로서 그 장소를 통해 자신의 정체성이
전치사+목적격 관계대명사

can be positioned / in relation to others: / they act as chains
자리 잡힐 수 있다 다른 사람들과 연관되어, 즉 그것들은 사슬로서 역할을 한다
조동사+be+p.p.(수동태)

[that hold / at least parts of one's identity / in place].
묶어 두는 사람들의 정체성의 적어도 일부분을 있어야 할 곳에
주격 관계대명사

❺ [The connections {made through shared musical passions}]
공유된 음악적 열정을 통해 만들어진 연결은
과거분사 주어

provide a sense of safety and security / in the notion that
안전과 안정감을 제공한다 ~라는 점에서
동사 동격의 that

there are groups of similar people [who can provide / the
비슷한 사람들의 집단이 있다 제공해 줄 수 있는
주격 관계대명사

feeling of a community].
공동체라는 느낌을

해석 음악은 공통의 관심사나 취미를 통해서뿐만 아니라 특정한 노래, 공동체, 그리고 예술가에 대한 감정적 연결을 통해서도 사람들을 서로 연결시킨다. 자신을 찾아가는 과정 속에서 다른 사람들의 중요성은 의미가 있다. 사회학 교수인 Agger가 진술한 것처럼, "정체성은 주로 다른 사람들과의 관계에서 그리고 우리 생각에 그들이 우리를 어떻게 보느냐에서 형성되는 사회적 산물이다." 그리고 사회음악학자인 Frith는 대중음악이 그러한 연결을 가지고 있다고 주장한다. 그러므로, 음악 팬들에게, 사람들이 그 속에서 의미를 찾는 장르, 예술가, 그리고 노래는 그 장소를 통해 자신의 정체성이 다른 사람들과 연관되어 자리 잡힐 수 있는 잠재적인 '장소'로서 기능한다. 즉, 그것은 사람들의 정체성의 적어도 일부분을 있어야 할 곳에 묶어 두는 사슬로서 역할을 한다. 공유된 음악적 열정을 통해 만들어진 연결은 공동체라는 느낌을 제공해 줄 수 있는 비슷한 사람들의 집단이 있다는 점에서 안전과 안정감을 제공한다.

학교시험 서술형 단골 문제 감 잡기

1 정답 how we think they view us
해설 간접의문문의 어순은 「의문사+주어+동사」이고, 여기서 we think는 삽입절이므로 how we think they view us로 고쳐야 한다.

2 정답 the connections made through shared musical passions that
해설 「It+be동사」와 that 사이에 강조하고자 하는 the connections made through shared musical passions를 넣어 「It ~ that」 강조구문을 만든다.

3 정답 there are groups of similar people
해설 there 도치구문의 어순은 「there+동사+주어」이다.

고등영어 내신·수능 어휘 기본서

고등 영어, 무조건 어휘력이다!

VOCA 다:품

[고교 필수 영단어] [수능 기본 영단어]

어휘 STARTER

핵심만 빠르게 익히는 <고교 필수 영단어>
기출 문장으로 외우는 <수능 기본 영단어>
다:품으로 영단어 공부 START!

암기 효율 100%

혼동어, 유의어, 반의어, 파생어
헷갈리는 단어는 쌍으로 암기!
어휘 Tip으로 어휘력과 상식 UPGRADE!

미니 단어장 제공

QR로 보는 '발음+짤강'과 '출제 프로그램'
'미니 단어장'으로 자투리 시간도 알차게,
풍부한 부가자료로 영어 완·전·정·복!

내신+수능+모의고사 어휘 다~ 품은 다:품! 고교 필수 영단어: 예비고~고1 / 수능 기본 영단어: 고1~2

정답은
이 안에
있어!

Starter

배움으로 행복한 내일을 꿈꾸는

천재교육 커뮤니티 안내

교재 안내부터 구매까지 한 번에!

천재교육 홈페이지

자사가 발행하는 참고서, 교과서에 대한 소개는 물론
도서 구매도 할 수 있습니다. 회원에게 지급되는 별을 모아
다양한 상품 응모에도 도전해 보세요!

다양한 교육 꿀팁에 깜짝 이벤트는 덤!

천재교육 인스타그램

천재교육의 새롭고 중요한 소식을 가장 먼저 접하고 싶다면?
천재교육 인스타그램 팔로우가 필수!
깜짝 이벤트도 수시로 진행되니 놓치지 마세요!

수업이 편리해지는

천재교육 ACA 사이트

오직 선생님만을 위한, 천재교육 모든 교재에 대한 정보가 담긴
아카 사이트에서는 다양한 수업자료 및 부가 자료는 물론
시험 출제에 필요한 문제도 다운로드하실 수 있습니다.

https://aca.chunjae.co.kr

천재교육을 사랑하는 샘들의 모임

천사샘

학원 강사, 공부방 선생님이시라면 누구나 가입할 수 있는 천사샘!
교재 개발 및 평가를 통해 교재 검토진으로 참여할 수 있는 기회는 물론
다양한 교사용 교재 증정 이벤트가 선생님을 기다립니다.

아이와 함께 성장하는 학부모들의 모임공간

튠맘 학습연구소

튠맘 학습연구소는 초·중등 학부모를 대상으로 다양한 이벤트와 함께
교재 리뷰 및 학습 정보를 제공하는 네이버 카페입니다.
초등학생, 중학생 자녀를 둔 학부모님이라면 튠맘 학습연구소로 오세요!